LE TIBÉTAIN

Sous le nom de Jean Léo
L'Orchestre solitaire, la Table ronde, 1985.

www.editions-jclattes.fr

Jean-Léo Gros

LE TIBÉTAIN

Roman

JC Lattès

17, rue Jacob 75006 Paris

À Isabelle,
à mon père disparu,
qui vit en nos cœurs.

1

Le départ

La punition favorite du maître consistait à obliger les élèves à entrer dans l'eau glacée jusqu'aux genoux et à y rester d'interminables minutes. L'eau broyait les os. Les plus sensibles gémissaient à l'agonie.

Mykio Dara, dix centimètres de plus que ses camarades, un enfant de la vallée, un sauvage pour le maître, «le fort» pour ses camarades, avait remarqué qu'une immersion progressive et volontaire permettait d'apprivoiser la douleur.

Un beau matin, il se lança dans l'élément glacé et essaya de nager. Sa force naturelle prit le dessus. Le froid estompa les sensations d'efforts musculaires et respiratoires mais une puissante raideur à la nuque se fit sentir.

Heureusement, son oreille droite le ramena vite hors de l'eau. Le maître, à moitié immergé, s'en était saisi, furieux que sa punition tourne ainsi à la dérision. L'épreuve s'arrêta ce jour, remplacée par d'autres châtiments.

Mais Mykio continua à nager.

Le chemin du retour de l'école lui faisait longer la rive est du Daksum Tso. Il franchissait de puissants torrents qui descendaient d'un trait la montagne de l'Ours. Au printemps à cet endroit jaillissaient d'énormes embruns. Mykio ignorait ce chaos naturel, il traversait le pont suspendu récemment construit par les autorités chinoises pour rejoindre plus au nord les eaux calmes. Il contemplait l'étendue parfois lisse comme un miroir, tenaillé par l'envie de s'y plonger, ce qu'il faisait dès les premières chaleurs. Il y avait des couloirs d'eau tempérée en raison d'un courant volcanique provenant, disait-on, du ventre du pic de la Foudre. Un voile de vapeur laissait imaginer de mystérieuses présences. Il s'allongeait au pied d'un chêne et se mettait nu dans l'herbe. L'école était loin. Il contemplait le paysage grandiose, les trois sommets argentés qui se découpaient sur l'azur. Le cœur léger, il se ressourçait avant de s'immerger dans l'eau turquoise, glaciale, pénétrée par des courants chauds volcaniques d'un bleu profond qui par endroits bouillonnaient à la surface.

Des trois montagnes entourant le lac à cet endroit, les deux plus élevées, la montagne de l'Ours et le pic de la Foudre, jouissaient d'une excellente réputation. Leur forêt en contrebas était dense, peuplée d'une faune innombrable, leurs sources d'eau pure, la qualité de leurs herbes comestibles et thérapeutiques, attiraient les nomades à la bonne saison. La plus petite en revanche ressemblait à cinq doigts contorsionnés, tordus vers le ciel. La main figée de la divinité du Mal, une démone vaincue par la puissance spirituelle d'un yogi et ensevelie à jamais. Tout y était escarpé et les bourrasques redoutables. Même les animaux chutaient dans les ravins. Les vautours y étaient plus nombreux que partout ailleurs pour achever les blessés et se repaître de leurs carcasses. L'herbe ne poussait qu'auprès des sentiers les plus dangereux. On disait l'eau de ses torrents empoisonnée. Heureusement, la Démone n'était pas de taille à perturber le bon équilibre de la vallée, sauf les jours où les deux montagnes bienfaitrices, l'Ours et la

Foudre, disparaissaient sous les nuages. Ces jours-là, Mykio ne se risquait pas dans le lac.

Il obéissait à un rite. Avant de plonger, il posait ses pieds sur les galets. Le froid attrapait ses chevilles. Il s'enfonçait ensuite lentement. Après plusieurs minutes, il faisait une coulée et nageait avec force pour vaincre le froid. Peu à peu, il s'approchait de l'eau profonde qui allait perdre cinq degrés. Là, il luttait tenaillé par la douleur qui lui vrillait les os. Alors, pour résister le plus longtemps possible, il accélérait en s'efforçant de garder une bonne glisse, un corps bien allongé et des gestes symétriques. Ses avancées dans l'élément glacial lui imposaient une vélocité inouïe pour maintenir le corps à température. Les morsures de l'hiver, les sévices des maîtres n'étaient rien comparés à cette épreuve volontaire. Il revenait ensuite dans le bleu et nageait en amplitude. Inconsciemment, il travaillait ses appuis. Puis il sortait, s'étendait sur sa *tchoupa*, caressé par le soleil. Là, il rayonnait. À douze ans, il avait dompté la mort.

Il entraînait avec lui le petit Chang Li, un fils d'émigrés de son âge, qui avait une tête de moins que lui. Le jeune Chinois le chronométrait. Un gros tronc de bois de santal coincé entre deux rochers marquait le point de départ. Mykio partait en diagonale, s'éloignant peu à peu de la rive, jusqu'à un rocher à fleur d'eau deux cents mètres plus loin, cent mètres au large. Il trouvait sa route sans dévier et maintenait la ligne droite grâce à des repères sous l'eau qu'il avait mémorisés à force de répétitions. Les longs doigts d'une algue jaunâtre, puis une suite de blocs rocailleux de plus en plus profonds, un nouveau varech qui surgissait, lugubre, du néant. Enfin, une ombre se dessinait au fur et à mesure de son avancée pour dévoiler peu à peu le moindre de ses détails : un amoncellement de cailloux volcaniques avec ses trous suggérant de profondes cavernes, ses algues, des parois de mousse, de la vase, parfois un ou plusieurs poissons, souvent des variétés de poissons-chats, massifs, épais, laids. Il virait au-dessus de cette formation naturelle pour retourner par la même route vers le tronc à moitié immergé. Dix fois il faisait l'aller-retour. Le jeune Chang remplissait les feuillets d'un cahier avec ses temps de passages. Mykio acquit ainsi la notion de progression. Il se donna des objectifs.

Un soir d'été alors qu'il rentrait à la maison, il fut accueilli par son père, un homme très grand. Mykio lut la fureur et la peur sur le visage de Pa-la, mais ce qui dominait était la tristesse, imprégnée à jamais. Pour la première fois, le garçon vit combien son père était maigre et fragile. À son tour, il eut peur.

— D'où viens-tu ?

— A-pa, A-pa, je n'ai rien fait !

— Tout le monde t'a vu. On parle d'exhibition, de mauvais penchants. Tu entraînes un camarade !

— C'est mon ami...

— Ils disent que ses parents vont porter plainte. Ils commencent à nous accuser avec ta mère de mauvaise éducation. De perversion !

Il défit son ceinturon.

— Pardon, A-pa ! Je n'irai plus nager, je te le promets.

Son père laissa son ceinturon et serra son fils contre lui.

— Pourquoi faut-il que je te batte ?... Ils nous prennent tout, jusqu'à notre dignité. Ils veulent que je te perde aussi.

Il fut secoué par un violent sanglot qui exprimait autant l'épuisement que l'amour désespéré pour ce fils unique. Il était professeur de lycée, avait exercé à Bayi, la préfecture, une grosse bourgade en pleine expansion, devenue plus chinoise que tibétaine, mais les Chinois lui avaient fermé les portes de l'éducation prétextant qu'il avait le mauvais esprit.

Ama-la s'approcha.

— Je t'en prie, Mykio, dit-elle de sa voix douce. Toi, tu es robuste pour ton âge et tu t'évades comme tu peux.

C'est pas un péché, mon petit. Notre maison est pleine de tristesse et tu as peut-être besoin de ça. Mais fais-le décemment.

— Ama-la chérie, il me faut un maillot.

— Je t'en coudrai un, mais en attendant reviens ici après l'école.

On parlait de plus en plus de cet enfant du lac. Certains prétendaient qu'il le traversait à la vitesse d'une pirogue. Le maître, alerté et curieux, alla observer. Il revint le lendemain avec le directeur qui convint que ce garçon se livrait à un exercice bien étrange mais spectaculaire. Il prévint la direction régionale de la Jeunesse qui, à son tour, interrogea le département des Sports de la capitale, Lhassa. La Patrie recherchait à travers son immense territoire et ses provinces autonomes de jeunes talents sportifs. Depuis deux décennies, elle rattrapait son retard à pas de géant. Elle était candidate pour les Jeux olympiques d'été. Il lui fallait les meilleurs athlètes. C'était une priorité nationale. Le département des Sports dépêcha le seul officiel de Bayi capable d'évaluer un nageur. Un certain commandant Pema Zhu.

— C'est un gamin impossible, expliqua le directeur au commandant qui observait le nageur à l'aide de jumelles, sa main gauche appuyée sur une canne.

— Un poison, appuya le maître dans leur dos en fouettant l'air avec une tige d'orties.

Le commandant éloigna ses jumelles, toisa le maître. Les cheveux courts en brosse, les lèvres fines, pincées, le nez et les pommettes rougis par l'alcool, ce maître-là aurait fait un bon sergent dans un bataillon disciplinaire.

Les trois hommes étaient sous le chêne, là où Mykio avait jeté ses habits. Ils surplombaient les eaux turquoises du Daksum Tso. Une étendue de dix kilomètres de long.

— Qui l'a amené à s'infliger cette épreuve? questionna le commandant.

— Lui-même. Il aime le mal. Les superstitieux qui

prolifèrent dans cette fichue vallée chuchotent qu'il est une réincarnation. Moi, je pense que c'est un diable.

Le maître toussa et cracha dans la direction du lac.

— Il a de la famille ? demanda le commandant les jumelles de nouveau pointées sur le nageur.

— Une descendance de *dzongpön*. Des rapaces qui possédaient une partie de la haute ville. Son père a été chassé de l'éducation. Il refusait les séances d'autocritique devant ses élèves et croyait s'en tirer parce qu'il a un doctorat de mathématiques. Mais plus aucune école ne veut de ce médiocre. Son attitude hostile lui a aliéné tous ses collègues.

Le maître dirigea sa tige d'orties dans la direction du lac et fouetta l'air comme si le fils et le père étaient devant lui.

— Ce gamin-là ne vaut pas mieux, dit-il. J'ai même renoncé à le corriger. Les seuls coups qui pourraient le raisonner le tueraient.

Le commandant fit signe aux deux gardes de la Sécurité en faction près du camion, qui dévalèrent la pente vers la rive. Il les suivit en claudiquant, appuyé sur sa canne.

Mykio regagnait le rivage en alternant ondulations et battements. Ses bras enchaînaient un mouvement de nage libre et de papillon, combinaison originale exigeant des gestes déliés et les meilleurs appuis. Il trouva son équilibre sur les galets instables et remarqua en haut la camionnette de l'école. Le maître et le directeur discutaient sous le chêne. Il vit les trois militaires dévaler la pente. Sa main se porta sur son maillot, trois bouts de nylon cousus ensemble. Grâce à Ama-la, il n'était pas nu devant ces hommes.

Chang Li s'était volatilisé.

Les doigts de la Démone, écarlates, scintillaient sous le soleil couchant. Des nuages menaçants s'emparaient de l'Ours et du pic de la Foudre. Mauvais présages. Sa peur décupla.

Le directeur et le maître étaient postés en observation. Plus près, à seulement quelques mètres, l'officier, qui avait abandonné sa canne, avançait de sa manière disgracieuse sur les galets, tout en le détaillant des orteils à la tête. Son regard était si insistant que Mykio eut l'impression qu'on le palpait. L'homme esquissa un rictus tout avant d'ôter sa casquette, laissant découvrir un crâne chauve. La tête, ovale, était emmanchée sur un cou épais. Sa physionomie indiquait qu'il n'était qu'à moitié chinois. Le reste était tibétain. Mykio savait que les sangs mêlés faisaient les meilleurs fonctionnaires et souvent les pires miliciens, comme si une moitié voulait faire payer l'autre. Il recula.

Son pied droit glissa sur un galet. Il tituba, battit des bras pour tenter de se redresser, gesticulation chaotique qui le ramena dans l'eau. Il leva alors les yeux vers le boiteux qui s'approchait, les jambes immergées jusqu'aux genoux. Il tourna la tête vers le large. L'Ours et la Foudre avaient disparu sous les nuages.

Les bras de Mykio se mirent à tourner en accéléré. Il savait qu'incessamment il allait s'enfoncer dans le froid, bien au-delà de la masse volcanique. Il irait tellement loin qu'il ne pourrait plus revenir. Trop effrayé pour mesurer le danger, il enrageait, piochait l'eau en appelant A-pa et Ama-la.

Le commandant avait l'avantage de savoir où il allait. Il gagnait du terrain grâce à son expérience. Le gamin progressait en désespéré, lui, en professionnel. L'enfant suivait sa route en diagonale, tandis que le militaire piquait tout droit vers sa cible. L'eau avait réveillé nombre de paramètres chez ce vétéran. Son pied mutilé n'était plus un handicap. Soudain il se déchaîna sur sa proie.

Mykio fut agrippé. D'un coup son cœur bondit au point d'exploser. Il se sentit tiré vers le bas. Il lutta, tenta de se dégager. Un étau s'était refermé sur sa cheville. Un de ces monstres imaginés mille fois, capable de se faufiler entre les algues et leurs alluvions opaques, venait de l'attraper. Il lutta et avala alors quantité d'eau. Il se tordit en s'enfonçant dans les ténèbres. La force qui s'était emparée de lui, le tirait maintenant par le menton, tantôt à la surface, tantôt en coulée. Il battit des bras, sans pouvoir saisir quoi que ce soit. Son assaillant l'avait crocheté d'une telle manière qu'il était vain de se débattre. Las, tétanisé par le froid, le garçon lâcha prise.

Sur la plage, les gardes l'empoignèrent, chacun par un bras et le montèrent jusqu'au camion, où ils le poussèrent sans ménagement.

— Où l'emmenez-vous ? demanda le directeur de l'école.

— Au Centre d'Altitude, annonça le commandant.

Une portière claqua, un bruit de moteur. Mykio devina que la fourgonnette de l'école démarrait. Un bruit de bottes vers l'arrière bâché du camion. L'officier boiteux mouillé apparut. Il lui jeta ses vêtements à la figure.

— Habille-toi !

L'homme le regarda s'habiller. Toujours le même regard.

La bâche retomba. La lourde carcasse du tout terrain s'ébranla. Mykio rampa jusqu'à l'arrière pour écarter la toile, regarder. La Démone écarlate, paysage désolé, se moquait de l'Ours et de la Foudre, effacés par des nuages noirs. Il vit son saule, les hirondelles qui poursuivaient leurs arabesques de plus en plus bas. Le camion dépassa Chang Li, qui n'osa pas lui faire un signe, de peur d'être embarqué à son tour.

Deux heures plus tard, le camion atteignit Bayi et ses faubourgs militaires qu'il traversa à vive allure. Il grimpa jusqu'au col Serkyimla à 5 100 mètres et poursuivit sa route en descente jusqu'à la vallée du Tsangpo. Il gravit en zigzagant le flanc des parois rocheuses, traversa une vaste plaine puis redescendit à nouveau dans les gorges du Tsangpo qui deviendra plus bas, en Inde, le fleuve Brahma Putra. À la nuit tombante, il bifurqua enfin sur un chemin goudronné qui débouchait cinq kilomètres plus loin sur le Centre d'Altitude. Il s'agissait d'un ensemble de bâtiments à l'architecture sommaire. À première vue, on se serait cru dans une zone industrielle. Le camion s'arrêta devant un dôme ovale orné de grandes baies vitrées. Une fois à l'intérieur, Mykio découvrit un très grand bassin. Dedans, une centaine de nageurs glissaient sans faire de vagues, et sur la plage, les maîtres armés de chronomètres criaient des ordres, donnaient des conseils. Aux quatre coins, de grosses horloges cruciformes tournaient au ralenti donnant les départs.

Une ligne d'eau fut libérée.

— Vas-y, ordonna le commandant Pema Zhu, nage comme je t'ai vu nager tout à l'heure. Fais huit longueurs en crawl, essaye de nager en progressif, va de plus en plus vite.

Mykio fut d'abord surpris par l'extrême clarté de l'eau. Il eut l'impression de se mouvoir dans un immense évier. Puis il discerna les carreaux qui défilaient sous lui. Il eut une sensation d'allure jamais éprouvée dans le lac. Le mur du premier cinquante mètres arriva très vite, le second aussi. À la quatrième longueur, il trouva le temps plus long. Pourtant, il devait accélérer. Son corps de plus en plus raide faisait de son mieux, mais il sentait bien que ça n'allait plus du tout. L'eau était trop lourde, trop chaude. Ce bassin était un piège. Il termina ce 400 mètres au bord de l'agonie. Un homme à côté du commandant maniait un chronomètre. Le commandant ordonna à Mykio de recommencer et de nager en souplesse.

Mykio commençait à comprendre ce qui lui arrivait. Autour de lui, les nageurs, des grands, le doublaient. Il parvint à en passer quelques-uns qui nageaient en éducatif ou en battements. Cet officier boiteux ne l'avait pas amené ici pour le punir. Le garçon avait assez de jugeote pour comprendre qu'on le testait. Il se sentit bientôt

rempli d'orgueil. Il nagea de mieux en mieux, des gestes
déliés avec de meilleurs appuis.

— Je suis le directeur du centre. Tu es admis ici jusqu'au test de juillet, annonça l'homme au chronomètre à
Mykio, à sa sortie de l'eau.

Le commandant roula de gros yeux, comme s'ils
offraient à Mykio un immense cadeau.

Il expliqua que le test de juillet était opéré par le
sélectionneur de l'équipe nationale cadette en stage ici,
au Centre d'Altitude. Une chance unique pour Mykio.

— Et mes parents ? demanda-t-il, un voile dans le
regard.

— Fais ce que tu as à faire ici. Ne pense qu'à cela.
Dès lors, tout ira bien pour les tiens.

Mykio voulait que tout aille bien pour Pa-la et Ama-la.
Il fit ce qu'on lui ordonnait. Ses camarades au sport-
études venaient de toute la Chine, restaient quelques
semaines et repartaient. Nombre de jeunes espoirs de son
âge étaient des gymnastes. Certains en route pour les
championnats du monde. Ils travaillaient très dur. Mykio
n'aurait jamais voulu être à leur place. Il remerciait l'eau
tous les jours.

Il apprit au fil du temps que le commandant boiteux
était un ancien nageur de bon niveau qui travaillait à
la Sécurité intérieure à Bayi. Le Centre d'Altitude, un
complexe étatique de première importance dans cette
région, était dans ses attributions. Il venait y nager pour
le plaisir et garder la forme. Mykio avait remarqué que
c'était un puissant nageur malgré son pied. Il se méta-
morphosait dans l'eau. Son papillon était impressionnant et fluide pour un homme de son âge.

Mykio se révéla un enfant sans problèmes. Le directeur du Centre disait qu'il était un facteur de bon équilibre. Bienveillant, Pema Zhu prenait le temps, à chaque
passage au Centre, de discuter avec lui.

— Tu vois, garçon, ce sont mes montagnes, confia-

t-il un matin en pointant sa canne sur le massif monta-
gneux derrière la baie vitrée du grand hall.

Ils observèrent les hautes murailles dentelées avec
leurs plis en contrebas puis leurs plaques rocheuses en
pente raide et les cimes neigeuses qui montaient jusqu'au ciel.

— Ma mère est née ici, annonça Pema en frappant
sa canne contre le dallage. Mon grand-père était berger.
J'aime ce lieu.

— Votre Ama-la est toujours vivante ? osa demander Mykio.

— Elle est partie cet hiver. J'avais demandé ma
mutation ici pour être près d'elle.

— Je suis triste pour vous.

— Tes parents vont bien.

— Ils me manquent.

La rencontre eut lieu le lendemain du test de juillet.
Mykio se jeta dans les bras d'Ama-la, puis alla embrasser
plus timidement Pa-la. Pema Zhu s'éclipsa.

— Il paraît que tu pars à Pékin, dit Pa-la, après les
effusions.

Ils s'étaient assis autour d'une table du réfectoire.

— Je vais intégrer l'équipe nationale cadette, répondit Mykio avec fierté.

Ama-la avait préparé des gâteaux au chocolat. Mykio
voulut les manger tout de suite avec eux. Ils refusèrent en
prétextant que c'était pour lui, qu'il devait les faire durer,
ne pas les avaler d'un coup.

— Tu seras mieux là-bas qu'à Tso Go de toutes
façons, dit Pa-la.

— Tu vas faire une carrière, nous sommes si fiers de
toi, dit Ama-la en faisant un effort pour cacher son chagrin.

— Ils semblent dire que tu as un destin, mon petit,
tu ne peux pas passer à côté, sourit Pa-la en prenant la
main d'Ama-la.

Il donna ses conseils. Mykio devait s'appliquer dans
ses études et notamment les mathématiques. Pa-la répéta
à Mykio qu'il avait de très bonnes dispositions en maths,

que ce serait un précieux atout à cultiver. Mykio promit qu'il ferait tous les efforts en maths et en tibétain.

— Et en chinois.

— Et en chinois si tu le veux, A-pa.

Ama-la fit d'autres recommandations. Quels que fussent ses succès, ses déceptions, il devait garder un cœur honnête, un esprit confiant et solide. En parlant, elle hochait la tête et souriait, mais son cœur lui criait : ils me prennent mon enfant ! Mykio qui lisait le cœur d'Ama-la répéta deux fois qu'il ne voulait pas les abandonner, qu'il vivrait toujours près d'eux, qu'il allait en informer le commandant Pema qui comprendrait.

Ce dernier promit que Mykio reviendrait fréquemment au Tibet. L'équipe cadette allait deux fois par an au Centre d'Altitude.

Le lendemain matin, Mykio quittait le Tibet.

Au sport-études des espoirs de la Patrie dans la banlieue de Pékin, sa vie se partagea entre les études et l'entraînement. Au cours des deux années suivantes, il revit ses parents lors des stages au Centre d'Altitude. Son père avait retrouvé un poste dans l'éducation au lycée de Bayi. Ama-la avait cessé de faire des ménages. Ils parlaient même d'adhérer au Parti. Pa-la espérait une mutation à Pékin qui les rapprocherait de Mykio. Leur bienfaiteur, le commandant Pema Zhu, était venu dîner chez eux à trois reprises. Il leur avait confié qu'il avait sollicité sa démobilisation pour un poste dans une fédération sportive. Il voulait vivre pleinement l'aventure olympique qui se profilait à l'horizon.

La quatrième visite de Mykio à Tso Go, l'été de la seconde année, fut la plus heureuse. Il dialoguait plus avec son père qui était devenu un homme joyeux, parlait beaucoup et riait. Ama-la avait pris des kilos, des couleurs, son visage s'était arrondi. Mykio la suppliait avant chaque repas de lui faire des nouilles. Ama-la alors le grondait. Il refusait les bonnes graisses. Il se laissait faire et elle tentait de le gaver un peu plus. Elle lui répétait qu'il devait faire de son mieux pour connaître une renaissance favorable. Pour cela, il lui fallait de bonnes graisses. Après le repas, il courait jusqu'au lac transformer les graisses d'Ama-la en muscle. Parfois Chang Li l'accompagnait. Un jour, Pema Zhu se joignit à eux. Ils firent une course tous les deux, que Mykio gagna haut la main. Ce jour-là, la Démone était cachée, les cimes de l'Ours et de la Foudre resplendissaient.

Le jour du départ, ses parents accompagnèrent Mykio jusqu'au bus qui devait conduire les enfants à l'aéroport de Bangda.

— Je suis heureux qui tu aies grandi mais n'oublie jamais que tu es tibétain...

Pa-la se mit à rire.

— Même lavé à la Javel, tu resteras tibétain !

Ama-la étreignit son fils, sa tête reposant sur la poitrine de Mykio qui l'enveloppait de ses bras déjà immenses.

— Tu sais, maman, je suis toujours revenu, pourquoi tu pleures ?

— Je pleure pour toi. Je n'ai jamais été aussi heureuse de ma vie.

Elle sortit de sa poche l'écharpe sacrée de soie blanche qui voulait dire bonne chance et bon cœur, le *Khada*. Elle lui mit autour du cou.

Le bus s'en alla. Un vent glacial traversa la vallée. Le ciel se couvrit.

Au printemps de la troisième année, Pema Zhu, devenu lieutenant-colonel, reçut son ordre de démobilisation et d'affectation dans le civil à l'encadrement politique de la Fédération nationale de Natation. Une cérémonie d'adieu fut organisée par le major-général, chef de la Sécurité intérieure de la région.

Le général avait convié l'état-major. Il y avait du thé, des vins français, des champagnes, une multitude de plats et d'excellents cigares. Le général si secret, si

réservé, s'avérait être un hôte très attentionné. À la fin
des festivités, il fit un éloge de Pema Zhu. Le camarade
Pema incarnait de façon exemplaire l'intégration possible entre Chinois et Tibétains. Le général exprima le
regret que tous éprouvaient de le voir partir. Il allait préparer la grande aventure olympique de la Patrie. On le
félicita. À la fin de la réception, tout le monde sortit
prendre l'air. Dehors, sur l'esplanade, des soldats faisaient cercle autour de trois individus à genoux.

— Il s'agit de deux séparatistes et d'un fraudeur qui
vont nous permettre de remplir notre quota dans le cadre
de la campagne «frapper fort», dit le général.

L'exécuteur ne devait utiliser qu'une seule balle pour
chacun. «Le travail propre.» Dans l'angle un soldat ins-
tallait un appareil photo sur un trépied. Un autre alla
désolidariser deux condamnés qui se tenaient par la
main. Le général fit signe à Pema Zhu.

— À vous l'honneur, camarade.

Pema avait déjà effectué cette mission. Trop souvent. Il ne regardait alors que le canon de son arme et
les nuques.

Les trois corps basculèrent l'un après l'autre dans la
fosse. Il se retourna vers le général en rengainant son
arme. Le photographe rangeait son appareil. Le général,
qui s'était placé à contre-jour, lui fit un signe de la main,
l'invitant à contempler ses victimes. Pema fit demi-tour,
assailli soudain par un obscur pressentiment.

Ce qu'il aperçut dans la fosse le rendit fou. Instinctivement, il porta de nouveau la main à son arme, mais
les soldats furent plus prompts et le mirent en joue.

— Quand vous verrez leur fils à Pékin, vous pense-
rez à eux, railla le général.

Pema voulut hurler, mais ne fit rien. Toute sa rage se
répercuta sur le pommeau de sa canne en teck qu'il serra
à s'en briser la main. Il se voyait tel qu'il était : lourd,
aveugle, monstrueux. Ses camarades autour de lui
riaient. La voix victorieuse du général vrilla ses tympans.

— Vous n'êtes plus rien ici, partez !

2

Pékin – 10 ans plus tard

Les doigts du Premier ministre chinois, Li Feng, caressaient les hanches de Mo Cuo. Son autre main tenait un feuillet. Il ferma les yeux, se récita la phrase qu'il venait de lire pour s'en imprégner.

«À Pékin, l'Olympisme va trop loin. Ce ne sont pas des jeux qui vont s'y dérouler, mais une exposition universelle... Nous n'avons pas su endiguer le gigantisme...»

Cette autocritique proférée par un membre éminent du CIO était pertinente. Ces Jeux olympiques étaient une aberration, un danger pour la Patrie.

Il inspira, bloqua sa respiration en se relâchant, puis il expira lentement. Il aimait réfléchir à côté de son épouse, Mo Cuo, joli nom qui voulait dire «sans soucis».

Il se leva lentement du lit pour aller consulter ses autres notes, éparpillées sur le bureau de la chambre. Il s'assit et s'immobilisa en fixant le vide.

Son visage, rond et lisse comme une pomme, avait la faculté de se figer pendant de longues minutes. Sous ses dehors d'homme méditatif et réfléchi, derrière un visage toujours parfaitement impassible accentué par la parfaite maîtrise faciale, Li cachait un impatient. Comme tous les hommes de pouvoir, un impatient qui savait attendre.

L'impatience qui le tenaillait avait une cause unique : Wang Lanqing.

Li Feng aimait bien le président Wang. Le président, Wang en retour, appréciait les vastes capacités de Li. Tout s'était compliqué le jour où Wang lui avait fait miroiter le secrétariat général du Parti.

Bien sûr, Wang garderait la présidence de la République et la main sur la commission des Affaires militaires, le commandement suprême de l'armée du Peuple. Li Feng n'avait pas cillé tandis qu'il subodorait que Wang le désignait comme son successeur. Mais il avait alors ressenti comme un vertige et une extrême lassitude. Vertige de la plus haute fonction étatique, lassitude de la longue attente. Depuis, son cerveau naviguait entre ces deux abysses. Il aimait les ensembles structurés et haïssait ces désordres. Il n'était pas dupe. Wang voulait se retirer tout en gardant la main. Il voulait, dans l'ombre, exercer ce pouvoir occulte que son maître Deng Xiaoping, en retrait des instances politiques, avait su conserver si longtemps. Mais Wang Lanqing n'était pas si vieux. Il pouvait rester encore dix ans au pouvoir, puis dix ans derrière la scène, à tirer les ficelles. Vingt ans !

Li Feng savait Wang fatigué. Il le voyait reclus dans sa résidence où il tentait de cacher le mal qui le taraudait. Li Feng s'en inquiétait depuis qu'on lui avait appris que le bon président s'écriait la nuit, pendant d'interminables minutes, des Ho ! Ho ! Ho !

En vérité, se disait Li, il se sait malade et s'accroche. La rigueur communiste en pâtit. Il n'a pas su faire barrage à ce projet olympique. Il l'a même appelé de toutes ses forces. La sénilité le pousse aux effusions. La grande réforme dont le Parti a tant besoin dépend des Ho ! Ho ! Ho ! de ce cerveau épuisé !...

L'ambition chez Li restait prudente. Il savait bondir comme le fauve et se rétracter comme le reptile. Sa prise de pouvoir devait s'opérer avec l'adhésion de tous. Elle allait résulter du mouvement irrésistible de l'Histoire. Ce n'était pas Wang qu'il fallait éliminer, mais l'Histoire qu'on devait infléchir. La question cruciale avait été posée, il y avait plusieurs années, par le regretté maréchal Zhang.

— Que se passera-t-il après les Jeux, camarades ?

— À part l'économie, rien, le vide, avait répondu le camarade procureur Chen.

— Ne nous voilons pas la face, avait alors dit le maréchal, nos campagnes sont misérables, la richesse de quelques minorités urbaines, une honte. Le devoir des futurs dirigeants communistes sera de répartir la richesse accumulée par quelques grandes métropoles.

— Nos camarades de la faction de Shanghai occupent le quartier de Zhongnanhai[1] depuis vingt ans. Ils travaillent pour leurs proches...

— Et leurs poches ! s'était écrié le procureur Chen.

— Après ces Jeux, si la politique ne change pas, le discours communiste sera perçu comme une rivière sans eau. C'est pourquoi il faut préparer un grand redéploiement capable de réinstaller le communisme partout.

— La révolution des villes moyennes et de nos campagnes.

— Pour ce faire, il faudra une secousse.

— Et du temps, camarades.

— Il nous appartient de l'organiser.

— Et agir en sorte que notre camarade Li Feng renforce ses positions...

Depuis, Li consacrait une bonne partie de son temps à compter ses pions et à évaluer leur situation. Pour commencer, il s'était appuyé sur son fief, sa ville natale de Chongqing, grande métropole du centre surnommée la « ville montagne ». À la différence de la plupart des grandes cités chinoises dont l'agencement géométrique évoquait un quadrillage, Chongqing était un entrelacs de rues tortueuses et escarpées. Le croisement des fleuves

---

1. Parc résidentiel contigu au Palais impérial dans le centre de Pékin, où se trouvent la présidence de la République, les locaux et secrétariat du Bureau politique du Parti ainsi que les résidences et bureaux des hauts dirigeants.

Yangzi et Jialing sur lesquels circulaient toutes sortes d'embarcations, la brume, ajoutaient à l'impression de joyeux désordre et de mystère. Li Feng avait grandi dans cette cité, puis il l'avait dirigée, prenant soin d'en préserver la topographie tortueuse, qui lui convenait si bien.

Ensuite il avait profité de sa qualité d'outsider des factions rivales de Pékin et de Shanghai pour faire migrer dans la capitale des hauts fonctionnaires de toutes les provinces, qu'il plaçait à des postes sensibles. Son réseau s'était consolidé sans éveiller les soupçons. La Chine oubliée par Shanghai et Pékin, les deux orgueilleuses, voyait en Li un représentant de ses innombrables identités. Une Chine d'un milliard d'individus.

Il se versa une tasse de thé puis contempla Mo Cuo jusqu'à ce qu'elle tourne une page de son livre. Il avait toujours été impressionné par sa lenteur à lire. Les livres demeuraient des semaines entre ses mains. Elle disait les savourer. La page fut enfin tournée, l'attention de Li retourna aux notes éparpillées sur son bureau : une série d'analyses sur les différentes facettes du Dr Hehnrick qu'il allait recevoir le lendemain. Le PDG de l'empire pharmaceutique BioPharma Friedman avait demandé rendez-vous à Li au lieu de s'adresser aux ministres de la Santé et de l'Industrie. Li avait d'abord été surpris par le culot de l'Américain. Il s'était ensuite renseigné, puis avait donné une réponse favorable. Il avait ses raisons.

La production pharmaceutique et une position à la Commission exécutive du Comité olympique étaient la face visible de ce capitaliste bardé de diplômes scientifiques. Mais ce qui intéressait surtout Li Feng, c'était la part d'ombre de l'individu.

Devant sa tasse de thé, il relisait des opinions professées par le Dr Peter Hehnrick lors de colloques :

L'économie du sport est devenue une économie mondiale qui dépasse celle de l'armement. Au lieu de se féliciter de cette percée fantastique, les instances sportives veulent détruire l'équation fondatrice de ce succès en écartant la science du sport. Ces enjeux sont trop considérables pour être confiés à des associations sportives...

Les notes expliquaient comment le Dr Hehnrick, en bon prédateur, avait monté l'OPA de l'industrie sur l'olympisme. Il s'en était fallu de peu qu'il contrôle la présidence du Comité, mais les conservateurs partisans de la ligne antidopage dure lui avaient résisté. Les nouveaux dirigeants avaient renforcé le système de répression en enlevant au Comité international olympique tout pouvoir pour juger les cas de dopage. Les procédures de tests et de sanctions avaient été transférées à des commissaires assermentés liés au Tribunal international du sport. Le testé positif était définitivement coupable et exclu, sans bénéfice de discussion. Le CIO dans le domaine du dopage s'était lié les mains en acceptant la répression à tous les coups. Hehnrick, de son côté, prônait un assouplissement du système de contrôles et de sanctions afin de déculpabiliser et de responsabiliser l'athlète et son encadrement. Pour Hehnrick, le contrôle du sportif devait être un acte médical et pas seulement une action de police. Sa campagne à l'élection à la présidence reposait sur des idées avant-gardistes jugées aventureuses : les laboratoires et l'athlète devaient travailler ensemble pour développer la force, la résistance humaine, dans la légalité. Une bonne coopération entre science et sport rangerait le dopage sur le long terme au rang de procédé rétrograde et inutile.

Il est parfait, songeait Li Feng, satisfait. Comme moi, il voit les choses sous un autre œil. Il huma son thé au Wulong des provinces du Sud. Il but la première gorgée, celle de la joie, puis la seconde gorgée qui était celle de la chance. Choisir cet Américain pour notre opération semble avoir été la bonne décision, se dit-il en poursuivant sa lecture et en avalant sa troisième gorgée, celle de la longévité.

3

Angoisses

JO - 3

Le bras gauche de Tom fouettait l'eau avec une rare sauvagerie, tandis que son bras droit tournait en amplitude. Le corps semblait se tordre et se tendre, dans un crawl désarticulé, mais d'une vélocité phénoménale. Dans son sillage, Brian glissait avec des appuis symétriques qui offraient à sa nage fluidité et puissance. Le coach Guzman appuyait sur son chrono, en balançant mollement le bras, et il repartait dans l'autre sens d'un pas tranquille sans perdre ses deux athlètes du regard. Guzman se posait autant de questions que ses nageurs, mais il devait faire comme si tout allait bien. Les deux garçons avaient entamé un 400 mètres en progressif. Ils devaient donner un coup d'accélération après chaque virage et finir en vitesse maximum.

Le hasard avait voulu qu'ils commencent ce 400 mètres en même temps qu'un nageur dans la ligne d'à côté.

Ce nageur de la ligne 4 suivit les Américains sur le premier cent mètres, puis il se laissa distancer de deux bons mètres. Rien de plus normal pour Guzman puisque Brian et Tom étaient parmi les trois meilleurs mondiaux sur la distance. Guzman remarqua toutefois que le nageur de la ligne 4 parvenait à maintenir l'écart, alors que la vitesse de ses deux prodiges ne cessait de s'accroître.

À la ligne 4, les mains allaient très loin devant et les jambes étaient à la limite d'un mouvement ondulatoire. Sur l'avant-dernier 50 mètres, nagé à quatre-vingt-dix pour cent de la vitesse maximale, Brian et Tom poursuivaient leur route en accéléré avec leurs styles différents. Tom, nageur de 1 500 mètres, était faiblement distancé par Brian, spécialiste du 200 mètres, ce qui était normal. Brian était champion du monde sur la distance. Guzman ne quittait plus des yeux la ligne 4 où l'étranger, qui nageait avec l'élasticité du félin, rattrapait peu à peu les Américains.

De l'autre côté du bassin, l'attention de Wei était partagée entre ses deux nageuses, nage libre. Les épaules roulaient et les jambes battaient l'eau avec un tempo d'une lenteur apparente. Le directeur technique de l'équipe chinoise était satisfait. Sur cette série de dix fois 100 mètres nage libre, les deux jeunes femmes franchissaient une distance moyenne de 1,75 mètre par mouvement. Elles nageaient bien. Très bien.

Wei ne se lassait pas d'admirer le bassin. Un toboggan, dans le jargon des nageurs. Les records allaient tomber. Les quatre-vingts athlètes à l'entraînement ne parvenaient pas à agiter les 2 700 mètres cubes d'eau, dont la surface restait plane. Les vagues étaient amorties par les grosses lignes en rondins PVC multicolores qui séparaient les dix couloirs de nage. Le résidu de houle allait mourir dans le caniveau de débordement tout autour. Wei avait été consulté par les architectes, il en éprouvait une grande fierté. Sa tête pivota alors vers les tribunes. La camarade Wang Shan était bien là, au troisième rang, encerclée par sa garde. Il s'inclina, honoré, même si cette présence réveillait ses inquiétudes. Il avait pris toutes les dispositions nécessaires. Il n'avait rien à craindre. Ses athlètes n'étaient pas dopés. Il jeta un regard circulaire sur le bassin. Son sort était entre leurs mains. Un de ces petits salauds pouvait avoir mijoté son truc tout seul. Tout se vendait à Pékin, Wei le savait. Bien que rassuré par les tests hebdomadaires très approfondis, il n'ignorait pas l'existence de méthodes dont les effets pouvaient être masqués, puis se révéler subitement dans le sang et même les urines. Son attention retourna vers les nageuses.

La belle Cheng Jihong était en dos crawlé, bien allongée, la tête dans la bonne position, ni trop en arrière, ni trop horizontale. Elle devait battre sa seule rivale aux 200 et 400 quatre nages, l'Américaine Audrey Meyer qui nageait deux lignes à côté. Wei les observait toutes les deux. Meyer était élastique, ses enchaînements faisaient penser à une éolienne sous un vent fort. Jihong était comme une danseuse aux gestes parfaits, mais d'une précision implacable. L'une avait des gestes ronds, l'autre des gestes longs.

Les deux Américains et l'étranger à la ligne 4 virèrent en même temps aux trois cents mètres. Coach Guzman se rassura, le dernier cent mètres en vitesse maximum allait remettre les choses à leur place. Soit la 4 agonise et va lâcher, soit c'est anormal, se dit-il.

Ce fut l'anormal qui se produisit. Le corps de la 4 semblait s'allonger malgré l'effort. Les bras dans des détentes très longues portaient les mains au plus loin. Ces assauts successifs étaient soutenus par des battements qui projetaient le corps en avant, en un rythme imperturbable.

Guzman était fasciné malgré lui.

Abasourdi, il vit l'étranger de la ligne 4 entamer la dernière longueur à la même hauteur que Brian qui était parvenu à distancer Tom. L'étranger n'éclaboussait pas. Il ne laissait derrière lui qu'une grosse vague. Sur les vingt-cinq derniers mètres, les gestes de Brian furent plus courts, ceux de l'inconnu plus longs. Guzman vit Brian se débattre sur la fin alors que l'étranger parvenait toujours à attaquer l'eau avec les meilleurs appuis. La douleur ne semblait pas avoir prise sur lui.

Il vit Brian tétanisé, puis Tom à l'agonie, toucher le mur derrière l'étranger qui se hissait déjà hors du bassin. Guzman nota que ce grand garçon à la peau mate appartenait à cette nouvelle génération de nageurs très costauds, un peu rondouillards. Les hanches plutôt larges finissaient des jambes interminables. Un géant, comme tant d'autres ici. Ce qu'il y avait d'atypique, c'était le visage de montagnard népalais ou tibétain, adouci toutefois par un sourire rafraîchissant. Le gars ne semblait pas contracté par le stress. Il nageait sans lunettes, ce qui était devenu rare. Ses cheveux épais, d'un noir encre, étaient en bataille. Guzman savait qu'un extraterrestre arrivait tous les vingt ans sur le circuit. Il commença à s'inquiéter.

Wei avait escaladé la tribune des VIP pour saluer Mlle Wang Shan. «Mademoiselle» était de ces hautes personnalités dont la seule présence honore. Elle assumait les plus prestigieuses fonctions dans le milieu du sport depuis l'attribution des Jeux à Pékin. Elle avait au féminin la classe de son père, l'illustre président Wang Lanqing. Un regard pesant pour le directeur technique d'origine modeste qui ne devait sa carrière qu'à ses études et à son acharnement au travail.

— Camarade Wei, j'ai noté que nos jeunes n'ont rien à envier aux Américains, dit-elle de sa voix posée.

Son visage dégageait l'autorité propre aux Wang de Suzhou, la ville de l'eau, des poètes et des peintres au nord de Shanghai. On disait que naissaient à Suzhou les plus belles femmes de Chine. Mademoiselle était de celles-ci. Une beauté faite de perfection, inaccessible pour l'entraîneur Wei. La tête allongée, comme celle de son père, mais d'un ovale parfait, les sourcils ras, les cils longs, un chignon impeccable qui nouait une chevelure opulente. Dans ses phantasmes les plus fous, Wei rêvait de dénouer ce chignon.

— Ils sont prêts à la bagarre, camarade Wang, répondit-il en baissant les yeux.

— Votre Tibétain nous a fait une démonstration qui n'est pas passée inaperçue.

— J'ai du mal à le tenir...

— Le commissaire Pema Zhu m'a indiqué que nos athlètes tiennent à lui. N'êtes-vous pas de cet avis, camarade Wei ?

Wei releva la tête et il tenta de soutenir le regard de mademoiselle.

— Je pense que Mykio les séduit par son insubordination, répondit-il.

— Il est bien dommage de gaspiller un tel talent, camarade Wei.

— C'est lui qui a refusé son inscription dans la sélection olympique.

— On ne vous le reproche pas, camarade Wei. Nous avons pu apprécier la progression de nos athlètes et nous pensons que vous avez fait du bon travail, rassura Wang Shan en se levant. Nous savons, vous et moi, que nos athlètes sont sains. C'est le point essentiel, avant même les médailles. Grâce à vous, la Chine va présenter une belle équipe de natation. Je tenais à vous le dire.

— Merci, camarade Wang.

L'entourage de mademoiselle s'inclina tandis qu'elle prenait congé.

Wei attendit qu'elle fût bien loin pour redresser la tête. Il jura et dévala les marches de la tribune. À l'entrée du couloir des vestiaires, il trouva Guzman, court, massif, qui faisait barrage.

— *Ni hao*, que puis-je pour toi, Guzman ? demanda-t-il en jurant intérieurement une seconde fois.

Personne ne connaissait le prénom du coach américain. Ses nageurs l'appelaient coach ou Guzman, jusqu'à Mme Guzman qui, paraît-il, l'appelait Guzman.

— C'est qui ton gars qui nageait à la 4, Wei ?

— Un entraîneur.

— Vrai ?

— Un entraîneur, Guzman. C'est tout.

Wei n'avait aucune envie de parler du Tibétain. Surtout pas aux Américains et encore moins à Guzman qui grimaçait un sourire exagéré affichant son scepticisme.

— Il n'est pas dans ta sélection ?

— Bien vu, Guzman.

Wei s'engouffrait déjà dans le couloir des vestiaires. Il maudissait le Tibétain.

Il maudissait tout autant l'équipe masculine. C'était une constante en Chine, les garçons ne savaient pas nager. Des troncs. Wei n'avait rien pu y changer. Seules les filles pouvaient réussir quelque chose. En y réfléchissant, il n'y avait que Jihong qui était une valeur sûre. Mais il y avait surtout Meyer, cette Américaine, une véritable turbine capable de battre Jihong et de tout gâcher.

Wei était long sur pattes et anguleux. La maigreur se retrouvait dans son caractère sec et tortueux. Le nez tombant et aplati était le trait original de ce visage blanc comme un linge, dénué d'expression tant qu'il n'était pas en colère. Wei considérait le sport comme une obligation. Un travail. Il n'était pas un ancien nageur, mais un technicien de la natation formé à l'université et sur les bords de bassin. Il n'avait pas les épaules et la cage thoracique hors norme du nageur de haut niveau. Musclé, dangereux à la bagarre, il aurait fait un bon militaire. Il avait tout du soldat. Le mauvais résultat de l'un ou de l'autre était pour Wei une faute justifiant une sanction. Le Tibétain méritait un aller simple en camp de rééducation. Il le chercha dans les couloirs et finit par le découvrir en compagnie du commissaire politique Pema Zhu. Ces deux-là étaient inséparables.

— Petite crapule, tu frimais devant les étrangers ! cria-t-il en faisant signe à deux vigiles.

— Je faisais mon travail en tirant mes camarades, répliqua Mykio.

Wei pointa un doigt menaçant, mais Pema Zhu intercepta son bras d'une main ferme en lui intimant de se calmer. Le coin était truffé d'étrangers. Le regard droit de Pema, son passé dans les forces spéciales, imposaient le respect. Chauve, massif, carré d'épaules, il n'avait pas changé. La canne était la même.

Wei se tourna vers les vigiles.

— J' veux plus le voir traîner par ici. Ramenez-le au Village !

À quelques mètres, dans un vestiaire femmes, Audrey Meyer se redressa. L'altercation dans le couloir avait toutes les intonations de la haine. Elle sortit précipitamment et croisa ce grand nageur chinois à l'air sombre, escorté par deux officiels. Il avait une drôle de tête. De grosses oreilles rondes, un nez épais, bien proportionné, des yeux trop grands, mais de longs cils, une peau couleur miel, un regard intense. Il était bien réel. Hors de l'eau comme dedans on ne voyait que lui. Dans le bassin, il l'avait doublée en dos alors qu'elle nageait un vingt-cinq mètres rapide en crawl. Lui nageait en amplitude. Des gestes déliés. Pas de vagues mais de gros remous. La longue silhouette brune avait creusé l'écart. Normalement, comme il progressait en dos et sans forcer, elle aurait dû le rattraper. Puis, elle avait vu sa rivale Cheng Jihong et ce Chinois nager ensemble. Jihong dans une longue brasse, lui, en ondulation. Ils semblaient ne faire qu'un. Audrey avait été étonnée par la haute taille de Jihong et sa minceur atypique pour une nageuse polyvalente de 4 nages. Elle nageait très long, attaquait l'eau très loin. Audrey qui était toute puissance et vélocité se surprit à admirer cette redoutable concurrente qui évoluait avec tant de grâce. Elle avait visionné toutes les bandes disponibles sur cette Chinoise et ne cessait de s'interroger sur les vraies limites de Cheng Jihong. La finale, dans quelques jours, lui donnerait la réponse. Cette idée soudain la terrifiait.

Dans les salons de l'Aquatic Center, elle retrouva Dieter qui la toisa avec l'insistance redoublée du père et du coach. Un regard azur, pénétrant et distant voulant dire qu'il ne pouvait plus grand-chose pour elle. Lui-même, dans sa jeunesse, avait vécu ces terribles moments de solitude préolympique. Il lui avait raconté dans quel état il était à l'époque, semblable à un malade en proie à d'horribles souffrances malgré les éminents spécialistes qui s'affairaient autour de lui. Il avait vaincu. Audrey était entrée à son tour dans ce monde de total isolement où une multitude de démons tentaient de la déstabiliser. À elle de les dominer.

— T'as vu nager Cheng Jihong, papa ?

— Ignore-la. À ce stade chacun cache son jeu. Tout ce que tu vois est tronqué. Prends ces séances à côté des Chinois comme de la relaxation.

Dieter avait étayé ses connaissances sur l'expérience. Ses avis étaient des certitudes, ses conseils ne pouvaient être discutés.

— T'as vu ce Chinois, papa ?

— Le grand brun ?... J'ai cru qu'il allait t'avaler, dit-il en pensant l'amuser.

Elle ne devait pas se laisser impressionner par ces Chinois. Née dans la compétition, elle était mieux armée que quiconque.

— Tout ce que tu vois autour de toi, ici, et principalement tout ce qui est chinois, est contre toi, poursuivit-il. Concentre-toi sur toi-même. Ne vois rien d'autre.

Mais Audrey ne voyait plus qu'une chose : Jihong pouvait la battre, ce qu'elle traduisait par : Jihong allait la battre. Dieter n'y pouvait rien. Elle tenta de décoder un message dans le regard de son père, mais ne rencontra que le bleu acier insondable.

L'équipe chinoise tenait son briefing à l'unité CNO[1] de la Cité Mauve, le quartier de la sélection chinoise au Village. Les nageurs discutaient en attendant que Pema Zhu prenne la parole.

---

1. Comité national olympique. Chaque nation participante a une unité CNO.

— Nos filles sont bien, mais nos garçons n'ont pas le moral dans l'eau... Ils n'ont pas la glisse. Ce sont des... des tringles, maugréa Wei, jamais en mal de vocabulaire.

— Cesse de ruminer. Dis-toi que Mykio aurait nagé n'importe comment.

— Qui te parle de Mykio? Moi, je veux un Paterson, un Kirov... Un seul me suffirait.

Son regard fouilla la salle comme s'il cherchait ce qui pouvait ressembler à un athlète masculin valable, puis il apostropha à nouveau Pema Zhu.

— Et qu'est-ce qui te dit que Mykio aurait nagé n'importe comment? Qu'est-ce que t'en sais? Nager, gagner, l'auraient sorti du néant. C'était son intérêt.

— Il est différent, ce que tu n'as jamais voulu admettre. Il m'a dit un jour que la quête de la gloire à travers le sport était un désir mal aiguillé qui n'entraînait que frustration et souffrance...

— Tu l'as laissé dire ça?... Si tu avais été plus rigoureux, Pema, il penserait autrement. Je reste persuadé que tu pouvais le convaincre.

— Le Parti ne veut pas d'un Tibétain lunatique devant les médias. C'est aussi simple, Wei.

— Pour toi, pas pour moi. Mykio n'était pas comme ça avant. Au début, il en voulait... puis il a changé.

— Arrête de ressasser, Wei.

— Il a changé du tout au tout depuis la disparition de ses vieux. Il veut faire payer la Patrie.

Pema ne sourcilla pas mais sa main se contracta sur le pommeau de sa canne.

— Son refus est politique, ajouta Wei.

Pema tapa du plat de la main sur la table avec force, et le silence venu, il annonça aux athlètes, de sa voix lourde, qu'ils étaient invités par le Parti à un banquet présidé par Mlle Wang Shan. Elle avait souhaité les rencontrer sans l'encadrement. Ils pourraient s'exprimer en toute liberté.

Pema Zhu était la conscience politique de la sélection. La conscience dictant l'attitude, il devait veiller à ce que les athlètes soient exemplaires sous les projecteurs et donnent la meilleure image de la Patrie. Il devait veiller à ce que les jeunes respectent les rites innombrables et compliqués de la politesse chinoise devant les étrangers et les hordes de journalistes. Il devait leur rappeler sans relâche les quatre devoirs et les quatre vertus du champion chinois : le courage, l'ambition, la retenue, l'obéissance.

— Ensuite, pour donner l'exemple, leur dit-il, vous vous rendrez spontanément aux blocs de contrôle anti-dopage pour le test volontaire.

Quatre étages plus haut, dans le même immeuble, Mykio était enfermé dans sa chambre. Un manuel sur les calculs biomécaniques entre les mains, il tuait le temps en calculant la vélocité des nageurs pendant les derniers chronos. Des sons graves provenant du fin fond de son abdomen fusaient par moments. L'arithmétique était une matière féconde pour l'hémisphère gauche du cerveau, le Yang, qu'il pouvait associer à la visualisation créative qui faisait intervenir le Yin, la partie droite. Chaque gamme de sons stimulait la vibration cellulaire d'une partie puis de l'autre. Le calcul favorisait son évasion. Il expulsait ainsi une multitude de souffrances. Aux premiers rangs, l'ennui. Exclu volontaire, il en éprouvait du bien-être. Il voyait les autres se préparer et lisait chez chacun d'eux la peur. Seule Jihong était à part. Elle assumait le marathon quotidien – entraînement, briefings, musculation, kiné, représentation publique, politique, presse – avec une telle aisance. Elle avait cette douceur teintée d'autorité et de retenue qui faisait d'elle une figure modèle. Mykio était son seul coin de désordre.

Malgré ses journées de forçat, elle embellissait jour après jour. Elle s'appliquait à tout. Elle était une vraie travailleuse avec une vocation : l'exemplarité. Jihong était de celles qui font progresser le système de l'intérieur en sublimant tout ce qui est bon. Mykio, lui, constatait qu'il n'était qu'une source de conflit. Jihong était la vie, lui une turbulence. Bientôt elle gagnerait de l'argent et il continuerait à végéter sans un sou au crochet de l'Académie sportive. Wei et Pema avaient aidé Jihong à éclore. Mykio, lui, avait tout refusé.

Le jour où il avait refusé de participer aux Jeux, il avait été assailli par toute une série d'images plus chaotiques les unes que les autres : les marches obligatoires avec les sacs à dos remplis de pierres pendant les camps d'entraînement au Centre d'Altitude. Une autre idée hallucinante de Wei : les marathons par moins quinze dans la poudreuse. Un credo de Wei : le corps devait se muscler dans des exercices différents pour gagner en résistance. L'idée de participer à la gloire de Wei et de ses semblables lui était sortie par les yeux et il avait dit NON. Il avait même signé NON. Secrètement, il avait voué son refus à A-pa et Ama-la. Il avait alors été grisé par sa témérité. Puis, peu à peu, les visages jusqu'ici bienveillants, comme celui de Pema, avaient commencé à s'effacer. Même Jihong ne comprenait pas. Ses silences sur le sujet ressemblaient à de longs reproches.

Depuis, son univers pâlissait comme une vieille carte postale. Il se disait qu'à sa manière il était un martyr. Heureusement, il parvenait pour le moment à s'échapper dans les mathématiques. Une voie qui lui convenait pour être en paix avec sa vie intérieure. Et retrouver à sa manière A-pa.

Le soleil s'était couché, mais il faisait encore chaud sur le stade annexe qui ressemblait avec ses lourdes infrastructures en acier à une marmite géante. Audrey avait quitté l'univers clos des bassins et traversé au nord l'Olympic Green, ainsi que l'on dénommait le site olympique, pour rejoindre l'annexe d'athlétisme réservée à l'entraînement. L'anneau orange, la pelouse, les tribunes vides qui grimpaient jusqu'au ciel, les drapeaux de tous les pays qui entouraient le cercle en claquant au vent, annonçaient la fête olympique.

Sa jumelle Sandra finissait une série de cinquante mètres, départs sur les starting-blocks. Leur mère, Cora

Meyer, prenait les temps tout en discutant avec le directeur technique de l'athlétisme américain. Elle coachait Sandra avec l'acharnement d'une mère perfectionniste comme Dieter entraînait Audrey. Les jumelles ne pouvaient pas faire moins bien que Dieter et Cora. Lui, natif d'Allemagne de l'Est, prodige en dos crawlé aux Jeux de Munich. Cora, la panthère noire du Bronx, double médaillée d'or sur l'anneau d'athlétisme aux mêmes olympiades. Depuis, l'existence des Meyer était consacrée à leurs jumelles qui excellaient dans les deux disciplines fondatrices de l'olympisme.

— Un drôle de Chinois m'a doublée, confia Audrey à sa sœur qui venait d'achever sa série.

Elles s'assirent sur la pelouse. Les épaules un peu plus larges d'Audrey et des musculatures que l'athlétisme et la natation avaient développées différemment constituaient leurs seules dissemblances. Les mêmes yeux verts, la même peau ambrée, les cheveux noirs aux reflets roux, un sourire radieux manifestant un amour sans limites de la vie, faisaient la joie des photographes.

Audrey admirait Sandra capable de tout donner en dix, vingt secondes. Sandra vivait dans la concentration et l'explosion. Audrey, elle, était une laborieuse vouée aux 200 et 400/4-nages. Elle avait trouvé dans l'eau un support. Sandra n'en avait aucun. Elle devait se lancer sur la piste dure, et arriver avant les autres. Elle évoluait au millième de seconde.

— Alors, ton Chinois, il est mignon ? demanda Sandra.

— C'est différent...

Audrey réfléchit. Comme elle ne pouvait décrire ce garçon dans sa plénitude, elle choisit une image.

— Tu te rappelles la baleine à bosse en Australie ?... Le grondement sous le bateau, la vague sur la mer d'huile et ce son qui semblait venir d'un autre monde... Quand il est dans l'eau, il n'y a plus que lui. Il possède l'élément, comme cette baleine.

— Tu me le montreras, lui fit promettre Sandra impressionnée.

En cette fin de journée, la foule avait envahi la place Tianan'men pour écouter le président Wang. L'allocution présidentielle inaugurait la nuit de la jeunesse. La capitale avait invité des orchestres du monde entier qui joueraient toute la nuit sur les places de la ville. Des quêtes seraient organisées, dont les bénéfices seraient versés aux associations œuvrant pour les enfants déshérités. La Chine avait banni le travail des mineurs et toute une série de lois modernes réglementait les droits de l'enfance. Cette nuit chaude de juillet célébrait ces grandes réformes voulues par Wang Lanqing. L'aventure olympique ouvrait une ère nouvelle.

La haute taille de Wang et sa voix puissante impressionnaient. Sa personnalité en rupture avec le conventionnalisme de ses prédécesseurs donnait un ton nouveau au discours politique. Il souhaita la bienvenue aux étrangers, félicita le Peuple chinois pour le travail de titan accompli depuis dix ans. Il encouragea les athlètes, symboles de la jeunesse qu'on fêtait ce soir. Puis le ton changea.

« ... Dorénavant, toute performance accomplie grâce à des substrats chimiques sera irrémédiablement sanctionnée ! »

L'avertissement sonna comme le tonnerre.

« Notre pays ouvre ses portes à tous les sportifs du monde prêts à partager cette même éthique... »

« Athlètes chinois, vous montrerez l'exemple et vous serez notre fierté ! Nous vous faisons confiance à vous, sportifs, entraîneurs, encadrement, pour que la honte du dopage ne ternisse pas ces Jeux. »

« Mes chers athlètes, les jeunes du monde entier vous regardent ! Soyez un exemple. Ne les décevez pas ! »

4

Hormones

JO - 2

Le soleil cognait à la verticale le bitume de Capital Airport. Sur l'aire de stationnement des jets privés, Norman Hertz, le sous-directeur Asie des laboratoires BioPharma-Friedman (BFL), transpirait abondamment dans son costume sur mesure. Il observait le Gulfstream de la flotte BFL qui semblait avancer sur une flaque d'huile.

Une dizaine de personnes descendirent la passerelle, se hâtèrent vers l'air conditionné du hall d'accueil. Hertz reconnut quelques figures du groupe. Il fit signe à l'officiel chinois qui l'accompagnait et ils se dirigèrent vers la passerelle.

Finalement le boss apparut.

— Bienvenue en Chine, monsieur, dit Hertz en se saisissant de la sacoche du grand patron. Je me suis permis de venir avec M. Qi qui va vous conduire chez Li Feng.

— Son excellence le Premier ministre va vous recevoir dans sa résidence d'été dans les Collines parfumées, annonça le fonctionnaire.

Le Dr Hehnrick cacha sa surprise. Les dirigeants

chinois recevaient d'habitude leurs hôtes dans le quartier de Zhongnanhai, au centre de Pékin.

— C'est à côté du Palais d'Été des dynasties Ming et Qing, précisa le fonctionnaire, tout sourire.

Hehnrick et Hertz s'assirent à l'arrière de la Mercedes-Benz de BFL tandis que l'officiel chinois prenait place dans son Audi de fonction en aboyant des ordres à son chauffeur. Le convoi quitta l'aéroport.

— Ma femme et moi avons suivi les élections à la présidence du CIO. Nous sommes vraiment désolés, entama Hertz impressionné de découvrir le grand patron en chair et en os conforme à l'image flatteuse des magazines, la barbe poivre et sel coupée court, les cheveux châtain ras, le teint hâlé du baroudeur, les fines lunettes du scientifique, le regard calibré pour l'exercice du pouvoir.

Le Dr Hehnrick répondit que c'était très bien ainsi, que la campagne menée pour obtenir la présidence du CIO lui avait permis de se constituer un groupe d'alliés au sein de la Commission exécutive. C'était l'objectif. Il avait développé la même argumentation au conseil d'administration de BFL qui l'avait d'abord soutenu pour s'interroger ensuite sur l'opportunité de tout ce remue-ménage. Il gardait la nausée de cet échec. Il trouvait aussi que Hertz sentait fort le tabac. Son teint terreux trahissait un fumeur invétéré.

— Nos gammes Santé-Performance ont mauvaise presse actuellement avec toutes ces déclarations du CIO et des Chinois, annonça ce dernier comme si Hehnrick l'ignorait.

La démission surprise et sans préavis du directeur de la section Asie du groupe, basée à Shanghai, avait créé la confusion. Le déserteur se doutait bien que son temps chez BFL était compté à cause du manque de résultats dans la pénétration du vaste marché chinois. Il avait pris les devants.

Après une minute de silence, Hertz plaça qu'il poursuivait les négociations pour les médicaments de base dans les hôpitaux chinois.

— Votre visite chez Li Feng nous aidera, dit-il.

— Norman, je vais voir Li Feng pour lui offrir une usine de neuf mille personnes dans sa ville de Chongqing. Ensuite, vous utiliserez cela pour notre marché sur les hôpitaux chinois.

Hehnrick regarda par la fenêtre. Son opinion sur Hertz était faite. Il s'agissait d'un de ces médecins entreprenants qui, à défaut de pouvoir créer une clinique, se lancent dans les affaires. Ce genre d'individus portaient toujours en eux un complexe d'infériorité ou d'inaboutissement qui pouvait les conduire à se surpasser. Hehnrick décida de sonder un peu plus ce collaborateur.

— Vous connaissez le pouvoir chinois ?

— Pour monter en grade dans le Parti, commença Hertz, qui connaissait en effet son sujet, il faut en principe avoir fait preuve de compétences techniques au sein des administrations régionales et centrales. Ceci explique la bonne technicité du personnel politique chinois. Par ailleurs, les hauts dirigeants du Parti ont derrière eux une longue carrière au sein du gouvernement en grande partie composé d'hommes de Li Feng.

— Que savez-vous sur Li Feng ? interrompit Hehnrick.

— Originaire d'une province du centre, il fédère les influences politiques en marge des toutes-puissantes cliques de Shanghai et de Pékin. Son discours devant l'Assemblée du Peuple sur le fléau de la croissance déséquilibrée au profit des grandes villes de l'Est m'a rappelé l'appel de Mao au début de la révolution culturelle. Le discours de Li Feng ressemblait à un appel aux pauvres contre la foudroyante croissance des grandes cités politiques et financières.

— Et Wang Lanqing ?

— Wang, c'est Shanghai la riche, l'olympisme, le nouveau Pékin, le capitalisme autoritaire. Il incarne, pour les Occidentaux, la Chine rassurante.

— À votre avis pourquoi a-t-il choisi Li Feng ?

— Le Premier ministre est en principe désigné par le Parti, mais les interférences régionales à Pékin influencent la décision.

— Je répète ma question, Norman. Pourquoi, selon vous, Wang Lanqing a-t-il choisi Li Feng?

Les lèvres d'Hehnrick remuaient à peine. Les questions fusaient comme un souffle. Il fallait tendre l'oreille, être très attentif. Les yeux bleu délavé ne cillaient pas, ce qui mettait Hertz mal à l'aise. Il éprouvait une puissante envie de fumer.

— La bonne figure de Wang Lanqing ne doit pas dissimuler un communiste autocrate, qui sévit dans les plus hautes sphères depuis bien longtemps, dit-il.

— C'est bien, Norman. Il faut que vous mettiez vos connaissances en pratique de manière plus offensive. Je suis venu ici pour vous y aider… Mais dites-moi… vous devriez arrêter la cigarette.

— Voici le dossier sur les relations entre le Dr Hehnrick et les actionnaires des laboratoires BioPharma-Friedman, Excellence.

Li Feng fit un petit signe de la main à son collaborateur pour lui montrer qu'il écoutait.

— Hier soir à New York, le multimilliardaire Jonathan Friedman, fondateur de BFL, est sorti de sa forteresse de Long Island pour dîner avec un groupe d'analystes financiers. Il est revenu sur le refus de la FDA, l'agence des médicaments, d'accorder une autorisation de mise sur le marché du Sibutrax, un médicament, à base de substrats de dopamine, supposé révolutionnaire contre les addictions au tabac et à la drogue, ce qui a fait chuter le titre BFL de 25 % l'année dernière et provoqué les premières turbulences sur les valeurs biotechnologiques. Friedman a déclaré qu'il avait créé cette affaire, il y a cinquante ans, pour fabriquer des médicaments utiles aux personnes malades. Il a confié qu'il n'aimait pas la dispersion. À la fin du repas, il était assez remonté. Il a fustigé les gélules destinées aux individus obsédés par leurs biceps. Derrière ces critiques, c'est clairement la division Santé et Performance de BFL qu'il visait, une nouvelle aberration des temps modernes, selon ses propres termes. Il a laissé entendre qu'il risquait d'y avoir des remous lors de la prochaine assemblée générale.

— Hehnrick est au courant?

— La presse financière l'a interrogé à Paris où il se trouvait hier. Il a répondu que Friedman avait toujours mis la pression, que c'était une des clés de son succès et le signe que le Fondateur était en bonne santé.

— Et derrière tout ça?

— Hehnrick sait qu'il doit réussir un gros coup avant l'assemblée générale de BFL. Friedman, le principal actionnaire, veut en découdre. L'absence de pénétration de notre marché, malgré leurs usines qu'ils ont implantées sur le territoire, est un cuisant échec. Deux directeurs Asie ont démissionné en deux ans. Si Hehnrick parvient à apporter au groupe le marché chinois, il clouera le bec à ses détracteurs et sauvera son fauteuil de PDG.

Le regard de Li Feng pivota vers Mo Cuo dans un grand cadre à l'angle du bureau. Il s'y arrêta. Mo Cuo avait ce visage serein de celles qui se satisfont de petits bonheurs. Il ne leur avait manqué qu'un enfant pour connaître la parfaite harmonie.

— Avant Hehnrick, le Fondateur avait désigné son fils pour diriger le groupe, continuait le conseiller. Ce fut une période noire pour BFL qui recula au sixième rang mondial des industries pharmaceutiques. Hehnrick, appelé à la rescousse, a repositionné le groupe à la troisième position. Bizarrement, le Fondateur semble lui en vouloir.

— On ne remplace pas le fils d'un vieil homme. Hehnrick a été imprudent, dit Li Feng au bout d'un moment.

Il balaya du regard les notes et la revue de presse puis il se concentra sur Mo Cuo qui lui jetait un regard aimant. Il eut alors une vision claire: comme tant d'autres, le Dr Hehnrick venait à Pékin se refaire une santé.

À l'approche de la résidence de la Double Vue, Qi intima au chauffeur de ralentir. L'Audi suivie de la Mercedes tourna à droite sur une allée qui débouchait deux cents mètres plus loin sur l'entrée de la résidence. Une VW Santana noire et un fourgon, coiffés d'antennes paraboliques et de senseurs, stationnaient sur le bas-côté. Derrière le porche d'entrée, se dressait un mur aveugle. Pour écarter, disait-on, les mauvais esprits.

Qi sortit de son véhicule et intima au chauffeur de la Mercedes de se garer devant le pavillon de la garde. Il prit le passeport d'Hehnrick et pénétra dans le bâtiment. Il en ressortit encadré par deux officiers. L'Américain fut prié de sortir de sa voiture et de rejoindre une limousine Hongqi garée devant les guérites. L'officier invita Hehnrick à s'asseoir sur le siège arrière et il prit le volant. La limousine passa le mur chicane et s'engagea au pas dans une allée fleurie bordée de saules pleureurs et d'érables.

Elle s'arrêta devant les escaliers d'une vaste pagode de la dynastie Qing. Hehnrick et son escorte traversèrent l'unique salle de ce bâtiment antique. Des hauts plafonds, du même ton vermillon que les murs, tombaient des tentures anciennes, des luminaires et des lanternes ouvragées. Des Chinois guindés discutaient en buvant le thé dans de confortables fauteuils. Après avoir traversé de part en part ce salon où semblaient se traiter des affaires sérieuses, ils débouchèrent sur un patio extérieur fleuri, qui menait à une maison plus grande. Hehnrick fut introduit dans le bureau des audiences. Une hôtesse souriante lui souhaita la bienvenue dans le palais de la Double Vue. Elle le conduisit le long d'un autre patio aux boiseries sculptées au bout duquel s'élevait un bâtiment en verre de construction récente. Un ascenseur monta l'industriel dans un salon qui offrait une vue panoramique.

Au centre de ce bureau de verre se tenait Li Feng.

— Je vous écoute, dit le Premier ministre dans la direction de son invité, lorsque le thé fut servi.

— Nos laboratoires envisagent de créer en Chine une troisième usine à Chongqing, monsieur le Premier ministre. Notre directeur de Pékin et ses équipes seront chargés des modalités de cette implantation sur le terrain. Nous souhaiterions que cette usine puisse commencer à produire d'ici onze mois.

— Je suppose qu'il s'agit de médicaments, dit Li Feng.

— Si vous en êtes d'accord, nous avons l'intention de recruter, avec l'aide du ministère de la Recherche, des ingénieurs chinois et des cadres formés dans vos écoles et vos universités. Nous souhaitons aussi offrir une partie du capital social à un investisseur chinois agréé par votre gouvernement.

— Je peux vous dire que votre projet suscite déjà notre enthousiasme. Le gouvernement est prêt à appuyer toutes vos démarches.

Hehnrick remercia son vis-à-vis dont le visage ne manifestait pourtant aucun enthousiasme. Il se surprit à admirer la maîtrise de Li Feng. Le visage n'exprimait rien d'autre qu'écoute et concentration. Il parlait un anglais parfait avec une intonation asiatique bien pesée. Il n'y avait chez cet homme aucune discordance. Tout dans son attitude laissait penser à l'Américain qu'il n'avait aucun moyen de pression sur lui. Il en conçut une certaine excitation et décida de pousser son avantage. C'était risqué, mais il était venu ici dans cette intention.

— BFL envisage également d'étendre son site industriel de Pékin par l'adjonction d'une nouvelle unité de fabrication sur l'aire industrielle de l'ancienne aciérie Shougang, où nous sommes déjà implantés.

— J'ai pris connaissance de ce projet sur lequel le Bureau de l'industrie et le gouvernement de Pékin ont donné un avis favorable. L'implantation d'industries non polluantes sur le site de notre ancienne aciérie contribue à la purification de l'air de notre ville. Le gouvernement de Pékin vous apportera, ici aussi, toute l'aide nécessaire. Je vous suggère de rencontrer le maire de Pékin pendant votre séjour ; mes services vont se charger de vous obtenir un rendez-vous.

Hehnrick jugea le moment propice pour introduire ce qui constituait le véritable enjeu de sa visite. Il adopta le ton le plus détaché possible.

— Cette nouvelle unité sera vouée à la production de médicaments de base destinés aux hôpitaux. BFL souhaiterait être inclus dans l'appel d'offres pour les hôpitaux chinois, monsieur le Premier ministre. Naturellement, nos experts sont à votre disposition pour réexaminer les dossiers de demandes d'autorisations qui peuvent vous poser des difficultés.

— Tous ces dossiers seront réétudiés, comptez sur moi, promit Li Feng qui trouva amusant de répéter « comptez sur moi ».

Il ajouta avec un sourire appuyé, son premier sourire, que l'activité scientifique de BFL était salutaire pour la Patrie, car la recherche était en Chine une priorité.

— Afin de respecter votre planning d'implantation à Chongqing, vous n'allez pas passer par le ministère d'État et ses procédures mais sauter des étapes, conclut-il sans relâcher son sourire. Vous prendrez contact avec le camarade Jiang Yi, qui est en charge des questions de développement industriel sur Chongqing. Il traitera avec le bureau de l'administration d'État à l'industrie et au commerce. Mon secrétariat va vous donner les coordonnées du camarade Jiang Yi.

L'Américain regagna la Mercedes où l'attendait Hertz qui s'empressa de jeter et d'écraser sa cigarette avec le pied. Ils quittèrent les Collines parfumées pour le centre-ville et l'Hôtel Palace sur Wangfujing. À peine descendu de la voiture, Hehnrick fut accosté par une grande et belle hôtesse qui lui remit une enveloppe estampillée du sigle de l'hôtel. Une invitation à appeler le conseiller Jiang Yi et un numéro de téléphone. Hehnrick téléphona de son appartement du dernier étage. Le conseiller Jiang Yi se montra très poli. Il proposa un rendez-vous immédiat à l'hôtel Fragrant. Un chauffeur du nom de Ruan l'attendait en bas. Malgré des sentiments partagés sur l'Asie, l'Américain redécouvrait avec plaisir la rapidité propre aux Chinois.

Le chauffeur mit vingt-cinq minutes pour le conduire à ce palace mal entretenu construit par l'architecte sino-américain Pei. Un lieu fréquenté par la haute nomenklatura. Dans le hall, Hehnrick contempla une œuvre à l'encre de Chine de Zhao Wuki représentant des signes et des paysages. Il reconnut ensuite le fonctionnaire Qi, le même Qi, avec un Chinois replet au sourire sympathique.

— Bonjour, je m'appelle Jiang Yi. Vous connaissez le camarade Qi du ministère de la Défense.

— Enchanté...

Jiang Yi rit de bon cœur et d'une manière engageante. Ils prirent place devant une table basse.

— Ici, nous sommes conquis par votre idée d'usine, annonça Jiang Yi. Le camarade Premier ministre Li est très impressionné par votre groupe. Il m'a dit que vous êtes un éminent biologiste.

— N'exagérons rien, répondit Hehnrick. Mes connaissances en biologie ont un peu pâti de ma carrière dans le management.

— Ce qui a été bien accroché reste ancré.

— Vous êtes très aimable, mais si nous parlons science, je crains de vous décevoir, fit Hehnrick modestement.

— « Les montagnes ne bougent pas », persista Jiang Yi.

Ils parlèrent du projet d'usine à Chongking et de l'extension du site de Shougang, avant d'aborder des questions plus générales. Au bout d'un moment, Jiang Yi avança que la pérennité du développement de la Chine dépendrait de sa capacité à passer à des stades technologiques supérieurs. Il confia qu'ils recherchaient des partenaires pouvant aider à créer un Institut de recherche en microbiologie, avec une ou deux unités P4 et des centres collaborateurs OMS. Les unités P4 étaient des laboratoires hautement protégés où étaient stockés et étudiés les virus et microbes les plus dangereux. Il n'y en avait que six dans le monde. Seuls les États les plus riches étaient capables de s'offrir une unité P4. Un cran au-dessous de la P4, il y avait la P3.

— Nous avons nos deux unités P3 à Pittsburgh qui traquent les affections virales et bactériennes, plaça Hehnrick.

— Justement, nous sommes sensibles à l'implication de BFL dans la recherche sur les maladies et les thérapies pharmacologiques.

— Vous engagez un vaste sujet de discussion, conseiller Jiang.

— Un peu de thé?...

Jiang Yi resservit son hôte avec des gestes précis, puis il reprit sa position. Il sourit à Hehnrick.

— Mes fonctions sont plutôt axées sur l'économie, docteur Hehnrick. J'ai vu dans vos prévisionnels une chute du résultat consolidé pour votre groupe l'année prochaine. J'ai lu les rapports des analystes qui émettent des hypothèses...

— Les analystes raisonnent. Il leur manque l'intuition, répondit Hehnrick en pensant que c'était assez vrai.

— Ils influencent le marché et les investisseurs.

— J'ai un actionnaire majoritaire, c'est lui notre principal investisseur, répondit l'Américain.

— Je sais. J'ai entendu parler de celui que vous appelez le Fondateur.

Jiang Yi répondait du tac au tac. Hehnrick était aux aguets. Le Chinois venait de lancer un sujet très désagréable et insistait. Ce n'était pas dû au hasard de la conversation mais bien intentionnel.

Cependant Jiang Yi, qui était d'une nature joviale, ajouta que le président Wang aurait dû inviter Friedman à la cérémonie d'ouverture, ce qui le fit rire. Il expliqua que ces Jeux étaient dans son pays l'événement le plus populaire depuis la Révolution, que ses deux petits-enfants connaissaient les noms, prénoms, âges, amours et plats préférés des quatre cent cinquante et un athlètes chinois.

Cette digression légère n'empêchait pas Hehnrick de supputer que si Jiang Yi avait abordé sa situation délicate à BFL, c'était pour lui tendre une main et bien sûr lui demander des choses en échange. L'usine offerte à Li Feng, l'extension du site de Shougang, la collaboration scientifique à un laboratoire P3, ne suffisaient donc pas.

— La bonne santé de nos athlètes est devenue une cause nationale, dit Jiang Yi, revenant à des propos plus sérieux. Le dopage est le nouvel ennemi du Peuple. Le contrevenant s'expose à de terribles sanctions. Vous vous êtes beaucoup exprimé sur cette question. Vous parlez d'hormones de croissance, d'hormones femelles utiles aux performances de l'homme, d'EPO, de stéroïdes. De quoi s'agit-il au juste ?

— On a détecté une soixantaine de types d'hormones qui voyagent dans le sang et commandent la libération des sources d'énergie dans le muscle. Nous sommes parvenus à décrypter le mécanisme de commande et de régulation hormonale et à l'influencer.

— Intéressant...

— Concrètement, il s'agit d'intervenir au niveau des glandes endocrines qui sécrètent les hormones... mais BFL est tenue par des clauses de confidentialité.

— C'est une sécurité pour tous, approuva Jiang Yi. Nous souhaiterions aussi développer notre technologie dans ces secteurs, docteur Hehnrick.

— Nous ne concluons ce genre de marché qu'avec des gouvernements qui entretiennent des relations stables avec Washington.

Le ton avait baissé. La voix monocorde d'Hehnrick était de plus en plus basse.

— Nous ne parlons pas d'armes bactériologiques ni de poisons, mais de stimulants, précisa Jiang Yi.

Ils se toisèrent pendant dix bonnes secondes, puis Hehnrick rompit le silence.

— Soyons précis. Nous sommes prêts à nous engager avec la Chine à condition que notre groupe puisse commercialiser ses produits sur votre territoire.

— Nous savons que Jonathan Friedman vous malmène en ce moment. Nous sommes décidés, de notre côté, à vous aider.

Voici la main tendue, se dit Hehnrick.

Jiang Yi fit un signe dans la direction de Qi qui, jusque-là, s'était tenu en retrait.

— Je vous ai présenté le camarade Qi. Il vous assistera, précisa Jiang.

Hehnrick observa Qi pour la première fois. Ce Chinois au visage émacié dégageait une impression de force. Le costume trop ajusté laissait deviner un corps athlétique. Il émanait de toute sa personne quelque chose qu'Hehnrick ne parvenait pas à définir. Il en resta là.

— En marge des questions de coopération industrielle, le camarade Qi vous précisera quels sont nos besoins, dit Jiang Yi.

— Norman Hertz se tient à votre disposition, monsieur Qi.

— Bien sûr, vous et moi restons en contact, sourit Jiang Yi. Mon chauffeur va vous raccompagner.

Il fit signe au jeune Chinois qui avait amené Hehnrick et ce dernier quitta la salle en se demandant quels pouvaient être ces «besoins» évoqués par Jiang Yi.

À l'arrière de la confortable Hongqi, l'industriel regardait distraitement défiler le Pékin moderne : grands axes transversaux bordés de buildings ultramodernes, qui révélaient l'activité architecturale intense de ces dernières années, zones d'habitations composées d'immeubles collectifs à terrasses-vérandas plutôt lugubres. Son cellulaire éteint pour réfléchir, il songeait aux trafics financiers qui avaient pu sous-tendre la conclusion de ces chantiers titanesques. Li Feng avait accepté les emplois, promis un réexamen des Autorisations de mise sur le marché pour la gamme BFL mais esquivé la demande d'ouverture des hôpitaux chinois aux médicaments BFL. Hehnrick était à moitié satisfait. Il constatait qu'une fois encore, les marchés d'État étaient liés à des prestations douteuses. Nombre de dirigeants politiques ne savaient pas faire simple en se bornant à respecter les lois sur les appels d'offres. Il fallait compliquer. Il songeait à la gamme de cochonneries que, tout au long de sa longue histoire industrielle, BFL avait dû livrer en sous-main pour écouler légalement ses produits pharmaceutiques. Il devinait que la partie sombre de ce marché chinois allait être présentée à ses subalternes par ce fonctionnaire du nom de Qi.

Son regard s'arrêta sur le rétroviseur intérieur. Le visage du chauffeur apparaissait aux trois quarts. En dessous de l'arcade sourcilière gauche, sous la barre des lunettes, il reconnut un kaposi. Du coup, il observa un peu mieux cet homme jeune. Il se redressa sur son siège.

— Votre nom est Ruan ?
— Oui, Ruan, monsieur.
— Est-ce que ça va, Ruan ?
— Oui...
— Vous vous soignez ?
— Je crois que c'est trop tard.

Hehnrick n'ajouta rien. Ruan incarnait une des innombrables facettes de ce pays capable de tout. Il baissa la vitre de sa portière pour permettre à l'air extérieur de s'engouffrer. La chaleur était suffocante. Dehors, dedans, tout était contagieux. Il n'aimait pas l'Asie. Il était venu y chercher un contrepoids au pouvoir maléfique du Fondateur qui voulait régler ses comptes avec la vieillesse. Le vieux corbeau ne lâcherait jamais prise.

Il se demanda pour la énième fois ce qu'il était allé faire chez BioPharma où il était à la merci d'un conseil d'administration familial, d'intérêts privés et de la vindicte d'un vieil homme. Dans ses précédentes fonctions, il ne rendait compte qu'aux pouvoirs publics qui administraient les affaires d'une manière attendue, prévisible, dénuée d'états d'âme. Il avait décidé de se «vendre» à Friedman qui lui offrait un pont d'or. Pour l'heure, il était trimballé dans Pékin par un pauvre type atteint du Sida après une rencontre qui laissait entrevoir tout un tas de magouilles. Il n'aspirait qu'à rentrer dans sa propriété du Connecticut, prendre la mer, hisser les voiles dans les eaux froides du Labrador. Au lieu de cela, il devait rencontrer tout un tas de Chinois, participer aux séances de la Commission exécutive du CIO, souscrire à une politique ultra-conservatrice du sport, qu'il condamnait.

— L'hCG est une hormone élaborée par le chorion du placenta chez la femme enceinte, pas par l'hypophyse, corrigea Hertz. La LH ou hormone tutéinisante, elle, déclenche l'ovulation chez la femme, chez l'homme elle stimule la sécrétion de testostérone.

Norman Hertz avait l'impression d'infliger un cours à son interlocuteur. Qi hochait la tête. Il fumait, Hertz aussi.

— Actuellement, la LH se dose directement dans le sang avec précision.

— Se dose ? demanda Qi.

— Se détecte, se mesure, répondit Hertz.

Il souffla un gros nuage de fumée. Qi fit pareil.

— Notre problème est que tous les athlètes ne recherchent pas la même chose, docteur Hertz. Prenez le tireur à l'arc ou au fusil, il prendra quelque chose pour chasser le stress et caler sa concentration sur la cible à l'instant crucial.

— Oui, un calmant de la classe des Bêtabloquants.

— Vos hormones ne lui apporteront que du muscle.

— On peut difficilement concevoir un produit unique polyvalent qui satisfasse tout le monde, convint Hertz en réfléchissant. On pourrait évidemment envisager des amphétamines ou de la ritaline qui agissent uniquement sur le cerveau et le système nerveux, mais ces procédés sont immédiatement détectables. Plus personne ne les utilise...

— Et nous savons les fabriquer.

— Évidemment... Attendez... Dans le cadre de notre coopération avec les instances antidopage du CIO nous avons tracé une nouvelle molécule. Elle fait tomber le taux d'hématocrites dans le sang et dilue les produits exogènes dans les urines... En bref, elle brouille la numéro-tation sanguine et l'analyse urinaire aux tests antidopage.

— Elle dope?

— Non, elle masque.

Les deux hommes s'observèrent.

— Comme le dopage, les masquants du dopage sont prohibés, précisa Hertz.

Qi sourit.

— Votre molécule est-elle dangereuse pour la santé? demanda-t-il.

— Les peptides et les acides aminés libèrent de la dopamine dans le cerveau, ce qui n'est pas neutre... L'effet sur le sujet sera le même que l'absorption d'une forte dose d'amphétamines : évacuation du stress, excita-tion, confiance en soi. Un surdosage peut rompre le cir-cuit dopaminergique et rendre l'individu dépressif... à vie. Le dosage sera bien étudié, mais le seuil de tolérance est variable pour chacun. Il y aura toujours un risque.

— Je comprends... Quelles sont les modalités d'ad-ministration?

— Injection, cachets, liquides... La Crea6, on l'ap-pelle ainsi, c'est son petit nom dans nos laboratoires, est soluble dans n'importe quel aliment.

— De la sauce soja, par exemple?

— Ce pourrait être un bon vecteur d'ingestion.

Hehnrick retrouva Hertz au bar de l'hôtel Palace, le teint tout aussi jaunâtre, mais moins bien coiffé qu'à l'aé-roport. Il portait le même costume sur mesure et sirotait un jus de tomate. Un bon coupe-soif pour les alcooliques, se dit Hehnrick.

— Le camarade Qi fait une fixation sur un masquant de la classe Crea-6 qui présente de bonnes qualités de dis-persion dans la sauce soja, monsieur, annonça Hertz à brûle-pourpoint.

— Original. Est-ce faisable, Norman?

— Oui, monsieur, faisable, mais illégal. La Crea-6 ne présente aucune vocation thérapeutique.

— Vous a-t-il dit ce qu'ils en feront?

— Non. Je n'ai pas cherché à savoir.

— C'est mieux ainsi.

Hehnrick frémit. Mieux que quoi ? Ses pensées glissaient encore vers l'assemblée générale dans deux mois. La réunion annuelle des actionnaires. Le festin où on peut se farcir le conseil d'administration et lyncher le président. Bien sûr, Friedman ne serait pas là. Trop racé, trop vicieux. Ses hommes de paille mèneraient la curée. Hehnrick qui n'était pas en mal d'imagination se voyait déjà dans cette orgie où il serait le plat de choix.

— Vous pensez qu'on peut leur livrer ça ? demanda-t-il à Hertz.

— C'est illégal, monsieur.

— Oui, mais c'est un gouvernement.

— C'est vrai, nous pouvons supposer qu'ils ont leurs raisons… gouvernementales.

— C'est bien, Norman, mais soyez prudent.

Au même instant, le président du Comité international olympique, le comte Franco Della Serra, lisait sans y croire les menaces transmises par la Direction de la Sécurité. Assis dans son bureau flambant neuf au vingt-cinquième étage de la tour de verre d'Olympic Green, il pouvait contempler à loisir les miracles architecturaux tout autour de lui. À vingt kilomètres à la ronde tout était neuf. Les structures métalliques, le verre, l'eau, miroitaient comme une rivière de diamants. Au lieu de s'extasier, il visait le contenu du parapheur. Le chef de la Sécurité avait insisté pour qu'il prenne connaissance de quelques missives. Rien d'inhabituel, mais il devait savoir ce qui se passait. La routine.

… Lorsque vous recevrez le drapeau olympique des mains du maire d'Athènes, vous devrez le plier sous votre bras, tourner le dos au maire Yu Yongfu et déclarer : la cérémonie est clôturée faute d'un environnement politique adéquat. Ces neuf mots vous catapulteront dans les livres d'Histoire.

*Sinon vous serez déshonoré et tomberez dans
l'oubli comme votre prédécesseur qui avait tendu la
main à Adolf Hitler à Berlin. Qui se rappelle aujour-
d'hui de Henri de Baillet-Latour?*
Signé: le Mouvement des Cimes

La main soignée de l'aristocrate mexicain fit glisser
les feuillets suivants, une quinzaine de menaces de cette
organisation d'opposants au régime chinois, en les par-
courant à peine. La presse s'en était fait l'écho dès l'attribution des Jeux à la Chine sept ans plus tôt. Le regard
du comte balaya les extraits soulignés au marqueur:

*Contrairement aux moines que nous respectons,
nous sommes des combattants armés. Aucun fanatisme
ne nous anime. Nous sommes dangereux....*

*... Les sportifs chinois sont des vétérans discipli-
nés, traités par des hormones indécelables, ce qui
contredit votre code antidopage et les principes fonda-
mentaux du code d'éthique de l'Olympisme....*

Puis, plus loin:

*Ne provoquez pas l'irréparable, ces Jeux sont
contaminés.*

5

Tests

Libérée du banquet organisé par Mlle Wang Shan, Chen Jihong, alla rendre visite à Mykio consigné dans sa chambre depuis vingt-quatre heures. Elle le trouva debout dans une drôle de position, une main levée et l'autre derrière le dos. Il chantait d'une voix grave étonnamment profonde :

— *Ling yao chi chi chi – jui ling ba – ling yao chi chi chi – jui ling ba – ling yao...*

Sa main droite touchait tour à tour les quatre parties de son corps où se trouvait le cerveau, l'abdomen, le nombril et le foie, d'une manière de plus en plus appuyée et rapide.

— Mykio, qu'est-ce que tu chantes là ?

— Ces deux mantras m'aident à faire communiquer le yin et le yang.

Il expliqua qu'avec les maths, il avait trop développé le côté gauche. Jihong étouffa un rire.

— Mon yang, l'ordre, la partie gauche de mon cerveau, est plus fort que mon yin, le cœur, les sentiments, l'hémisphère droit. Je stimule les vibrations cellulaires à droite en faisant appel au cerveau et au foie, puis à gauche en appelant le bas abdomen et le nombril. Ce sont mes sources vitales d'énergie pour trouver l'équilibre, l'invariable milieu, l'axe central. Avec ça, peut-être que je m'entendrai mieux avec Wei.

— Oh, Mykio, dit-elle dans un soupir, toi au moins tu ne t'ennuieras jamais. Tu ne me demandes pas comment s'est passé le banquet ?

— C'est très sérieux, insista-t-il. Immobile, je communie avec le mode yin, agissant, je communie avec le mode yang...

Il inspira et expira plusieurs fois.

— Inspire comme moi, Jihong, et tu prendras conscience de ta respiration... Expire et tu aimeras ta respiration... Alors, raconte-moi.

— J'ai jamais vu Wei aussi gentil. Il disait du bien de tout le monde. Il a même fait l'éloge de l'équipe des garçons.

— Incroyable.

— À mon avis, dit-elle, il en pince pour Mlle Wang Shan.

Elle rit à sa manière. Les yeux quasiment clos laissaient filtrer des étincelles de joie.

— Je vais t'accompagner au contrôle antidopage, annonça Mykio.

Les étincelles se dissipèrent. Les yeux de Jihong reprirent leur forme habituelle. Deux larges yeux noirs. Il regretta aussitôt d'avoir évoqué le contrôle. La suspicion traquait le sportif. Jihong qui habitait chez ses parents avait été testée de manière inopinée au saut du lit à plusieurs reprises. Mykio savait que ces méthodes n'étaient pas propres à la Chine. Tous les pays du monde s'y adonnaient sans scrupules.

— En te rendant au contrôle, respire profondément plusieurs fois et tu verras, ça ira mieux, dit-il. Aie pleine conscience de ton souffle. Utilise une image... J'inspire et je vois que je suis une montagne, j'expire et je me sens solide comme cette belle montagne.

Il lui prit la main.

— J'inspire et je me sens comme une fleur, dit-elle

en riant à nouveau et en lui laissant sa main. J'expire, je suis fraîche comme une fleur.

— C'est bien Jihong. Maintenant, nous sommes parés.

He Siquan jeta un regard périphérique sur ce qu'il appelait son usine. Il pouvait enfin partir à son rendez-vous. Il était satisfait. Le banquet avait été une réussite. Un galop d'essai. Maintenant, le restaurant allait fonctionner vingt-quatre heures sur vingt-quatre. Il avait ordonné un rangement magistral dès la sortie des quatre cent quarante-trois athlètes. Pas question de laisser une trace. Il avait été soulagé lorsque les bennes avaient emporté les poubelles. Toute trace de cette sauce soja avait disparu. Servir de la sauce soja en bocaux pré-cuisinés dans un restaurant chinois était une hérésie. Il avait été contraint d'arriver plus tôt que ses employés pour réceptionner cet arrivage et l'intégrer aux autres sauces préparées d'avance. Le personnel qui préparait les sauces en cuisine ne devait y voir que du feu. Le camarade qui l'avait exigé était très haut placé. Celui qui l'avait livré au petit matin était un officier supérieur du ministère de la Sécurité de l'État. Le chef et ses employés avaient bien remarqué que ce soja avait un petit parfum sympathique, mais on l'avait servi quand même. C'étaient les ordres et on ne se posait pas de questions.

He Siquan n'avait pas quitté le Village depuis cinq jours. Un chantier immense en pleine finition. Le bus le conduisit dans la banlieue ouest à l'angle de Fuxing Lu et Shougang Zhonglu. On lui avait fixé rendez-vous au 23-37 qui se trouvait de l'autre côté de la large avenue Shougang Zhonglu. Il pensait recevoir là-bas sa rétribution pour le travail accompli. Il s'y attendait et traversa l'avenue à six voies avec cette idée plaisante.

Comme la plupart des hommes, il regarda à droite en traversant. Il avait raison, mais ne pouvait imaginer que ceux qui avaient décidé de le tuer avaient les moyens de faire circuler une grosse Audi à gauche à plein régime et en sens interdit. La dernière chose qu'il vit en traversant Shougang fut le capot noir de la limousine.

Le fastueux repas de la sélection chinoise était digéré. Les quatre cent cinquante et un athlètes se présentèrent, à l'heure stipulée sur la convocation, devant les guérites des blocs de contrôle. Ils présentèrent leurs accréditations et leurs convocations et furent dirigés vers le bloc central. Pema Zhu accompagnait les plus jeunes avec qui il discutait, assumant ainsi son rôle d'oreille de l'équipe. Un rôle difficile car il ne suffisait pas de pourvoir à leur éducation et de parer aux incidents, il fallait inlassablement savoir écouter et pouvoir comprendre. Pema savait que tout athlète subissait deux terribles peurs qui le tenaillaient jour et nuit : la prochaine course et ses propres limites. La peur de la défaite était terrible ici, en Chine. L'athlète pensait, souvent à tort, que la défaite allait engendrer mépris et honte, que tous les visages, aujourd'hui bienveillants, se détourneraient de lui et de sa famille. Un véritable traumatisme. L'oreille de Pema devait être à l'affût de toutes ces vibrations, elle était à leur service. Ainsi, à longueur de journées, Pema écoutait et enseignait. Il vouait à ces jeunes gens héroïques sa fin de carrière. Il le faisait avec le plus grand soin, mû par un secret mais irrésistible besoin de repentir.

Mykio, qui accompagnait Jihong, fut accosté par Wei.
— T'as rien à faire ici.
— Il m'accompagne, décréta Jihong.
— Ne t'affiche pas comme ça, Jihong, c'est indécent, lâcha Wei.
Le regard de Jihong plus grave que d'ordinaire dévisagea Wei de longues secondes. Wei finit par baisser les yeux, puis tourna les talons et se dirigea vers Pema Zhu.
— Ils m'humilient et tu ne dis rien ?
— Il te rend la monnaie...
— Si tu faisais ton boulot nous n'en serions pas là.

Le vase déborde, Pema. Tu es notre commissaire politique, pas sa nounou. Sanctionne-le !

Plus d'un millier d'athlètes, membres des sélections tirées au sort pour le contrôle antidopage convergeaient vers le bloc Nord d'Olympic Green avec leurs escortes et leurs accompagnants.

Mykio, qui marchait à côté de Jihong, ne put s'empêcher d'ironiser.

— Rarement vu autant de matons...

— Ici on l'accepte, Mykio.

— Tu crois ça ?

— Oui... et cesse de tout noircir. Si tu t'étais engagé, tu réagirais autrement.

— Tu me le reproches ?

— Parce que c'est du gâchis.

— Comment veux-tu qu'un Tibétain nage pour la Chine ?

— En nageant, en gagnant, tu élèves les tiens.

— On ne pense pas comme ça au Tibet. Les miens ne poursuivent pas la renommée. Ils aspirent à une vie paisible. Ces championnats enferment ceux qui décident d'y participer dans des désirs insatiables. Regarde les retraités de la compétition qui vivent dans la nostalgie de leur meilleure performance. Ils vieillissent mal. Je ne brigue pas cette vie-là, Jihong.

— Pourtant, tu y collabores.

— C'est pour ça que je veux changer de vie et aller faire des maths à l'Université.

— Je maintiens que c'est du gâchis, Mykio.

Il ferma les yeux tout en marchant. Il tenta de se relaxer, de calmer son esprit. Jihong était irritable. Tout le monde était sur les nerfs.

— Tu ressens ce que vous éprouvez tous ici, Jihong. Vous êtes relégués dans l'attente, et le trac. Comme il faut faire semblant, vous feignez un bonheur idéal. Vos vraies émotions sont sous embargo, ce qui ne suscite que de mauvaises énergies. Tu commences à soupirer et à lever les yeux quand je te parle. Les flux circulent mal ici.

— Que proposes-tu ?

— Arrêter d'attendre et vivre !

Il écarta ses immenses bras vers le ciel comme pour désigner l'ensemble d'Olympic Green. Il les conserva dans cette position en continuant à marcher.

— Tu vois, grande sœur, Olympic Green a un mauvais Feng shui ! Les circulations sont mal étudiées. Les architectes ont été négligents. Vous êtes tous mal fichus !

— Il est vraiment taré, maugréa Wei à côté de Pema Zhu.

— Il va nous faire tous arrêter, admit Pema.

À une centaine de mètres, dans les rangs de l'équipe américaine qui se rendait aux tests, le coach manager Guzman avait approché l'ancien «dossiste» qui manageait sa fille.

— Audrey est stressée, admit Dieter Meyer, visiblement ennuyé.

— C'est pas du stress, Dieter. C'est plus grave... Depuis plusieurs saisons, elle a toujours été favorite et c'était justifié. Elle n'avait qu'à bien nager. Ici, il y a l'inconnue Jihong, et ça la fait paniquer.

— Qui t'a dit ça, Guzman ?

— On a fait le point avec Aldo.

— Dans mon dos ?

— C'est bien qu'elle parle au psy. Tous les nageurs discutent avec Aldo.

— Peut-être... mais pas à mon insu.

— Ne perds pas de vue qu'Audrey est une sélectionnée américaine avant d'être ta fille. Mets-la en confiance. Rassure-la sur Jihong. Dis-lui qu'elle n'a pas grand-chose à craindre, chasse la peur.

— Audrey a besoin de challenges. Il faut qu'elle se donne à fond.

— Elle se donne toujours à fond. Mais cette fois-ci, elle va perdre si on ne règle pas ce problème, répondit Guzman en se disant que Dieter était vraiment trop con pour distinguer le stress de la peur.

— Ce test pratiqué à aussi grande échelle est un événement sportif majeur, expliquait Tom Douglas de World Sports TV, qui avait invité lord Birmingham, le président de la Commission médicale du CIO, à bord de l'hélicoptère loué par la chaîne.

— Un heureux événement, qui démontre une volonté réelle. Je tiens à souligner devant votre micro, Tom, que toutes les sélections inscrites à ces Jeux, les athlètes, les fédérations sportives, ont approuvé cette procédure exceptionnelle. Ceci démontre que la famille sportive dans son entier condamne avec force le dopage.

— On entend souvent dire que le dopage aura toujours un temps d'avance sur les examens pratiqués pour les tests, que ce sont les imbéciles qu'on piège, que les contrôles sont souhaités par les tricheurs des pays riches qui emploient des techniques évoluées et qui sont certains de ne pas se faire prendre.

— J'ai entendu ces dispensateurs de mauvaises idées, Tom. Il faut éviter de tout noircir. Nos tests aujourd'hui sont très évolués. Je peux vous assurer que pour passer au travers, il faudrait disposer d'une technologie de pointe en avance sur son temps.

— Il est impressionnant de voir tous ces jeunes gens et jeunes filles, qui constituent l'élite sportive du monde, se rendre spontanément aux blocs de contrôle. Regardez comme ils sont calmes, souriants...

— Ils ont conscience que, derrière tout ça, il y a une justice, une volonté de bien faire. Ils savent qu'ils sont sains. Ils veulent l'afficher...

Les athlètes, leurs escortes et accompagnants entraient par groupes dans le hall d'attente. Là, des agents de la sécurité répartissaient les sportifs sur les dix files d'attente qui menaient aux différents blocs de contrôle. Lorsque ce fut au tour de Jihong, la jeune fille fut prise en charge par une femme qui commença par lui faire choisir sur une étagère un *récipient collecteur* sous emballage plastique. Il s'agissait de grands verres transparents. L'agent invita Jihong à vérifier que son verre était vide et propre, puis elle la pria de se rendre dans les toilettes au fond du box. Elle y rentra avec elle.

— Mademoiselle, s'il vous plaît, veuillez relever votre veste de survêtement et les dessous jusqu'aux aisselles, et baisser votre pantalon et les dessous jusqu'aux genoux.

— Mais !... protesta Jihong.

— Je ne veux pas vous humilier, mademoiselle, c'est la procédure. Il y a eu trop de triche par le passé. Vous comprenez ?... C'est bien, nous avons largement les 75 millilitres dans notre récipient collecteur.

L'agent demanda à Jihong de verser une partie de son urine dans deux flacons qu'elle lui ordonna de fermer avec des bouchons hermétiques, puis de déposer dans les conteneurs destinés au laboratoire d'analyses. Jihong dut ensuite verser le reste de l'urine dans deux godets choisis sur une étagère. Dans le premier, elle versa cinq gouttes de la fiole PH. Le liquide vira au bleu.

— PH entre 5 et 7, annonça la spécialiste, c'est bon.

Dans le second godet, Jihong versa cinq gouttes de la fiole densité. La couleur de l'urine tourna au vert, ce qui plut. Mais ce n'était pas fini. L'agent de contrôle demanda encore à Jihong d'aller jeter le solde de son liquide dans les toilettes et de poser le récipient collecteur sur une tablette. On n'en aurait plus besoin.

Obéissant toujours aux directives, Jihong porta ensuite sa main droite vers une étagère remplie d'enveloppes plastiques contenant des gants stérilisés que l'agent de contrôle enfila pendant que Jihong se saisissait des deux poinçons-éprouvettes marqués A et B. Elle tendit le poinçon-éprouvette A à l'agent maintenant gantée. La nageuse connaissait la procédure. Elle tendit son pouce gauche que la femme poinçonna avec force. Le sang coula dans l'éprouvette. La première prise de sang était achevée. Pour la seconde, Jihong présenta son majeur gauche et il fut procédé de la même manière.

L'agent avait déjà déposé sur la table le *procès-verbal officiel de contrôle de dopage* et elle inscrivait dans des cadres la quantité d'urine produite par Jihong, le PH et la densité. À plusieurs reprises, elle demanda à Jihong de bien vérifier ce qu'elle faisait. Si le test s'avérait positif, une contestation impliquerait des années de procédures judiciaires. Pour finir, elle l'interrogea sur les médications et suppléments nutritionnels qu'elle aurait pu absorber au cours des trois derniers jours. Jihong, qui n'avait rien changé à ses saines habitudes, l'annonça et signa le procès-verbal officiel de contrôle de dopage. Elle certifia dans une longue phrase manuscrite que la procédure s'était déroulée selon les règles. L'agent signa et apposa les sceaux sur les deux conteneurs qui allaient partir vers un laboratoire homologué par le CIO.

Dehors, on suffoquait. La lumière qui se réfléchissait sur les structures métalliques des stades éblouissait. Au loin, à l'est, sur Bei Chen Jie, l'anneau en acier poli du grand stade fourni par l'aciérie Shougang de Pékin, brillait d'un éclat platine. Mykio se dit que ce stade ne semblait pas avoir été construit, mais posé par une main extraterrestre. Il regarda sa montre. Cet épisode ubuesque mais fort sérieux du test n'avait duré que quinze minutes. Il venait de découvrir un mode d'organisation qui lui était inconnu jusqu'ici. Rompu aux méthodes totalitaires de l'État chinois, Mykio dut s'avouer qu'il jugeait tout aussi implacables ces pratiques qui, sous couvert de garantir l'individu dans ses droits, faisaient aussi peu de cas de sa liberté.

— Ça va ? demanda-t-il à Jihong.

— À chaque fois, ils t'ôtent un peu de ta personnalité.

— C'est le système libéral, une dictature insidieuse fondée sur l'exaltation de la liberté individuelle, déclara Mykio.

— Tu ne peux pas dire une chose et son contraire comme par exemple : « La liberté individuelle... c'est une dictature...» Oui en philosophie, mais pas en sciences politiques. Tu comprends ?

— Tu veux toujours être forte en tout, grande sœur.

— Je ne suis pas ta sœur.

— On appelle comme ça sa femme au Tibet.

— Je suis pas ta femme, Mykio.

Il tenta de lui prendre la main, mais elle se déroba.

— Pas ici, Mykio, il y a trop de monde...

— C'est lui, Sandra, glissa Audrey à sa jumelle.

— Il est accompagné, nota Sandra. Passe et ne te retourne pas...

Ils se croisèrent avec une indifférence exagérée.

— Il est pas beau, susurra Sandra.

— Je t'ai dit qu'il était différent.

— Moi, dans ses bras, j'aurais un peu peur, Audrey.

— Tu crois qu'ils sortent ensemble ?

— Ils n'ont pas l'air.

— On dit que les Chinois sont très pudiques.

— Te retourne pas, intima Sandra.

Les filles passées, Mykio s'arrêta et se retourna. Il resta immobile en guettant les deux Américaines.

— Que fais-tu ? s'agaça Jihong.

— Une des deux va se retourner.

— Mykio !... supplia Jihong.

— Elle nageait à côté de moi ce matin...

— Évidemment, c'est Audrey Meyer.

— Tu vas voir... Elle va se retourner.

— Mykio !...

— Pourquoi t'es-tu retournée, Audrey ?

— Je voulais voir s'il se retournait.

Derrière eux, Pema Zhu et Wei quittaient le centre de contrôle avec les derniers athlètes chinois. Les allers-retours du Village aux sites et des sites au Village occu-paient une partie de leurs journées.

— À mon avis, Mykio a la frousse de s'aligner...

— Tu divagues encore, Wei.

— J'ai vu des gars très doués faire des blocages. Je me demande si Mykio ne fait pas un truc comme ça, tu vois, une sorte de rejet de ses qualités propres, la peur de devoir concrétiser ce que le talent lui offre. Un complexe du surdoué. Il y a des nageurs qui détestent viscéralement la compétition. Ces gars-là se défoncent pendant les entraînements en tentant à tout bout de champ de pulvériser des records, mais l'idée d'un rendez-vous avec le chrono, d'autres nageurs et un public, les met dans tous leurs états. À mon avis, Mykio règle ce traumatisme en s'enfonçant dans la contestation.

— Tu l'as toujours pris négativement, Wei. Quand on l'a intégré dans ton équipe, tu l'as traité comme un Tibétain et non comme un gamin qui avait envie de nager. Tu l'as marginalisé. Il t'a pris au mot.

— Je ne suis pas d'accord, je l'avais bien accueilli. C'est depuis la disparition de ses parents qu'il est devenu un problème. Je passe mon temps à le supporter, quand toi tu passes le tien à le conforter dans son attitude.

— Tu as des qualités, Wei. Ce qu'il te manque pour être le meilleur directeur technique du circuit, c'est de la générosité. Ton arithmétique, c'est la soustraction. Au lieu d'aller puiser en Mykio ce qui est positif aujourd'hui, tu le retranches. Lorsque tu rencontres une différence, tu l'élimines. Un chef qui sort du lot n'agit pas ainsi. Tu vois, j'en arrive à la même conclusion que toi. Chasse Mykio. Il est inadapté dans ton circuit. Es-tu satisfait ?

— Il installe de la mauvaise humeur entre nous deux, maugréa Wei. C'est un poison.

Le chef de salle du laboratoire nota que l'inventaire des échantillons effectué par ses vingt collègues était achevé. L'affichage sur son écran de vingt signes d'enregistrement l'amena à donner le signal annonçant que l'on pouvait commencer les analyses.

Derrière lui un grand Russe du Commissariat de

contrôle ne ratait rien. Il dictait ses commentaires à un huissier assermenté auprès du Tribunal international des sports. Les assistants de ce professeur passaient de table en table pour viser les opérations menées par les techniciens biologistes. Ils avaient reçu l'ordre de ne pas intervenir tant qu'ils ne décelaient pas d'infraction aux règles et à la procédure. Première étape : vingt mains se portèrent vers le pupitre et saisirent chacune le premier flacon d'urine A. Ces mains gantées versèrent soigneusement la moitié du contenu de leur flacon dans six petits récipients en verre, puis elles plongèrent une tige buvard de couleur différente dans chaque godet.

À l'examen du quatrième buvard, l'un des vingt techniciens s'écria :

— Tiens, j'en ai un !...

Les couleurs étaient celles de l'accusation.

— Dis-moi, Wei, ne crois-tu pas que nous devrions parler à Mlle Wang Shan du départ de Mykio ? demanda Pema Zhu.

Les deux hommes se rapprochaient de la Cité Mauve.

— Je croyais cette question réglée ! s'énerva Wei. Ce n'est qu'un assistant à l'entraînement. Je ne vais pas déranger Mlle Wang à ce sujet.

— Jihong est ta meilleure chance de médailles. Mykio appartient à son entourage affectif. Son départ doit être traité avec doigté. Jihong doit l'accepter... Réfléchis. Les causes d'une défaite de Jihong seront examinées à la loupe. Il est de ton intérêt d'être couvert par la camarade Wang sur la question Mykio.

— Mykio ne nage pas et on ne cesse de parler de lui. On en vient même à aller déranger la fille du président, Pema ! C'est absurde.

— Le départ de Mykio passera par elle. Il y va de ton intérêt et de celui de Jihong.

Le chef de salle vit dix-neuf nouveaux signes rouges s'afficher sur son écran. Tout était rouge. Un silence de plomb s'était abattu sur le laboratoire. Seule résonnait, implacable, la voix de l'expert russe, dictant à l'huissier les constatations effectuées à chaque pupitre par ses assistants assermentés.

L'analyse des quatre cent cinquante et un échantillons de sang contenus dans les poinçons-éprouvettes A s'achevait. Déjà, les flacons d'urine et les poinçons-éprouvettes étaient emportés vers une autre section du laboratoire pour des analyses plus précises. Mais c'était sans beaucoup d'illusions. Les bouquets de positivité étaient tels que les analyses ne pourraient que confirmer ce désastre absolu.

6

Secousse

JO - 1

— Encore ce Mouvement des Cimes ? questionna le comte Della Serra en voyant entrer l'élégante Anne-France, une fleurettiste médaillée en 1992 à Barcelone.

— Ils nous ont envoyé un nouveau communiqué, mais c'est encore bien pire.

Le comte visa le bloc de feuillets qu'elle tenait à la main et reconnut des formulaires de résultats de tests A. On avait beaucoup discuté de ces contrôles collectifs qui se déroulaient en ce moment. L'affolement d'Anne-France et la nature des documents qu'elle tenait à la main l'effrayèrent subitement.

— De qui s'agit-il ?

— La Chine.

— Il y a des Chinois positifs ?

— Oui, monsieur.

— Combien ?

— Quasiment tous !

Il feuilleta hâtivement, puis rageusement le bloc de rapports d'analyses.

— Trouvez-moi Birmingham ! ordonna-t-il.

À travers ses lunettes embuées, les portraits de Juan

Antonio Samaranch, lord Killanin et Avery Brundage, soigneusement accrochés sur le mur d'en face, lui parurent démesurés. Le portrait du baron Pierre de Coubertin était heureusement derrière lui.

— Ça va, monsieur ?

— Non, non, non ! Cela ne va pas du tout. Où est Birmingham ?

— Je suis là, Franco.

La main de lord Birmingham se posa sur l'épaule du président du Comité, la tête enfouie dans ses mains.

— Tu confirmes ? demanda Della Serra, conscient de l'inutilité de sa question.

— Oui, Franco. Je ne sais quoi dire... Comment vont-ils prendre ça ?

— C'est une catastrophe, Henry.

Lord Birmingham savait reconnaître un verdict sans appel sur des comptes rendus d'analyses. Ses titres nobiliaires s'assortissaient d'un professorat en endocrinologie. Pour l'heure, il était plus blême que Della Serra, ses mains s'étaient mises à trembler. Anne-France toussa et se racla la gorge.

— Allez, messieurs, dit-elle dans un effort pour reprendre le dessus, asseyez-vous sur les canapés pendant que je réunis la Commission exécutive.

Dans la chambre de Mykio, Pema trouva Jihong. Le jeune couple regardait le dernier film de Zhang Yimu. Jihong se leva pour sortir, Pema lui demanda de rester. En fait, il voulait leur parler à tous les deux.

— On passe notre temps, Jihong et moi, à t'éviter le pire, dit-il à Mykio en s'asseyant sur un pouf et en roulant de gros yeux.

L'affection qu'il vouait à Mykio se lisait dans cette façon de rouler les yeux lorsqu'il voulait lui faire comprendre quelque chose.

— Tu sais très bien ce qu'il en est, Pema.

— Je sais quoi ?

— Je m'alignerai sous votre drapeau le jour où on aura retrouvé mes parents.

— Dans tous les pays, il y a des gens qui disparaissent, des enfants, des femmes ; c'est pas forcément de la faute des gouvernements, répondit Pema sans conviction.

— Désolé mais on peut se poser la question quand il s'agit de Tibétains plutôt mal vus.

— Motiver son refus d'obéir en incriminant l'État est un crime, répondit Pema en donnant de la voix et en serrant sa canne.

— J'ai pas incriminé l'État, riposta Mykio. Comme tu me l'avais conseillé, j'ai expliqué à la Fédération que j'avais pas envie de faire des compétitions, que j'étais pas motivé. J'ai expliqué que je voulais devenir prof de maths. C'est pas politique de vouloir enseigner. Si ça rend Wei fou, c'est pas ma faute.

— Wei n'est pas idiot. Il a bien cerné tes raisons. Crois-moi, s'il avait voulu te casser les reins, il y serait arrivé. En vérité, il n'est pas si mauvais que tu le dis.

— Mais il l'humilie à longueur de journées, rétorqua Jihong. Il le traite de lâche, de faible, d'inutile, de vantard, etc. Chaque matin, il arrive avec une nouvelle épithète, comme s'il n'avait pensé qu'à ça toute la nuit.

— Jihong a raison. C'est Wei qui a vraiment un problème, sourit Mykio en haussant les épaules.

Pema soupira de nouveau. Les jeunes gens avaient toujours de bons arguments pour motiver leurs écarts, surtout ces deux-là. Pourtant personne ne les avait obligés à aller ensemble aux tests et à y défier Wei. Mykio était consigné dans sa chambre. Pema Zhu les informa des décisions. Avant d'en parler à Mlle Wang Shan, il voulait être sûr que Jihong accepte. Mykio allait quitter la Cité Mauve et n'aurait plus accès aux installations sportives sauf pendant les compétitions de Jihong. Il aurait un passe pour les tribunes réservées aux organisateurs chinois. Il irait voir Jihong quand elle le prierait de venir, mais ils se verraient ailleurs qu'à la Cité Mauve. Pema ajouta en roulant ses gros yeux que c'était la meilleure solution pour ménager tout le monde. Le meilleur moyen aussi de protéger Mykio, mais cela, il ne le dit pas.

— Nous avons sous les yeux les fiches officielles de contrôle de dopage A, reprit lord Birmingham en posant sa main sur le procès-verbal avec une lenteur théâtrale et dramatique comme s'il s'agissait du jugement dernier.

À sa droite, Peter Hehnrick déchiffrait les rapports. Au fil de la lecture, il sentait se dissoudre la chape d'ennui qui s'était abattue sur lui depuis son arrivée à Pékin. Le gros pépin qui les réunissait éclairait ces Jeux d'un jour nouveau. Della Serra qui, en guise de politique antidopage, n'avait à la bouche que le mot de répression allait enfin pouvoir donner toute sa mesure. Les idées d'Hehnrick se bousculaient. Il était bien le seul ici à reconnaître la signature du produit : la Crea6 livrée par BFL aux Chinois. Il était donc le fournisseur de cette cochonnerie. Il ajusta ses lunettes et se carra dans son fauteuil. Aucune raison d'avoir peur, se dit-il. Les fabricants d'armes étaient confrontés à ce genre de situation quotidiennement. Ce que pouvaient faire les Chinois chez eux ne le regardait pas. Et puis, il pouvait avoir la conscience tranquille, on ne lui avait pas demandé une substance nocive capable de menacer son pays ou la vie des gens.

— Il s'agit d'un masquant au spectre large inscrit depuis peu sur la liste, fit-il remarquer, pour perturber un peu plus Della Serra.

— Nous attendons les conclusions de nos commissaires sur ces fiches A, se borna à dire ce dernier.

— Je veux dire par là que les Chinois n'ignoraient pas l'interdiction de cette molécule, insista Hehnrick en observant ses collègues plus accablés les uns que les autres.

On était au cœur de l'olympisme voulu par Della Serra et ses alliés. La répression étrangle le rêve fondateur, se dit Hehnrick perplexe en songeant que c'était le cas de la plupart des tyrannies.

— Avez-vous demandé audience à Wang Lanqing ? s'enquit Della Serra auprès d'Anne-France.

— Ils vous placent dans les deux heures.

— L'entourage de Wang se doute-t-il de quelque chose ?

— Visiblement non. J'ai dû insister pour ce rendez-vous hors calendrier.

— Ne perdez pas de vue que ce qui arrive est de leur faute, glissa Hehnrick. Pas la peine de culpabiliser. Il faudra exiger des explications.

— Bien sûr... bien sûr...

— N'oublie pas, Franco, que nos conventions nous interdisent d'éventer les résultats sur ces tests A avant l'examen des échantillons B en présence des athlètes, rappela le vice-président du Comité Amédée Diaalo du Sénégal, un juriste, un ami de longue date de Della Serra. Rien ne doit filtrer auprès de la presse avant ce contre-examen.

— Ne pas informer les autorités chinoises dès à présent envenimera la situation. Wang Lanqing doit l'apprendre par nous, répondit Della Serra.

— Tu devras être très vigilant, les Chinois sont des électrons libres, prévint Diaalo. Devant la catastrophe que tu vas leur annoncer, nos règles d'éthique seront le cadet de leurs soucis.

— Nous rédigerons notre communiqué dès la rencontre avec Wang Lanqing et le contre-examen des échantillons B, trancha Della Serra. Wang me dira d'abord comment il veut réagir. Pendant que je le verrai, deux d'entre vous iront porter la nouvelle au maire de Pékin et au président du Comité olympique chinois.

— Wang Lanqing vous reçoit dans quarante-cinq minutes, monsieur ! annonça Anne-France. L'hélicoptère est sur le toit, une voiture à l'héliport de l'avenue Xichang'an.

— Et où sont nos deux représentants de la Chine au CIO ? questionna Della Serra qui sentait monter sa pression artérielle.

— Ils seront là monsieur ! cria Anne-France du

bureau. Je les ai envoyés directement vers Zhongnanhai. Ne vous en faites pas, ils ne savent encore rien et seront avec vous avant l'entretien.

Le téléphone cellulaire de Della Serra vibra dans sa poche.

— Les rapports d'expertise de nos commissariats confirment les positivités, annonça Birmingham. Mais ce n'est pas tout, Franco, il y a un point très important qu'on n'a pas eu le temps d'évoquer. C'est à propos de la nature du dopage. Franco, écoute-moi bien, il s'agit d'un produit prohibé inscrit sur la liste en novembre, de la Crea6. La Chine ne pouvait ignorer l'interdiction de cette molécule qui apparaît aux tests. Je ne vois pas les autorités chinoises commettre cette bévue.

— En effet... c'est troublant, admit Della Serra.

Pris de vertige, il ferma les yeux. À travers les brumes, la ville qu'il dominait lui sembla monstrueuse. Il regretta de ne pas avoir embarqué Diaalo, un allié sûr, un ami. Il soupira, cela n'allait pas du tout. Son nœud à l'estomac était revenu. La capitale allait apprendre la nouvelle, puis ce pays immense qui avait travaillé d'arrache-pied depuis sept ans pour édifier trente-sept stades et gymnases de compétition, cinquante-huit stades et gymnases d'entraînement. Il voyait de son hublot ces installations monumentales s'éloigner, tandis que son hélicoptère le rapprochait de la Cité Interdite et du quartier de Zhongnanhai.

Il voulait un autre point de vue. Après quelques sonneries, une voix de femme endormie. Il faisait nuit à New York.

— Maria?... C'est Franco. Il est là? C'est important. Ah!... Dieu soit loué...

Della Serra brossa la situation au secrétaire général des Nations Unies.

— Je connais Wang personnellement depuis longtemps, répondit son interlocuteur. C'est un pragmatique qui va à l'essentiel. Le Premier ministre est plus ambivalent, mais sa position est bien enracinée et il est né politique. Je ne peux imaginer que l'un ou l'autre aient préparé ces Jeux pour déclencher une crise. Tu as raison de les contacter avant de prendre position publiquement.

Della Serra remercia et raccrocha. La silhouette de l'immeuble de l'ONU sur Manhattan plongé dans la nuit de l'autre côté de la Terre s'effaça de son esprit. La réalité l'assaillait : les murailles de Zhongnanhai.

7

Zhongnanhai

JO - 1

Le président Wang Lanqing était un colosse dans tous les sens du terme. Tout chez lui était majestueux et écrasant. Difficile pour cet ancien ingénieur en hydro-électricité d'être un subordonné. La Chine l'avait bien compris en plaçant ce spécimen hors normes à la plus haute fonction. Il écouta Della Serra, puis demanda :

— Est-ce tout ?

— La molécule incriminée a été tracée puis identifiée en novembre. Nous avons affaire à un masquant de dernière génération. Les autorités sportives de votre pays sont au courant de son interdiction. Ce masquant figure sur la liste. Nous devons en parler... C'est un point important.

L'habituel sourire de Wang avait disparu. Franco Della Serra se tortilla sur son fauteuil.

— Il y a une autre difficulté, monsieur le président.

— Laquelle ?

— Votre sélection compte quatre cent cinquante et un athlètes. Quatre cent quarante-trois sont positifs à ce masquant.

Le président Wang se redressa sur son fauteuil, ses yeux s'arrondirent derrière les grosses lunettes.

— Vous évoquez un *masquant*. Qu'est-ce que c'est ?

— Une substance destinée à camoufler le dopage. Un procédé tout aussi illégal qu'un produit dopant.

— Vous insinuez que nos athlètes pourraient être éliminés sans être convaincus de dopage ?

Wang guetta une réaction de Della Serra.

— S'ils sont masqués, oui.

— Voyons, président Della Serra, nous allons trouver une solution ! déclara Wang d'une voix forte, qui se voulait encourageante.

— Malheureusement le contrôle s'effectue sous l'autorité de l'Association mondiale antidopage, un organisme juridiquement indépendant. Les dossiers sont déjà au greffe du Tribunal des sports à Genève. Nos nouvelles règles n'offrent à la direction du CIO aucune marge de manœuvre. Le processus enclenché échappe à mon contrôle comme à celui de la Commission exécutive.

— Vous êtes bien aimable, mais je ne comprends pas bien la nécessité de cette conversation si vous n'avez aucune marge de décision, dit Wang en roulant des yeux ronds, ébahis.

Il pressa avec son pouce un bouton encastré dans le velours du fauteuil. Son premier valet apparut.

— Appelle Li Feng et Liu Daren, qu'ils viennent.

Puis, s'adressant au comte :

— Xun va vous conduire dans l'antichambre. Nous reprendrons cet entretien plus tard avec les camarades Liu Daren et Li Feng.

Des trois dignitaires, Liu Daren avait le plus long et prestigieux parcours politique. Son raffinement faisait de lui le plus oriental des dirigeants de ce pays. L'Occident l'avait longtemps pressenti comme le successeur de Deng Xiaoping. Pourtant, le moment venu, Liu, conscient des oppositions de plus en plus fortes qu'il suscitait au sein de l'appareil, avait, dans un souci d'apaisement, laissé la place à son cadet de Shanghai, le robuste Wang Lanqing. Depuis, Liu présidait l'Assemblée du Peuple. Un rôle plus paisible qui convenait bien à son grand âge.

— Ceci signifie qu'il n'y aura que huit athlètes chinois au défilé d'ouverture, fit-il remarquer aussitôt la nouvelle assimilée.

— Huit athlètes derrière le drapeau ? Je préfère n'en voir aucun, déclara Li Feng.

— Qui allumera la flamme ? demanda Liu.

Silence.

— Peut-on tolérer ces Jeux ? s'enquit Wang Lanqing.

— Vous avez déclaré que vous préfériez des Chinois sans médailles à des Chinois dopés, hasarda Li Feng, qui ajouta sur sa lancée qu'il fallait réunir les camarades du Bureau politique et veiller à ce que Della Serra retarde sa conférence de presse le temps que le Bureau prenne position.

Wang et Liu acquiescèrent d'un même mouvement. Si Li faisait parfois un peu peur, on appréciait ici sa capacité à mener de front tous les combats. Il avait beau n'avoir que soixante-trois ans, il avait toutes les capacités d'un homme d'État.

Le premier valet Xun perturba ce conciliabule pour annoncer un appel de l'éminent professeur Lei de l'Académie de médecine.

— Je suis aux côtés du camarade directeur du laboratoire d'analyses du corps médical de Pékin. Nous vous le confirmons, Excellences, nos athlètes sont bien infectés par un produit masquant que nous savions inscrit sur la liste : une molécule qui fait baisser le taux de globules rouges et masque les produits exogènes. Ce masquant a également un effet secondaire. Il contient des peptides et des acides qui agissent incidemment sur le cerveau en stimulant la création de dopamine. C'est comme si nos athlètes avaient pris des amphétamines pour calmer leur stress et les aider à avoir confiance en soi. Jamais nos équipes n'auraient utilisé un tel procédé... suicidaire pour leur carrière !

Le président coupa la ligne et rappela Xun.

— Fais convoquer le Bureau politique pour 18 h 30 !

Puis, s'adressant à Li Feng et à Liu Daren :

— Nous allons revoir Della Serra qui attend dans le salon « Papillons ».

Pema avait quitté la chambre de Mykio depuis un bon moment. Le DVD du film de Zhang Yimu était toujours en arrêt sur image. Sur le lit défait, Jihong était nue. Son long corps blanc comme le lait, ses lignes droites, lui ouvriraient, si elle faisait ce choix, les portes d'une carrière de mannequin dans la haute couture. Elle était de ces femmes nées pour être habillées. Sa nudité n'en était que plus captivante. La voir ainsi était déjà une intrusion sexuelle. Mykio était l'intrus accepté, il n'avait pas la certitude d'être désiré, ce qui le rendait plus dépendant et électrisait son envie. Il ressentait un besoin fou. Jihong l'invitait régulièrement à ralentir, à prendre son temps. Le plaisir était une conquête. Mykio pensait plutôt que le plaisir était une violente bourrasque. Avec Jihong, il apprenait à caresser. Ses larges mains faisaient un travail d'ouvrier que Jihong guidait de temps en temps. Ses doigts glissaient, écartaient, pénétraient et ils glissaient encore.

Au bout d'un moment, elle ferma sa main sur le large sexe de Mykio. Elle serra, approcha sa bouche, mouilla, retira sa bouche et referma sa main en exerçant des pressions et un mouvement régulier

— Pas comme ça, Jihong.

— Pas avant la compétition, Mykio.

Le corps de Mykio se tendait. Il était maintenant incapable de lui demander d'arrêter. Finalement, il arrosa les mains de Jihong.

— Autrefois les coachs mettaient les nageuses enceintes pour accroître leur production hormonale avant les compétitions, dit-il lorsqu'il eut retrouvé toute sa lucidité.

— Je ne veux pas d'enfant, Mykio.

— Tu oublies une chose...

Il se leva sans finir sa phrase, alla rincer son sexe. Il

avait son drôle de sourire, celui qui annonce qu'il allait dire une bêtise. À ces moments-là, ses deux fossettes faisaient deux virgules, son grain de beauté sur celle de droite montait un peu. Son visage riait. Il avait gardé de l'enfance ce sourire qui plaisait tant à Jihong et faisait chavirer Pema.

— J'oublie quoi, Mykio ?

— J'ai vu nager Audrey Meyer...

— Wei dit que c'est une turbine.

— Avec un peu d'hormone naturelle, tu la pulvériseras. Ce sera légal puisque ça viendra d'une relation naturelle entre nos deux corps.

— Ce sera quand même tricher si on fait ça pour ça.

— Je te plais ?

— Je ne répondrai pas à ta question.

— Pourquoi ?

— Parce que je sais où tu veux en venir...

Elle se lova sur le lit, sans se cacher, en lui adressant un sourire chargé d'invitations.

— Je veux bien, dit-elle alors, à une condition...

— Elle est acceptée !

— Ma condition, c'est que tu nages.

— Merci pour ton offre, dit-il en souriant. Tu joues, moi pas.

Il enfila son peignoir, son sourire s'effaça.

— Tu as raison, Jihong, tu n'es pas ma femme, et encore moins ma grande sœur. Cela te convient ?

– Qu'est-ce que je suis alors ?

– Rien d'autre qu'une Chinoise.

— Il est encore question de ce jeune Tibétain ! reprocha Mlle Wang, amusée, dans la direction de Wei et de Pema Zhu.

— Nous mesurons le ridicule de cette situation, camarade Wang, mais nous ne parvenons pas à nous mettre d'accord sur l'attitude à adopter vis-à-vis de ce trublion, dit Wei. Il refuse de concourir, mais il tourne la tête de nos nageuses et tout particulièrement celle de Cheng Jihong...

— Il parle beaucoup aux jeunes et il leur parle bien, coupa Wang Shan. Cependant, il refuse de se plier à votre autorité, camarade Wei, n'est-ce pas ?

— Il va tellement loin que nous sommes parvenus à une situation de rupture, confessa Wei.

— Peut-on lui reprocher d'être admiré de nos jeunes filles ? Il m'est difficile de condamner un jeune homme pour son insouciance, camarade Wei. Qu'en pensez-vous, camarade Pema ?

— Nous en sommes au point où il faut écarter Mykio... en douceur. L'éloigner du quotidien sans trop l'écarter de Jihong. Je m'arrangerai pour qu'il soit présent sans empiéter sur le travail de Wei.

— Il me semble que votre solution ménage tout le monde et au premier chef Jihong... Une minute, je vous prie...

La sonnerie du téléphone les avait interrompus. Pema et Wei ne mirent pas longtemps à comprendre que l'interlocuteur de Wang Shan, à l'autre bout du fil, n'était autre que son père, le président. Tandis qu'ils se voyaient soudain les témoins d'une intimité qu'ils n'auraient jamais osé partager dans leurs rêves les plus fous, Pema vit les yeux de Shan se figer, puis les observer tour à tour, pour se poser en définitive sur Wei. Elle ne riait plus. La métamorphose de son regard glaça l'espace autour d'elle. Wei sentit une douleur l'envahir.

— Partez, ordonna-t-elle en les regardant l'un et l'autre, tour à tour, avec dégoût.

Della Serra fut réescorté devant les trois dignitaires qui n'avaient pas bougé de leurs fauteuils. Mlle Wang Shan s'assit sur une chaise entre son père et Liu Daren. Wang invita le comte à se rasseoir sur le siège qu'il avait quitté vingt minutes plus tôt.

— Avez-vous trouvé une solution ? demanda-t-il à Della Serra.

— Je vais ordonner la constitution d'une commission d'enquête internationale, Excellences.

— Formidable! coupa Li Feng d'un air sinistre. C'est tout ce que vous avez à nous proposer?

— Selon nos scientifiques, nos athlètes seront désinfectés avant le début des épreuves, avança Liu Daren.

— Je suis vraiment désolé, mais nos règles antidopage nous imposent d'exclure les athlètes testés positifs. C'est là une question fondamentale de crédibilité du sport.

— Au moins admettez que nos jeunes ont été intoxiqués contre leur gré, argua Mlle Wang Shan.

— En avez-vous la preuve?

— Leur innocence réside dans l'absurdité de ce dopage. Nos jeunes ne sont pas stupides. En agissant ainsi, ils étaient sûrs d'être pris, expliqua Wang Shan.

— Nous ne pouvons hélas pas tolérer que des athlètes se dopent avec des substances détectables aux tests et proclament ensuite qu'ils n'ont pas pu faire une chose aussi absurde. Si tel était le cas, nous n'aurions plus qu'à fermer toutes nos unités de contrôle.

— Vos règles ferment toutes les portes, siffla Li Feng.

— Démontrez que vos athlètes ont été infectés malgré eux, monsieur le Premier ministre. Nous ne pouvons pas ouvrir les Jeux de Pékin avec un demi-millier d'athlètes qui ne sont pas propres. S'il l'acceptait, le CIO se renierait lui-même.

— Peut-être pourrions-nous examiner les modalités de retardement de la cérémonie d'ouverture tant que cette affaire n'est pas éclaircie, suggéra Liu Daren.

— Je ne peux retarder l'ouverture de ces olympiades au motif que les athlètes du pays organisateur sont testés positifs. Nous serions la risée de tous. La Chine apparaîtrait sous son plus mauvais jour...

— Vos insinuations frisent l'insulte, s'échauffa Li Feng.

— Je voulais simplement dire que ces Jeux, pour lesquels vous avez fourni un travail colossal et admirable, se retourneraient contre vous, et je ne suis pas sûr que l'olympisme y survivrait.

Wang Lanqing se tourna vers sa fille.

— *Qu'en penses-tu?* lui demanda-t-il dans le dialecte de Suzhou.

— *Della Serra a bien cerné la situation, nous sommes dans une impasse. Il s'attache à nous démontrer que c'est nous qui avons un problème. Il craint que nous tentions d'en faire un problème pour l'olympisme. Dans sa position, il ne peut pas avoir une autre attitude.*

— *Votre fille a raison, camarade Wang. Nous n'avons rien à attendre de sa part. Il défend sa boutique et refuse que nous lui refilions nos fleurs fanées,* approuva Liu Daren.

— Alors, quelle solution proposez-vous? demanda Wang à Della Serra.

— Il vous reste huit athlètes pour le protocole et les cérémonies...

— Soyez sérieux, coupa Li Feng. Ces athlètes-là ne sont pas médaillables. La plupart appartiennent à des sports collectifs.

— Permettez-moi, monsieur le Premier ministre. Vous êtes confronté aujourd'hui à une situation unique qui peut se retourner à votre avantage. Depuis l'origine, les grandes nations organisatrices ont eu une boulimie de médailles. Vous avez cette opportunité d'offrir des Jeux de manière désintéressée. Des Jeux pour les Jeux. N'est-ce pas une position défendable, monsieur le président?

— Vous êtes astucieux et habile, président Della Serra, je crains que nous le soyons moins, soupira Wang en appuyant sur le bouton de son fauteuil.

Xun réapparut.

— Fais conduire le président Della Serra dans le salon des Sabres et sers-lui ce qu'il demande pendant que le Bureau politique délibère.

Le vieux procureur Chen guetta l'assentiment de ses vingt-deux collègues du Bureau politique. Il venait de proposer une qualification pour les derniers événements :

le sabotage. Les mots avaient leur importance et particulièrement celui-ci. Il s'assura que le secrétaire inscrivait
bien ce mot *sabotage* sur le cahier du procès-verbal. De
là, il allait filer vers les registres, la police, les renseignements, les administrations, les agences de presse, les provinces, le monde entier. Le malheur qui frappait la Patrie
portait maintenant un nom. Le fait était entériné.

De sa plus mauvaise voix, embrassant du regard les
membres du Bureau politique, le vieillard au visage étonnamment lisse pour un âge proche, disait-on, de quatre-
vingt-cinq ans, secoua un peu plus ses collègues :

— Camarades, les auteurs du sabotage ont le bras
long !

Une onde se propagea autour de la table. Chen
savait donner le ton. Autour de lui on n'écoutait pas. On
entendait. On réfléchissait.

— C'est bien ça, camarade Chen, renchérit le chef
de la Sécurité intérieure, un gros homme massif, tout en
muscles, du nom de Liang Chaohua, l'un des quatre vice-
Premiers ministres entourant Li Feng. Ces saboteurs sont
puissamment organisés, poursuivit-il. Ils ont trouvé des
relais parmi l'encadrement opérationnel de nos athlètes.
Il fallait bien dans le cas présent parvenir à injecter ou à
faire avaler le produit criminel à quatre cent quarante-
trois garçons et filles.

— Ce ne sont pas des amateurs ! lâcha un camarade.

— Notre population attend ces Jeux depuis dix-sept
ans. Le criminel a su toucher le point névralgique.

Pour donner de l'intensité à son propos, le procureur Chen se frappa le plexus.

— Regardez, nous commençons à nous observer
d'un mauvais œil, reprit-il sur le ton acide qu'il avait
dans sa jeunesse alors qu'il était procureur du Peuple,
titre qui lui était resté bien qu'il occupât désormais des
fonctions beaucoup plus élevées à la tête de la Commission centrale de discipline du Parti. L'ennemi opère
au plus haut niveau, chez nous ou à l'étranger, pour avoir
su frapper d'une manière si bien ciblée, hautement nui-

sible. Qui, selon vous, aurait intérêt à ce que nos athlètes soient disqualifiés, qui pourrait s'amuser à faire perdre la face à la Patrie ?... Je n'attends pas de réponses, bien sûr, mais demandez-vous qui, ici ou ailleurs, jouira de ce sabotage.

Les visages tout autour restaient hauts, immobiles. Le silence qui suivit évoquait les interminables séances du Bureau politique, au cours desquelles se jouait, dans un climat de peur et de suspicion, la disgrâce d'un ou plusieurs de ses membres, qui risquaient alors l'exil, la prison ou la mort. Le pouvoir ici était dangereux. Comme personne ne voulait intervenir le procureur Chen enfonça le clou.

— Ces Jeux devaient se dérouler à la perfection, camarade, lança-t-il à l'adresse de Wang, tassé et morose. On nous l'avait garanti pour arracher notre décision, pour nous faire accepter l'organisation de cette foire capitaliste.

— Revenons-en au sabotage, camarades, interrompit Liu Daren.

Li Feng adressa un signe au chef de la Sécurité intérieure.

— Nous avons quelques dossiers, indiqua le gros homme. Au sein de l'encadrement sportif, nous avons quelques fortes têtes. Nous arriverons bien à leur faire avouer leur crime. Nous remonterons ensuite vers les instigateurs. Nous saurons alors si l'ennemi est l'un des nôtres ou un étranger.

— Je propose que le camarade Liang assure la responsabilité politique de l'enquête, proposa Li Feng.

Liang Chaohua hocha la tête d'une manière bourrue. Cette mission lui revenait sans qu'il fût besoin de la voter. Il avait déjà quelques idées.

— Ne nous faisons aucune illusion, dit-il. Les Occidentaux vont en profiter pour dénigrer notre police criminelle. Opposons-leur un homme sans faille. Je pense au camarade directeur de troisième échelon de la police criminelle de Pékin, notre meilleur limier. La presse internationale en a fait l'éloge dans le cadre de notre coopération contre la Mafia.

Personne ne trouva rien à redire. Wang Lanqing profita de l'accalmie.

— Camarades, la question cruciale à trancher maintenant est l'avenir de ces Jeux, dit-il. C'est la décision la plus importante depuis l'intervention de notre armée contre la chienlit en 1989. Ces dernières années, la Patrie a trouvé avantage à l'ouverture limitée mais tangible vers l'Occident. Je me suis appliqué à ce que nous établissions des relations durables avec les pays satellites qui nous boudaient sur ordre de Washington. Ces Jeux illustrent cette politique... Camarades, tâchons de tirer avantage de cet accident. Maintenons notre cap et, surtout, tenons nos engagements. Le monde se rappellera des Jeux de Pékin comme un formidable pari remporté dans des conditions impossibles.

— J'entends déjà le grondement sourd provenant des stades, de la rue, prophétisa le procureur Chen. Quinze jours sans athlètes chinois, deux semaines de frustration collective vont provoquer le pire.

— Nous devrons interpeller, embarquer les fauteurs de troubles, renchérit le chef de la Sécurité intérieure. La presse occidentale s'écriera qu'il s'agit d'opposants, en rajoutera sur nos méthodes policières. Nous serons perdants sur tous les tableaux.

— Ne sous-estimons pas le peuple, dit alors Liu Daren, de sa voix douce et posée. Il est capable de comprendre qu'on n'a pas dopé nos athlètes. Expliquons-le-lui. Il comprendra.

— Tu parles, le peuple aime le sang, répliqua Chen. Il ira étriper les supporters étrangers et nous devrons alors mobiliser notre armée. Le fiasco sera total. Mais sois certain qu'il préfèrera nous achever ici, dans cette enceinte !

— Et toi, camarade, ton avis ? demanda Li Feng au doyen Zhenlin.

— Tu le veux vraiment, Li ?... Puisque tu y tiens, je te le donne : dans les deux cas, c'est une catastrophe ! Une solution, on n'en a qu'une : tirez-nous de cette impasse, ou vous serez la honte de la politique chinoise depuis la Révolution !

Malgré la virulence des oppositions, dix-sept voix sur vingt-trois se rallièrent à la position de Wang, selon qui les Jeux devaient avoir lieu coûte que coûte.

Franco Della Serra fut libéré du salon des Sabres et averti de la bonne nouvelle : les Jeux de Pékin n'étaient pas remis en cause.

8

Liang Hutong

JO - 1

La Hongqi blindée du vice-Premier ministre à la Sécurité Liang Chaohua quitta Zhongnanhai par la ceinture souterraine réservée aux membres du gouvernement et du Parti. Trois minutes plus tard, la limousine réapparaissait de l'autre côté de l'avenue Donchang'an dans le quartier de la Sécurité intérieure qui jouxte la place Tienanmen et fait face à la Cité interdite. Liang régnait depuis quinze ans sur cette ville intra-muros de cinquante hectares que la rumeur appelait en son honneur le Liang Hutong, le quartier de Liang. Les blocs d'immeubles en brique, aux tons bleu-gris, étaient cachés des regards par un mur d'enceinte recouvert de lierres, de fleurs et bordé d'arbres.

Liang occupait le dernier niveau de la Tour, une bâtisse de neuf étages au centre du Liang Hutong. À peine installé derrière son bureau, une grosse plaque de verre posée sur deux dragons en marbre, il ordonna que l'on introduise le directeur de troisième échelon Lin Tian.

— Vous vous êtes fait une réputation, dit-il tandis que le directeur Lin passait la porte. Le Parti a choisi de vous confier l'enquête nationale sur la contamination de nos athlètes. Comme vous le savez, nous suspectons un sabotage.

Il lui tendit une liste avec les noms des responsables de la sélection olympique.

— Comment entendez-vous procéder ?

Les poches sous les yeux de Lin, semblables à deux pétales fanés, lui donnaient plus que son âge. Le sourire mélancolique imprimé sur son visage laissait deviner une grande expérience.

— Si l'on parle d'empoisonnement, camarade vice-Premier ministre Liang Chaohua, il faut saisir tous les produits en circulation dispensés aux quatre cent quarante-trois athlètes par voie orale et sanguine : médicaments, boissons, nourriture...

— Vous voulez commencer par une confiscation massive ?

— Oui, votre Excellence. Nous allons également établir l'historique des substances absorbées par les huit athlètes qui ont échappé au dopage et le comparer à celui de quatre cent quarante-trois positifs.

La grosse carcasse de Liang remua.

— Vous êtes un homme avisé, directeur Lin. Ne perdez pas de vue que cette affaire va provoquer des remous politiques. Naviguez en eaux sûres. Je vous suggère de chercher avec vos équipes des preuves concrètes. Trouvez ce qui s'est passé. Saisissez ce qu'il faut. Allez-y, vous pouvez disposer. Pour l'heure, Olympic Green est à vous.

Lin retrouva sa VW Santana de fonction devant la sortie. Il demanda qu'on la conduise à la PJ. Marcher lui permettrait de réfléchir. Son cerveau lui ordonnait cent décisions cruciales à prendre dans la minute. Il ralentit le pas. Autour de lui, dans ce Liang Hutong, tout était bleu-gris. Les arbres, la pelouse, jusqu'à l'air étaient gris. Il ressentit un besoin de couleurs, de clarté. C'est ce qui le décida à appeler le jeune inspecteur Yang, un choix contestable, mais il voulait associer Yang à l'enquête. Ce fut sa première décision. Il attrapa son cellulaire dans sa poche et téléphona à Yang pour lui donner ses ordres.

Les véhicules blanc et bleu de la police de Pékin passèrent sans trop attirer l'attention la porte Nord du Village olympique sur Xindan Cun Lu. L'accès était réservé aux livraisons. De nuit comme de jour, le va-et-vient était intense. La centaine de policiers massés dans les camionnettes se répartirent en cinq groupes. L'un d'entre eux s'attaqua aux appartements des athlètes chinois dans la Cité Mauve. Le travail fut scrupuleux. Le personnel médical et paramédical, le coach manager Wei furent embarqués. Le second groupe s'attaqua à la polyclinique. La mission du troisième, plus délicate, consistait à agir dans un lieu massivement fréquenté par les étrangers, l'un des deux centres de restauration, capable de servir cinq mille couverts. La police convergea vers la vaste cuisine des *Délices de Pékin*.

Plusieurs affiches intimaient l'ordre au personnel de s'abstenir de cracher et de fumer. Le directeur Lin décida que l'injonction s'adressait aux cuistots, pas à lui. Il alluma sa cigarette.

— Ils ont mangé le même plat, camarade directeur. Un *chao mian* croustillant et de la banane flambée au dessert.

— Œuf, porc et poulet, n'est-ce pas ? demanda le directeur Lin.

— Nouilles, œufs, ciboules hachées fin, porc maigre, blanc de poulet émincé, sauce soja, gingembre, vin blanc et crevettes décortiquées, compléta le cuisinier en second.

— Ces produits sont toujours ici ?

— La rotation est rapide. Nous sommes livrés deux fois par jour.

— Écoutez-moi bien. Je veux que l'on sépare le lot de denrées qui ont servi à préparer ce *chao mian* croustillant. Est-ce faisable ?

— Ce qui reste de la livraison de ce matin a déjà été rangé, camarade directeur.

— Dans ce cas, on embarque tout ce qui se trouve ici, même les poubelles ! ordonna le directeur Lin en direction de l'inspecteur de la police scientifique qui transmit l'ordre à ses agents. Envoie une équipe à la décharge. Fais venir d'autres camions. Je veux aussi expertiser les canalisations de ces immeubles. Appelle les directions de Tianjin et de Chengde, qu'ils nous envoient leurs contingents de police scientifique.

— He Sequan n'est pas rentré chez lui ce soir, camarade directeur, glissa une voix en aparté.

Lin se retourna, fit une grimace en découvrant l'inspecteur Yang, débraillé comme d'habitude, avec un diamant incrusté sur le haut de l'oreille gauche, ce qui était nouveau.

— Nous avons un sérieux problème, insista Yang avant que Lin ait pu broncher. J'ai interrogé plusieurs employés ici. La femme de He Siquan est inquiète. Il loge pendant les Jeux dans le bloc du personnel, à cinq cents mètres des cuisines.

— Qui ça, Yang ?

— Le chef cuisinier, camarade directeur Lin. Je parle du chef de cette usine capable de servir cinq mille repas quotidiens. Je viens de lancer un avis de recherche.

Deux heures après avoir été investi de sa mission, le directeur Lin informait le vice-Premier ministre Liang que les athlètes avaient très probablement été contaminés aux *Délices de Pékin* lors du repas donné la veille en leur honneur par son excellence Mlle Wang Shan. Les huit athlètes qui avaient échappé à ce dopage n'étaient pas à ce festin. Le chef de cuisine avait disparu. Le directeur Lin suggéra que l'on teste son excellence Wang Shan.

— Elle peut avoir intérêt à apprendre qu'elle est probablement contaminée, insista-t-il. Et nous aurions notre preuve.

— Voyons, reprenez vos esprits, Lin, je ne vais pas

demander à la camarade Wang de remplir un flacon d'urine! Trouvez-nous autre chose!

À trois mille kilomètres de là, à Tso Go, Chang Li, le chronométreur du Daksum Tso, avait allumé sa télévision pour les informations du soir. Chang connaissait les performances de chaque nageur, leur évolution. Il en savait plus que quiconque au Tibet. Il avait appris par le menu le programme de natation, le nom des athlètes de toutes les nationalités, les espoirs chinois de médailles. Sa seule tristesse était que Mykio ne soit pas sélectionné. Il était vraiment déçu, d'autant qu'il l'avait vu nager aux championnats régionaux de Lhassa la saison précédente. Chang Li ne comprenait pas. Peut-être des raisons politiques. Il restait quand même accroché à son téléviseur. Depuis un an, il comptait les jours. Maintenant, il comptait les heures qui le séparaient de la cérémonie d'ouverture, exactement soixante-deux heures.

Le présentateur commença son journal par la lecture d'un communiqué du Bureau politique du Parti communiste, ce qui n'était pas inhabituel.

> *Les instances chinoises ont examiné le motif évoqué pour cette disqualification et ont bien compris que ce motif repose sur la réaction positive des quatre cent quarante-trois athlètes chinois à un test urinaire et sanguin pratiqué par décision de la Commission médicale du Comité international olympique.... Le Bureau politique du Parti communiste a ordonné une enquête, afin d'identifier les auteurs de cette attaque contre la sélection chinoise et, à travers elle, contre le peuple de la république populaire de Chine...*

Chang sentit les larmes monter. Il sortit instinctivement dans la rue. Une partie du quartier chinois y était aussi. Un besoin de communiquer après une nouvelle bouleversante. Les voisins de Chang avaient entendu comme lui. Il invita les plus proches à venir écouter les nouvelles dans sa maison. On se sentirait mieux ensemble. Le président de la Commission médicale du CIO, un Anglais, disait qu'il était impensable que les autorités chinoises aient employé cette méthode suicidaire de contamination. Il encourageait les autorités chinoises à mener une enquête approfondie et proposait l'aide entière du CIO à cette fin. Pendant ce temps, Chang, catastrophé, offrait le thé à ses hôtes d'infortune.

9

Tourmente

JO - 1

Nul besoin de plans de mobilisation, de mots d'ordres, de propagande. Les hommes et les femmes se réunirent de manière spontanée. À travers le pays, les foyers du Peuple, les centres culturels et sociaux, les permanences, firent salle comble. Le terrible communiqué était tombé. On écoutait un petit homme très soigné, basané. Le comte Della Serra était devenu une célébrité en Chine. Il s'appliquait à entériner la décision. La Chine avait la plus grande et belle responsabilité en qualité de pays d'accueil. Il lui appartenait de désigner un ancien sportif chinois qui porterait la flamme jusqu'au sommet du Grand Stade...

— Camarades! lança le responsable étudiant de l'Université du Peuple qui fit éteindre le projecteur, il faut aller témoigner notre soutien à nos malheureux camarades sportifs, à leurs familles, à leur encadrement. Il n'est plus question de parades, d'applaudissements du Parti, mais d'une véritable mobilisation de colère. De colère autorisée.

— Ils sont partout, principalement la jeunesse. Des individus se rassemblent devant les portes de notre enceinte, ici, à Zhongnanhai. Il n'y a pas d'incidents pour le moment.

— Quels sont les principaux slogans ? demanda Li Feng au vice-ministre en charge de la police, dépêché par le vice-Premier ministre Liang Chaohua.

— Les appels à la réintégration de notre équipe olympique. On voit aussi des banderoles réclamant l'arrêt des Jeux. Certaines inscriptions s'en prennent aux délégations étrangères, mais elles sont marginales. De nombreux gonfanons demandent au gouvernement et au Bureau politique d'exercer des pressions sur le CIO. Il y en a un grand nombre devant la porte Xinhua. Leurs termes ne sont pas toujours respectueux.

— La situation est tendue. Je pense qu'il faut mobiliser cinquante mille soldats de plus. Trois divisions de sécurité sont prêtes à partir.

— N'en faites rien pour le moment, ordonna Li Feng. La presse rôde partout, si elle voit arriver de gros contingents, elle ne parlera plus d'un mouvement spontané de tristesse, mais de fureur.

— Une trentaine de voitures a brûlé, essentiellement des taxis, dans la banlieue.

— On ne mobilise pas deux divisions pour trente voitures.

Li Feng rejoignit ses appartements de fonction à l'étage. Il était 11 heures.

Il retrouva l'émissaire de Liang Chaohua dans son bureau du rez-de-chaussée à minuit.

— La situation a évolué, annonça le vice-ministre. Les slogans contre les Occidentaux et le CIO ont pris le pas sur la demande de réintégration de nos sélectionnés. L'alcool circule. On commence à recenser des blessés. Il y a de plus en plus de monde sur Anli Lu dans la direction d'Olympic Green. On attire mon attention sur les attroupements devant les portes du site.

— Des slogans contre le pouvoir ? s'enquit Li Feng.

— Une agitation générale ici, devant la porte Xinhua. De nombreux partisans nous intiment de faire entendre raison au CIO. On commence à entendre des protestations contre l'incompétence du pouvoir.

Li Feng décida d'appeler le président qui ne dormait pas, puis il téléphona à Mo Cuo qui lisait. Tout était calme dans les Collines parfumées à l'extérieur de Pékin. Il retourna se coucher. La rumeur traversait les vitres blindées de l'appartement. Elle n'existait pas lorsqu'on l'avait réveillé, une heure plus tôt.

La veillée de larmes à la Cité Mauve dura toute la nuit. La malédiction allait s'étendre non seulement sur les athlètes, mais sur toute leur famille. Certains éprouvèrent un sentiment paradoxal. La pression de la compétition s'était s'évanouie. L'angoisse du rendez-vous n'avait plus lieu d'être. Mais derrière, il y avait la « positivité », l'incompréhension. Pema tentait en vain de calmer toutes ces détresses. Wei était toujours entre les mains de la police. Seule Jihong ne pleurait pas, et Mykio pensa à toutes ses souffrances cachées derrière cette attitude digne. Il les imagina d'autant plus terribles. Il pleura pour elle et elle s'appliqua à le consoler.

À 2 h 45, les vibrations du portable, tirèrent Li Feng de son sommeil.

— L'avenue Anli Lu est noire de monde de la sortie de Pékin aux portes d'Olympic Green. Plus d'un million de personnes se serait donné le mot pour encercler le site olympique, annonça le vice-ministre en charge de la Police. Ils bloquent toutes les entrées. On voit un peu partout les mêmes pancartes : « Non aux Jeux sans Chinois ». C'est un barrage humain. Impossible de passer sans la force. Ils sont nombreux à s'être enchaînés entre eux et aux grillages.

— Et en ville ?

— Tout Pékin semble être sorti dans la rue. Le ton est monté de plusieurs crans. Le directeur de la troisième division de la Sécurité de Pékin m'a indiqué qu'il serait vain de tenter de faire rentrer les gens chez eux avant plusieurs heures, sauf à avoir recours aux armes. Les chefs de quartier et de secteur contrôlent leurs militants directs, mais déjà la multitude a submergé les membres disciplinés du Parti.

— Du vandalisme ?

— Des incendies de voitures, des jets de pierres. On a bloqué l'accès à Dongzhimenwai pour protéger les ambassades contre des groupements autonomes, qui voulaient donner l'assaut. La Chase Manhattan sur Wangfujing a été attaquée. Des bandes très organisées sont menées, semble-t-il, par les Groupements communistes révolutionnaires qui conduisent des attaques ciblées. À l'heure qu'il est, tous les voyous de Pékin profitent de la cohue.

— Votre opinion, camarade, avons-nous toujours la situation en mains ?

— D'après le camarade vice-Premier ministre Liang Chaohua, nous ne contrôlons plus rien à cette heure, camarade Premier ministre, sauf un recours à l'armée du Peuple.

— Convoquez le Bureau politique. Je préviens le président.

À la Cité Mauve, plus on parlait, plus le sentiment d'injustice prenait forme. Les athlètes avaient respecté toutes les règles très strictes sur les médicaments. Ceci fit miroiter quelques espoirs. Une sélection entière n'est jamais dopée. Il s'était passé quelque chose de spécial. C'était la première fois qu'un accident de cette nature se produisait dans l'histoire du sport. Chacun commençait à avoir un avis. Mykio parla beaucoup avec ses camarades. Maintenant, il fallait penser aux championnats du monde, dans deux ans. L'important était de ne pas perdre la motivation et surtout, insista Mykio, de rester unis, solidaires. Pema eut un instant de grande émotion en constatant la cohésion de cette équipe. Les plus sombres orages réservaient leurs instants de lumière. Wei et lui avaient fait du bon travail. Il reconnaissait que Jihong et Mykio en étaient les chevilles ouvrières. Les jeunes venaient naturellement vers eux. Ils étaient des repères pour leurs camarades.

Vers 2 heures du matin, Mykio s'approcha de Jihong, lui prit la main et l'entraîna vers les escaliers. Dans la chambre, il commença à la déshabiller. Il n'y avait plus de compétitions. Elle se laissa faire. Tous ses sens à lui étaient à vif. Le feu brûlait en elle. L'émotion de la nuit fut transcendée dans une violente fusion. Ils étaient comme ivres.

Les rotatives du *Quotidien du Peuple* imprimaient : « Un affront sans précédent pour la Chine ! »
Les articles décrivaient Olympic Green comme un lieu maudit tant que les athlètes chinois ne seraient pas réintégrés. Partout sur les murs, des affichettes ronéotypées comme dans l'ancien temps, désuètes mais d'autant plus menaçantes, s'en prenaient à Wang et aux athlètes avec de petites formules assassines. Sur les grilles clôturant Olympic Green, on lisait : « Interdit aux Chinois ! », « Stades de la honte » ou encore « Interdit à la Chine. Réservé au Monde ». La vaste avenue Anli Lu ressemblait de plus en plus à une fête foraine. Les étrangers étaient invités à venir partager la rage du peuple. Le mot d'ordre était le boycott d'Olympic Green avec ses installations neuves outrageusement luxueuses, qui avaient coûté au peuple des milliards de yuans. On racontait que le Bureau politique avait envisagé pendant la nuit l'instauration de la loi martiale. La rumeur mentionnait aussi que le Premier ministre Li Feng avait quitté les Collines parfumées pour s'installer, avec sa famille, à Zhongnanhai, dans la résidence désaffectée de la Piscine qui avait été pendant les temps héroïques la résidence de Mao Zedong.

— Qui ira dans ces stades ? lançait un reporter en face de la porte nord de Zhongnanhai sur Xi'anmen, autour de laquelle se garaient des camions militaires.

L'entrée principale du bloc d'immeubles de la Cité Mauve ressemblait à un hall d'hôtel un matin à l'heure des départs. Les quatre cent cinquante et un jeunes gens et leur encadrement pliaient bagage pour le centre omnisports de Tianjin à deux cents kilomètres de Pékin, loin de la presse. Pema Zhu, Jihong et Mykio tentaient toujours de consoler un désespoir sans fin. Wei qui était finalement revenu, relâché par les services du directeur Lin au petit matin, s'était montré humain. Pour la première fois, il avait parlé aux nageurs d'autre chose que d'entraînement ou d'objectifs. L'appui de la population autour d'Olympic Green avait insufflé du courage aux athlètes. Wei, qui leur avait expliqué qu'ils avaient été contaminés à leur insu, avait laissé miroiter un faible espoir de réhabilitation.

Mykio leur expliqua que l'Olympisme n'était qu'un instant de leur carrière, une étincelle dans leur vie. Cette déconvenue était une excellente occasion de s'adonner à la patience et de puiser en elle une force ignorée jusqu'à présent : l'éveil sur la vie, les choses simples. Mykio, Jihong, Pema et Wei parvinrent à calmer les jeunes athlètes, sans toutefois atténuer leurs puissants tourbillons d'animosité contre le destin.

Un cordon de sécurité avait été établi autour du quartier chinois. Dans le petit matin, et tandis que tous chargeaient leurs bagages et prenaient place dans les cars de transfert, seul l'œil exercé de Pema Zhu remarqua les trois grosses voitures noires garées sur le trottoir opposé. C'est pour nous, se dit-il, avant qu'un agent en civil de la Sécurité intérieure l'invite courtoisement mais fermement à le suivre, lui confirmant qu'il avait vu juste. Avant de s'engouffrer dans la berline, Pema eut le temps de voir que Wei Jiwei et le directeur de la sélection chinoise étaient également appréhendés. Les agents interpellèrent aussi Mykio, que Jihong tenta de rejoindre. Elle fut brutalement refoulée dans son bus, qui démarra.

Liang Chaohua faisait la description d'une situation qui n'avait fait qu'empirer. Le barrage humain s'étendait maintenant du nord d'Anli Lu jusqu'aux portes de Pékin, dix kilomètres au sud.

— La plupart des manifestants sont sortis de chez eux sous le coup d'une émotion spontanée. Une minorité attise le feu, exposait Liang Chaohua. Nos renseignements indiquent qu'ils sont plus de quatre millions dehors, appartenant à toutes les catégories de la population. Des magistrats, des policiers, des cadres importants du Parti, des enseignants auraient rejoint le mouvement et la province commence à bouger. Les slogans sont focalisés sur le refus de Jeux sans Chinois, mais on entend aussi des attaques contre Wang Lanqing et Li Feng, et contre le Bureau dans son entier. En 1989, la situation restait maîtrisable. Aujourd'hui, elle va nous échapper si nous prenons tout cela à rebrousse-poil.

— La cérémonie d'ouverture doit débuter ce soir à 21 heures, rappela le maréchal Peng, le chef des Armées, assis à la droite du président Wang. Elle sera impossible si l'armée n'intervient pas immédiatement.

— La politique du «gardons le cap» des camarades Wang et Liu, fondée sur l'obéissance et la sagesse du peuple, a montré ses limites cette nuit, dit Chen.

— Le camarade Chen avait vu juste, appuya Liang Chaohua.

— Dans ce nouveau contexte, la question est reposée : annulons-nous ces Jeux ? insista le procureur Chen.

— Est-ce nécessaire ? demanda le chef des Jeunesses communistes.

— Que veux-tu dire par là ? demanda Li Feng.

— Il fait bon la nuit, les manifestants ont de quoi boire et manger. Ils ont un refrain dans le cœur : «Pas de Jeux en Chine sans Chinois». Je vois mal les 29e Jeux olympiques débuter grâce à l'offensive d'un corps d'armée contre la population. Je veux dire que, dans le contexte actuel, c'est le CIO qui va annuler ces Jeux et pas nous, camarades. Pour moi, la situation est évidente : à l'heure qu'il est, les Jeux de Pékin sont morts... Mort-nés.

— C'est toi qui les as mis dans les rues, aboya le maréchal Peng dans la direction du chef des Jeunesses communistes.

— Vous savez très bien, camarade maréchal Peng, qu'on ne retient pas les eaux d'un fleuve en crue.

— Tu aurais pu nous indiquer cela hier.

— Il nous l'a dit, glissa Wang Lanqing. Il nous appartient maintenant de prendre l'initiative. Ces Jeux sont notre œuvre. Si quelqu'un doit la détruire, c'est nous. Agir autrement serait un acte de faiblesse.

Wang se leva, signe que la réunion était close.

— J'interviendrai sur les antennes dans les prochaines heures, annonça-t-il avant de se retirer. Quiconque tentera de parasiter mon intervention sera arrêté. Le dérapage de cette nuit concerne chacun d'entre nous. Un important travail d'analyse est à entamer sur ce sujet. Merci, camarades, à ce soir.

— Tu vois, il fait beau, dit Wang en regardant le ciel.

Le président marchait à côté de Peng. Comme souvent après les réunions du Bureau politique, il avait décidé de faire quelques pas en compagnie du vieux maréchal.

— Et il fait doux, remarqua ce dernier, qui aimait ces matinées d'été au bord de lac Nanhai.

— Le climat s'annonçait magnifique pour ces Jeux, dit Wang sans regrets dans la voix. La météo semble formelle. Je sais que tu aimes les fleurs, Peng, regarde là-bas. On dirait un rang de pivoines.

— Ce sont bien des pivoines! confirma le maréchal, qui adorait deux choses dans la vie : les machines lourdes et les fleurs. Tu te rappelles quand on était en classe, on s'en fichait pas mal des jardins.

— Ho! Ho! C'est vrai! On se moquait vraiment des fleurs et maintenant qu'on est des vieux clous tous les deux, on les aime!

— Peut-être parce qu'on est veufs, toi et moi.

— C'est vrai, admit tristement Wang.

— Admirons la nature, suggéra Peng en serrant le bras de son ami.

Ils marchèrent en silence quelques instants. C'était une coutume entre eux de vaquer dans Zhongnanhai, parler des fleurs, regretter leurs épouses disparues. Parler, ne pas parler.

— Je vais rentrer, annonça Wang après plusieurs mètres.

— Regarde ces tulipes !

— Tiens, je vais dire bonjour à ma fille, décida le président, de nouveau joyeux. Au revoir, Peng.

— Lanqing ! lança Peng.

— Oui, camarade ?

— Je pense que tu as raison... Il y a tout autour de nous comme un vent de conspiration.

Le maréchal s'éloigna en faisant un petit signe de la main. Une habitude.

Maintenant, nous allons rendre des comptes, se dit Pema Zhu, coincé entre deux miliciens à l'arrière de la limousine. Il s'était retourné plusieurs fois. Deux voitures les suivaient. Ils dépassèrent Tiananmen à gauche et la Cité Interdite à droite pour s'engager dans Fuyou Jie, la rue qui longeait les murailles rouges de Zhongnanhai. Le convoi s'arrêta devant la porte ouest. Pema commença à entrevoir ce qui pouvait se passer. Il y avait songé pendant la nuit. Une folle idée aussitôt chassée. Les deux autres limousines suivaient. Le convoi roula au pas vers le nord, longeant les bâtiments du Comité central du Parti, puis du Conseil des affaires de l'État. Il tourna à droite, dépassa le Petit Auditorium et la Piscine. Les trois voitures s'arrêtèrent au bord de la partie nord du lac Zhongai, devant une jolie maison bordée de jacinthes et de tulipes. Pema Zhu fut introduit dans un salon avec des meubles en bambous où l'attendait la camarade Wang Shan qui avait retrouvé son délicieux sourire.

— Si nous reparlions du jeune Mykio Dara, proposa-t-elle.

10

Enquête

JO

La main blanche et osseuse du placardier tira le lourd tiroir d'un geste sec.

— He Siquan, en provenance de l'hôpital Jingsong, annonça le chef de salle.

Le regard du jeune inspecteur Yang, de la police criminelle de Pékin, tomba sur le corps nu, tordu, le bassin écrasé.

— Renversé par une voiture, expliqua l'inspecteur principal du quartier de Dongcheng.

Les effets du malheureux étaient soigneusement disposés sur une tablette à côté du corps. Une montre, une bague en or, un briquet, un calepin et une petite bouteille.

L'inspecteur Yang agita légèrement la bouteille, puis la plaça devant le néon.

— C'est quoi là-dedans ? demanda-t-il.

— Visiblement, un liquide.

— En effet...

L'inspecteur Yang acheva ses constatations macabres, puis ordonna que le corps soit rangé en chambre froide et les habits réunis pour la police scientifique.

— J'embarque les objets, camarade directeur, décida Yang qui signa la décharge.

En sortant de la morgue, il s'accorda dix minutes pour avaler une crêpe fourrée et un café noir. Sur les journaux à l'étalage, il vit la photo du directeur Lin. Le café était bon. L'éditorial du *Quotidien du peuple* était consacré à son patron. Le titre annonçait que l'enquête était confiée au meilleur limier de Chine. Le portrait du directeur Lin figurait aussi sur des journaux étrangers. L'inspecteur sentit sa migraine se dissiper. Il connaissait ces étincelles d'excitation que crée l'événement. La nuit avait été riche et contrastée. Des réunions jusqu'à l'aube.

Maintenant, il empruntait la petite rue Lin Da, parallèle à la place Tiananmen, pour rejoindre les bureaux de la police criminelle, au sein du quartier de la Sécurité intérieure. La rue était encombrée d'Audi, de Hongqi et de Santana officielles. Il passa le porche, longea les bâtiments en brique jusqu'au parking souterrain du QG. Il y laissa son véhicule et monta au quatrième étage. Les tables étaient envahies par les écrans des terminaux fixes, des ordinateurs portables et des tasses de thé, qui cherchaient leurs places au milieu de fils électriques et de câbles. Yang nota que pratiquement tous ses collègues étaient là, y compris ceux des équipes de nuit. Il se faufila jusqu'à son box, alluma son terminal, naviga jusqu'au site général. Un titre s'afficha : *Contamination de la sélection olympique*. Il laissa défiler les différents chapitres et cliqua sur l'icône *Pièces nouvelles destinées à l'analyse*. À l'emplacement *nature de la pièce fournie*, il précisa : *bouteille d'une contenance de 57 ml trouvée sur la dépouille de He Siquan, morgue de Tunjuan Hutong*. Un agent de la police scientifique viendrait prendre livraison du flacon dans l'heure.

Il quitta ensuite son box pour le bureau de Lin, qu'il découvrit en train de parler à son ordinateur.

... Votre opinion sur son travail ?... Un chef consciencieux, un travailleur modèle... Le personnel est du même avis ?... Je n'ai reçu aucune protestation, camarade Lin... Nous leur poserons la question!... Nous sommes tous à votre service, camarade Lin!

Lin dressa son regard vers Yang qui porta instinctivement sa main à sa boucle d'oreille.

— Tu vas me garder ça longtemps?

— Si elle vous gêne, je peux la retirer, camarade directeur.

— C'est ta petite amie qui te demande de te déguiser avec ce machin! Tu te fais dominer par une gamine, Yang?... Une enfant de cadre supérieur?

— Il est bien que la police sache se fondre parmi le peuple, répondit Yang, amusé.

— Tu as tort de singer ces rejetons. Ce qu'ils peuvent se permettre, tu ne le peux pas. Enfin, je dis ça pour toi. Qu'est-ce que c'est?...

Yang tenait un agenda de poche avec une couverture en cuir usagée.

— Le calepin du camarade He, chef... Il y a ici un numéro de téléphone et une adresse, une inscription récente: *23-37 Shougang parc.* Il s'agit des laboratoires BioPharma-Friedman Pékin. Une société à capitaux américains. He Siquan a été écrasé devant le portail de cette usine.

Ce que le laborantin avait devant lui contenait du glutamate et de l'isomate de sodium, des extraits de levure et des acidifiants. Il savait que le soja préparé en cuisine n'avait pas besoin de conservateurs, puisqu'il était servi le jour même. Les marques étrangères Pearl River Bridge ou Kikkoman n'intégraient dans leurs sauces qu'une quantité infinitésimale de conservateurs. Ici, le seuil était dépassé. Il appela son chef, qui eut d'abord l'idée de renifler la bouteille ouverte.

— Cela ressemble bien à du soja, mais un soja fleuri, dit-il en visant le rapport d'analyse préliminaire. La composition est déjà illégale.

Il n'avait pas le matériel tout à fait adéquat, mais

pouvait tenter un début de diagnostic qui déterminerait où envoyer l'échantillon.

L'image apparut. Des taches violettes glissaient les unes sur les autres.

— Il nous faut une carte génétique, marmonna le scientifique.

Ce qu'il déchiffrait était troublant. Il décelait une identification grossière de peptides et d'acides aminés, dont les premiers effets étaient la baisse du taux de globules rouges dans le sang. Ici le dosage qui s'affichait pouvait s'avérer critique et dérégler pas mal de choses. C'était suffisant pour communiquer sa souche au Centre d'État d'épidémiologie.

Le docteur Shao accusa réception du mail prioritaire de la police scientifique de Pékin. Le document annexé était une série de photos. Elle visa les données expédiées pour arriver aux mêmes conclusions que son confrère de la police : il s'agissait bien d'un produit alimentaire contenant principalement des peptides et des acides aminés exogènes totalement illégaux dans un aliment. Elle décida d'en savoir un peu plus et sollicita un entretien avec l'expéditeur, dont le visage s'afficha bientôt sur son écran.

— J'ai examiné votre produit. D'où vient-il ?

— Désolé, mais c'est confidentiel, camarade.

— Cette saleté révèle des substrats neuromédiateurs de dernière génération totalement illégaux, insista-t-elle. Comment vous est parvenue cette mixture ? Nous devons alerter notre autorité de tutelle, je parle du ministère de la Santé.

— On s'en charge, camarade docteur Shao.

— Bien, envoyez-nous un échantillon, que l'on vous confirme tout ça.

— Il est déjà en route.

Les plantons rendirent au directeur Lin un salut raide. Il poursuivit sa route jusqu'au bureau des huissiers, fut annoncé et introduit dans le bureau du vice-Premier ministre Liang Chaohua. De sa grosse main, le haut dirigeant lui fit signe de s'asseoir et lui dit d'une voix forte :

— Vraiment, félicitations, camarade directeur Lin. Le Parti vous félicite. Il semble donc acquis que nos athlètes ont été dopés par cette sauce.

— C'est un fait.

— Pouvons-nous remonter au fabricant ?

— C'est le point que je souhaitais vous signaler... Le cuisinier avait rendez-vous dans une usine de médicaments à capitaux américains. C'est devant cette usine qu'il a été assassiné.

— Ah !... se récria Liang Chaohua, comme effrayé. Après une minute de réflexion :

— Je suis d'avis que vous approfondissiez vos recherches sur cette sauce et cette usine, dans la plus grande discrétion. Mobilisons les meilleurs hommes, ceux qui savent se taire. Ils collaboreront avec vous et surveilleront cette usine. Visiblement vous avancez, directeur. Vous avancez vite. Récoltez et creusez, n'ébruitez rien.

Pour habiter dans le Lingjing Hutong, un vestige de la vieille ville, le chef de cuisine He Siquan appartenait à une famille aisée. Les informations sur lui dépeignaient un cadre modèle, spécialiste de la restauration pendant les grands événements du Parti, chef des cuisines aux quatre dernières cessions du Congrès du peuple, qui rassemblait pas moins de trois mille délégués. He Siquan avait nourri en ces occasions tous les dirigeants chinois. C'est dire la confiance que lui portait le Parti. Qu'allait-il faire à Shougang, avec ce concentré de drogues dans la poche ? Quel était son rapport avec l'usine américaine ? Son assassinat à la périphérie de cette usine signifiait-il quelque chose ? Le directeur Lin avait répété pendant le briefing : ne cherchons pas de liens ! Il est trop tôt pour gamberger sur les informations recueillies, la réflexion viendra après. Yang sentit son humeur s'assombrir. La nuit blanche commençait à se faire sentir.

Il acheva son parcours à pied, à l'ombre des acacias, sur l'avenue grouillante de Xidan, jusqu'à la ruelle du Vaste temple. He Siquan habitait une maison traditionnelle contiguë à une école primaire. Le flanc sud était bordé d'immeubles récents. Devant l'entrée, une porte laquée rouge surmontée de reliefs en ciment, signe de bon augure, deux vieux retraités jouaient au mah-jong sur une table de bambou. Les deux vieillards ne faisaient pas attention à lui. Il poussa la porte qui s'ouvrit sur un étroit passage jouxtant l'école et qui conduisait après un mur chicane dans une petite cour carrée, délimitée par quatre pavillons de plain-pied. He Siquan logeait ici avec sa femme et son père, peut-être un ou deux enfants. Du linge suspendu à des bambous au-dessus du puits s'égouttait encore.

Il entra dans la bâtisse principale, où devait habiter He Siquan. Il ouvrit rapidement les placards de la cuisine : des verres, bols, baguettes et ustensiles étaient rangés avec un soin maniaque. Célibataire, Yang notait ces détails avec une pointe de culpabilité. Dans l'armoire de la chambre, le linge et les vêtements étaient pliés et rangés serrés. Il y avait deux costumes Valentino sous housse et trois blouses de chef, au nom de He Siquan, pendus à des cintres. Le lit était fait. Le lavabo, la douche et la faïence brillaient. Sur la table de la cuisine, il y avait des bols, une boîte de céréales, un pack de lait soja ouvert et une assiette de riz froid.

Tiens, un départ précipité, nota Yang.

Il s'intéressa ensuite aux nombreux albums photos dans le petit bureau. He Siquan, c'était lui, se tenait sur un sentier escarpé avec un sac à dos à côté de sa fille. Il avait un bon sourire. Un homme heureux, songea Yang, qui revivait en même temps la scène de la morgue. Il ressortit dans la cour et il s'engouffra dans la seconde maison. L'ordre y était un peu plus aléatoire. Le lit avait été bâclé. Sur le sol, il y avait une télévision avec un lecteur-enregistreur de DVD. Sur une table basse, un PC avec un vieil écran Sony et, sous la table, rangés dans une boîte en bois qui devait être un tiroir défait, des DVD et des CD Rom avec des notices. Yang se reconnut dans ce bazar. La fille He devait habiter ici avec son mari. Dans le troisième bâtiment, il y avait de nombreux albums photos, des livres et, aux murs, l'histoire d'une vie partagée entre le Parti, la famille et l'armée. À en croire les photos encadrées qui tapissaient les murs, le grand-père He avait été un soldat modèle de l'Armée populaire de Libération. Un homme sans histoires, qui, ce matin-là, n'avait pas eu le temps de faire son lit.

Le regard de Yang s'arrêta sur le pigeon dans la volière accrochée au grenadier ; il jeta un œil au fond du puits, qui était à sec mais propre, et il rebroussa chemin jusqu'aux deux joueurs de mah-jong.

— Ils sont partis ? demanda Yang, en exhibant son écusson.

— Ils sont venus à trois voitures. Des collègues à vous. Ils les ont emmenés, répondit l'un des deux hommes, qui se racla bruyamment la gorge et cracha.

Yang n'y prêta pas attention.

Wang aimait les séances de travail avec le maréchal Peng. Ils tenaient à eux deux la plus grosse armée du monde. Pas en matériel, mais en hommes.

Ils préparaient la réunion de la Commission centrale militaire, la plus haute instance des armées. Wang en était le président et Peng, le chef exécutif.

— Les camarades et particulièrement Hu Heng des Jeunesses communistes ont quitté le Bureau politique avec la dynamite, l'allumette et le grattoir, continua Wang. Au lieu de contenir les militants et la jeunesse, Hu a attisé le feu. Les humeurs et hésitations du Bureau l'y ont encouragé. Il fallait que j'intervienne plus à fond de sorte qu'il y ait un camion devant chaque permanence. Il fallait tenir l'appareil. J'ai fait le contraire... Je vais le payer.

— La situation est critique, Wang, confirma le maréchal. Ils ont œuvré contre toi.

— Ce n'est pas exactement ça, mon bon Peng. Hier, le Bureau aurait dû définir le rôle de chacun pour la nuit. Ce qui est arrivé est de la négligence de ma part. Pourtant les camarades m'avaient mis en garde... Tu veux du thé ?

Le premier valet Xun, l'air grave, salua avec respect le maréchal en se dirigeant vers Wang.

— Mademoiselle votre fille demande à vous voir, Excellence, annonça-t-il. Elle est avec un homme.

— Qui ?

— Il est très grand. On dirait un Tibétain.

11

Dharamsala

JO

Dans la chaîne des Himalayas, Dharamsala offrait une vue impressionnante. Alentour, les forêts précédaient des cimes enneigées. Mykio trouva une ressemblance entre cette partie de l'Inde et son Tibet natal. Le Dassault présidentiel de type V22 fit son atterrissage vertical dans le village de Mola Ganji, près de Tsouglakang.

Mykio remarqua qu'un second appareil s'était déjà posé et qu'en sortaient les soldats de la garde rapprochée du président Wang. Une délégation de moines s'approcha. Le plus âgé se prosterna devant le président, sans toutefois toucher le sol, puis se tourna vers Mykio.

— Quand vous serez en présence de sa Sainteté, son Excellence le président fera selon ses propres usages et sa volonté, mais toi, tu te prosterneras et pas n'importe comment, comme ceci.

Le moine fit une démonstration.

Le cortège traversa plusieurs salles et s'immobilisa dans l'une d'entre elles. Le premier garde du corps vérifia le lieu et, satisfait, ordonna aux militaires de la garde de sortir de la pièce. C'est alors que Mykio découvrit sur un fauteuil surélevé le Saint Homme qui leur souriait.

Ébloui, il se courba de son mieux, tandis que le président hochait simplement la tête en signe de bonjour, mais dans un geste lent. Le Saint Homme à son tour s'était levé et il se prosterna à sa manière, les mains jointes, dégageant une impression de grande sérénité.

Mykio fut prié d'attendre dans une salle voisine. Le président Wang Lanqing évoqua les fonctions qu'il avait occupées dans sa jeunesse auprès de Hu Yaobang, le tout-puissant chef du Parti du début des années 80 qui avait fait libérer des milliers de prisonniers au Tibet. Engager la conversation sur un homme honni par la mémoire collective des dirigeants de Pékin depuis vingt-deux ans était habile, car Hu Yaobang, sans remettre en cause la colonisation, avait desserré l'étau chinois sur le Tibet.

Le Saint Homme attendait cet entretien depuis cinquante-huit ans. Il était ému. Aucun autre sujet sensible ne fut abordé. Ils se serrèrent la main. Tout avait été dit.

Mykio fut rappelé auprès du Saint Homme alors que le président regagnait son escorte aérienne.

Il fut invité à raconter sa vie brièvement. Le Saint Homme se remémora une fresque au Potala montrant le peuple de Lhassa en fête qui se baignait dans la rivière pour célébrer la construction du palais. Mykio précisa les caractéristiques extraordinaires de son lac de l'est tibétain. Le Saint Homme lui demanda comment il se préparait pour une course.

— Je m'assois, si possible au bord de la piscine ou pas trop loin, et j'attends mon tour. S'il existe une chambre d'appel, j'y reste le plus longtemps possible. J'écoute ma respiration et fixe l'horloge murale. Peu à peu, je suis libéré de l'environnement. Je me projette dans la course en essayant de la visualiser le plus précisément possible. Je tente de m'approcher du bassin dans cet état. Je m'efforce d'ignorer les multiples souffrances psychologiques créées par l'environnement avant le départ : la peur, les haut-parleurs, le compte à rebours, tout ce qui me sépare de la course. Les sept nageurs autour de moi souffrent de cette manière. Puis survient la douleur physique pendant l'épreuve. Ma course est simple : je jauge, je me cale sur les nageurs de tête et je tente de transcender la course sur la dernière longueur.

Le Saint Homme lui sourit gravement.

— Compte tenu de ce qui vient de se passer entre la Chine populaire et moi-même, je te demande personnellement de nager sous les couleurs chinoises... T'en sens-tu capable ?

— J'ai peur de ne pas être le meilleur candidat, votre Sainteté. Je risque d'être conduit par la colère au moment de plonger et de faire de piètres performances.

— Dans ce cas tu soumettras ta colère en y mettant tout ton cœur et tu verras, tout ira bien.

— Je vous obéirai, mais il faut avant tout que la Chine retrouve mes parents.

— Tes parents ?... Que s'est-il passé ?

Mykio raconta. Il parla de Tso Go, de Pa-la et d'Ama-la, du Centre d'Altitude à côté de Bayi, de Pema Zhu, du départ, de la joie retrouvée de Pa-la, des projets de venir vivre à Pékin. Puis du silence depuis sept ans.

— J'en parlerai au président Wang, promit le Saint Homme. Mais fais ce que le peuple du Tibet te demande, Mykio. C'est important.

Mykio observa le Saint Homme, qui lui adressa un regard qu'il n'oublierait jamais. Le premier secrétaire particulier de Wang fut appelé et présenta à Mykio son acceptation en qualité de nageur sélectionné pour les 29e Olympiades, que Mykio signa. Le document fut aussitôt faxé au Comité d'organisation des Jeux de Pékin et au président Della Serra.

À Camp David, USA, il était 10 heures du matin. Fait exceptionnel, le président Paul Niles s'était éclipsé de l'office religieux du dimanche.

— Ils sont de retour. Le gamin accepte de nager. L'Inde n'était pas mécontente de rendre ce petit service à Wang.

— Della Serra sait y faire.

— Tu parles. On a intercepté une conversation entre lui et le secrétaire général de l'ONU. Della Serra faisait dans son froc.

Le directeur de la CIA, en retrait, semblait content de lui.

— Maintenant, Wang va devoir convaincre le Bureau politique. Est-il de taille ? demanda Paul Niles.

— Je pense que le Bureau politique va laisser Wang Lanqing tenter cette chance, répondit le ministre des Affaires étrangères. Le problème, c'est la population de Pékin. Va-t-elle accepter ? Je n'en sais fichtre rien... Ils devront cadrer les Jeunesses communistes... Je suppose qu'ils vont tous aller dans le sens du président Wang, du moins en apparence. Or, c'est ce qui n'est pas apparent qui m'inquiète. On risque d'avoir une bonne décision politique comme hier soir et un gros dérapage dans les rues comme cette nuit.

— A-t-on les moyens d'aider Wang sur le terrain ?

— On a nos contacts avec les jeunes cadres politiques de Pékin. On peut leur expliquer notre point de vue, indiqua le directeur de la CIA.

— Faites-le donc, ordonna le président.

— Il s'est passé quelque chose d'important dans notre pays, annonça Wang au monde. J'ai encore peine à y croire. Nous avons dans notre pays un athlète hors du commun. Figurez-vous que cet athlète semble capable de remporter plusieurs médailles dans l'une des disciplines fondatrices du sport olympique : la natation. Les personnes les plus qualifiées, chinoises et étrangères, m'ont dit qu'il possédait de grandes capacités. Cet athlète va participer aux Jeux de Pékin sous nos couleurs. Il est chinois. Je vous le présente.

Mykio apparut sur les écrans. Son regard, d'un sérieux troublant, fixait la caméra.

— Chinois, Chinoises, notre pays a subi une secousse, déclara Wang Lanqing en donnant de l'effet avec la main.

Nous avons manifesté notre désarroi et notre colère. L'absence de sportifs chinois aux Jeux de Pékin nous était intolérable. Maintenant, tous nos regards vont converger vers ce jeune homme...

Il posa la main sur l'épaule de Mykio.

— C'est un grand défi que de présenter un seul homme face à dix mille athlètes, clama-t-il. C'est ce que fait la Chine. Rentrez chez vous et préparons-nous à ce spectacle historique. Que vivent ces Jeux! Vive la Chine!

Au Tibet, à Tso Go, il y eut au sein du quartier chinois un cri, un très long cri, un cri de bonheur absolu.

12

Ouverture

JO

— C'est une honte.

— Faire porter notre drapeau par un rebut de la société, tu as raison, Chen, c'est une honte.

Le procureur Chen occupait la troisième loge à gauche de la loge présidentielle avec une poignée de dignitaires, la plupart des hauts magistrats de la République populaire.

— Le fils de deux anti-révolutionnaires acharnés pour symbole. Même Zhao Ziyang[1] n'aurait pas osé, soupira le président de la Cour suprême.

— Vous avez vu sa tête? Il n'a rien de chinois.

— Wang s'imagine que présenter un métèque comme porte-drapeau sera de nature à calmer le peuple.

— La foule est toutefois rentrée chez elle.

— Pour le moment.

— Le discours du président s'est achevé il y a deux heures. Et Pékin reste paisible.

---

1. Premier ministre de 1980 à 1987, Zhao Ziyang, qui accéda en 1987 au poste de secrétaire général du PCC, appartenait à l'aile libérale et modérée du Parti. En 1989, opposé à la répression et ouvert au dialogue avec les étudiants de la place Tiananmen, il fut limogé après la répression du Printemps de Pékin.

— Nos concitoyens sont calmes car ils attendent la cérémonie d'ouverture. Les pays vont défiler par ordre alphabétique. Ils verront la Grèce avec ses deux cent dix athlètes, Formose avec ses trente-cinq athlètes, le tout petit pays de Bahreïn avec ses dix athlètes et notre immense Chine avec un seul représentant!

— Wang me soucie.

— Il paraît qu'on entend la nuit dans sa chambre des Ho! Ho! Ho! Cela dure une bonne heure.

— Autrefois, au coucher du soleil, la Cité Interdite se vidait de ses occupants. L'empereur y restait seul jusqu'au lever du soleil, entouré de ses eunuques et des ombres de mille années d'histoire. Certains devenaient fous. J'imagine Wang errer dans sa résidence avec ses Ho! Ho! Ho! Il y a quelque chose d'impérial dans ce dérèglement...

— Que fait-on?

— Rien... On attend.

Della Serra fut guéri en un instant des frayeurs du jour. Son cœur bondissait. L'instant historique était devant ses yeux. Il avait été l'ouvrier de cette page d'Histoire. Le président de l'Assemblée du Peuple Liu Daren et Wang Lanqing n'applaudirent pas la Chine de Taiwan, ce qui était normal. Wang Lanqing la regardait défiler sans émotion. Sa présence avait été décidée et acceptée. Elle ne signifiait rien. Il était inutile d'avoir des états d'âme sur ce point.

Dans les tribunes, les milliers de Chinois étaient de marbre. La plupart se fichaient de Taiwan et attendaient le drapeau de la Patrie. Ils étaient partagés. Il allait falloir applaudir le Tibétain, mais le fallait-il avec chaleur? Ceux des Chinois qui pensaient que Wang Lanqing se moquait d'eux et utilisait le Tibétain pour calmer les foules avaient décidé une ovation sans élan. On avait été déçu et on ferait semblant.

— Bon dieu!!... Qu'est-ce que c'est que ça?...

Un cri dans une tribune officielle. Il y en eut des semblables un peu partout.

— Non, c'est infaisable, Édouard, lâcha Hehnrick incrédule.

Il avait délaissé les salons officiels affectés aux membres de la Commission exécutive et leurs invités pour rejoindre son ami Édouard dans le studio de MediasCanauxSports qui surplombait le stade à vingt mètres de haut. Au moins ici on pouvait boire et discuter, prendre de bons contacts, bavarder. La parade si faussement naïve était la dernière préoccupation des invités, du moins jusqu'à cet instant-là.

— Si, visiblement ils y sont parvenus, répondit un invité sidéré. Je ne pensais pas voir ça de mon vivant...

Au centre du Grand Stade, les délégations qui défilaient sur l'anneau flottaient en relief et en mouvement dans l'espace.

— Tu vois, expliqua Hehnrick inspiré à Édouard qu'il avait pris par le bras, la difficulté c'est que la lumière file dans l'air. Elle ne s'arrête pas sur un point donné dans l'espace comme ici. Ils ont dû parvenir à rendre solide un point précis de l'espace tout en projetant dessus une couleur puis balayer l'ensemble du volume en moins d'un dixième de seconde. La rémanence des pigments rétiniens donne alors au cerveau l'illusion optique d'une image complète en trois dimensions et non d'une succession de taches de lumières...

En parlant, Hehnrick scrutait le stade.

— Ah oui, il y a bien deux gros boîtiers sur les projecteurs. C'est de là qu'ils jettent les rayons... Il peut s'agir de photons ultraviolets à haute énergie pour créer un battement d'électrons sur lequel ils envoient le point de couleur... il y a là-bas deux projecteurs de faisceaux laser pour colorer les points en battements...

— On dit que les Chinois ont inventé l'écriture et la poudre. Ils peuvent avoir inventé l'image en 3D, fit remarquer Édouard.

— Ils pourraient, s'ils avaient un passé industriel et

technologique, répondit Hehnrick en pensant au sacrifice insensé de l'entreprise qui avait concédé cette invention aux Chinois pour obtenir l'ouverture de leur satané
marché.

En définitive, les efforts demandés à BFL étaient peu
de choses, songea-t-il. La Chine imposait ses règles. Elle
avait la puissance du surnombre et la conscience absolue
de sa propre valeur. Bien avant Christophe Colomb, elle
avait brûlé ses redoutables navires capables de conqué-
rir le monde, pour ne s'occuper que d'elle-même. Son
histoire tri-millénaire pouvait se résumer en une seule
phrase : L'empire du milieu doit rester à sa place. Telle
est la loi.

Fascinant ! se dit Hehnrick enivré par cette démonstration. L'histoire, la musique, l'immense Chine, tout
était en fusion.

Dernier à défiler, Mykio, représentant unique de cet
empire, était à son tour diffusé en 3D, dans l'espace, au
centre du Grand Stade en état de choc.

— Regardez comme il est racé, Peter, il ne marche
pas, il vole.

Le connaisseur qui s'exprimait était le financier
suisse Joël Neumann, roi du sponsoring.

— Vous le prendriez ? demanda Hehnrick à Neumann.

Ils observaient ce grand garçon bien seul sous son
drapeau rouge, suivi par un carré d'officiels.

— Voyons d'abord comment il se débrouille, répondit le financier, le regard braqué sur Mykio en 3D qui
avait pris possession du stade.

Le président Della Serra reçut le drapeau olympique
des mains du maire d'Athènes et il le remit au maire de
Pékin. Porté par l'événement, l'aristocrate mexicain ne
songea pas à son lointain prédécesseur, le Belge Henri de
Baillet-Latour, qui avait sacrifié au même rituel sous le
regard satisfait du chancelier Hitler. Une autre époque.
La nuit s'acheva dans la paix.

13

Épreuves

JO + 1

Audrey Meyer opéra une coulée pour rejoindre la ligne d'eau empruntée par le grand Tibétain. Ses terreurs s'étaient envolées. Elle était au mieux. Ils nagèrent ensemble, elle en accéléré, lui en vitesse fixe. La jeune femme le rattrapait à chaque virage, il la laissait venir, elle le frôlait, il se laissait doubler jusqu'à sentir les bouillons provoqués par les jambes d'Audrey. Les orteils de la jeune femme effleurèrent sa bouche. Il revint vers elle, alors qu'elle accélérait encore, et ils firent leur virage culbute ensemble, dans la même ligne. Elle se laissa doubler et vit passer le torse et les grandes mains larges comme des plaquettes qui faisaient peu de bulles, mais créaient un courant et de forts remous. Les longues jambes brunes et les pieds qui battaient sous l'eau au ralenti provoquaient des turbulences. Audrey décida de revenir vers Mykio. Nager côte à côte dans la ligne empruntée par d'autres qui revenaient en sens inverse les obligeait à s'effleurer. Ils parvinrent à harmoniser leurs nages sur plusieurs longueurs. Ce fut Mykio qui prit l'initiative. Au virage, il donna un coup d'accélération et s'arrêta au mur en même temps qu'Audrey.

— Tu es mon sarnya, lui dit-il, mon petit poisson...
doré.

Elle fit glisser ses lunettes sur son bonnet de bain et
sourit de la manière de quelqu'un qui ne comprend pas.

— Dans mon lac au Tibet, il y avait toujours un ou
deux sarnyas qui nageaient contre moi. Ils me passaient
sur le ventre, entre les jambes, sous le nez. Un jour, il y
en a même un qui est entré dans mon maillot !

Il rit en secouant la tête, envoyant des gouttes tout
autour de lui, et aspergeant Audrey qui ne sut trop quoi
répondre. Finalement, elle rit à son tour.

— Tu retiens ton énergie quand tu nages, dit-il.

— J'ai mal au genou.

— Viens, on fait deux cents mètres et tu laisses filer
tes jambes, puis, peu à peu tu les fais travailler sans te
soucier de ton genou... On y va ?...

L'un après l'autre, ils firent une coulée et repartirent.

Les journalistes accrédités à l'Aquatic Center étaient
installés dans une tribune aux couleurs bleu océan.
Chaque équipe disposait d'une petite loge avec deux
pupitres, un écran qui diffusait ce qui se passait dans la
chambre d'appel, et un second était centré sur le grand
bassin ou sur les tribunes, selon l'humeur du réalisateur
chinois. Tom Douglas, de World Sports TV, occupait son
box matin et soir avec son invité permanent, l'ancien
triple champion olympique à Athènes, Michael Rooses,
spécialiste de la technique.

— Je note que Mykio Dara, le seul Chinois, est inscrit sur ce 400 nage libre en série 6 avec un temps d'inscription de 3'42''26. Un bon temps, précisa Michael
Rooses, qui le place dans les dix meilleures performances
de la saison.

— Lors du championnat de Chine et des provinces
autonomes, ce garçon est parvenu dans chacune des
épreuves à satisfaire les temps de qualification olympique
« A » qui sont les plus serrés. Il devrait donc concourir ici
à toutes les épreuves.

— C'est un nageur polyvalent, très bien profilé. J'ai

entendu parler de lui lors des championnats du monde au Japon. On y évoquait un nageur phénoménal derrière la muraille de Chine. La question est de savoir si un nageur peut encaisser en une semaine quatorze finales, soit trente-neuf courses.

— Qu'en pensez-vous, Michael?

— Un nageur de haut niveau peut faire trente-neuf chronos en huit jours. Monter sur le podium aux quatorze finales est une performance improbable. On croit savoir que Dara est bon en crawl et en papillon, mais que donnera-t-il en brasse et en dos? On n'a jamais vu un nageur de brasse se hisser à ce niveau de championnat en crawl; ni un nageur de 50 ou de 100 nage libre remporter le 1 500 nage libre. Au mieux, si ce jeune nageur excelle en crawl et en papillon, il peut espérer quatre ou cinq médailles.

— Je suppose que le temps de réflexion de Dara sur le choix de ses courses a été des plus courts, à supposer qu'on lui ait demandé son avis. Son alignement sur la totalité des épreuves de natation est sans aucun doute une décision politique. Je me demande ce que lui en pense.

— C'est vrai que ça va mieux, confia Audrey à Mykio dans le bassin d'échauffement.

— Mieux ou bien?

— J'ai plus mal du tout. C'est parti.

— Tu as eu pleinement conscience que tu nageais, l'intuition de chaque mouvement, au lieu de te démener à enchaîner un programme. Tu as requis le bon flux d'énergie, Audrey... Il faut que j'y aille, c'est mon 400 mètres! dit-il en grimpant sur la plage.

— T'es relax pour une première course olympique!...

— Grâce à toi, Audrey!

Il lui fit un signe de la main en s'engouffrant dans la chambre d'appel où il découvrit les sept autres concurrents qui ajustaient leurs combinaisons, faisaient des mouvements de relaxation, simulaient le détachement, gambergeaient. Son envie de nager baissa d'un cran. Lorsqu'il plongea pour cette première course qui ne devait être qu'une formalité qualificative pour les demi-finales, il était lourd. Ses adversaires étaient dans le même état.

Ses bras acquirent un rythme trop rapide. Je nage dans mes bulles, se dit-il au premier virage. Il avait distancé le second de près d'un mètre, ce qui ne voulait rien dire, compte tenu de la faiblesse de la concurrence dans cette série. Il y avait huit longueurs, sept virages. Au second virage, il tourna en 53,93 secondes, un bon temps de passage. Il sentit que ses appuis revenaient, mais il n'avait aucune notion du temps, ce qui était dramatique. Je nage comme un désespéré, se dit-il en tentant de se contrôler. Au second 100 mètres, il arrachait l'eau devant les malheureux qui se débattaient quatre mètres derrière lui.

— C'est remarquable, cette manière de contrôler sa vitesse, commentait Michael Rooses.

Mykio avait commencé à égrener son temps au 200 mètres. Il nageait sans lunettes, les yeux presque fermés, en amplitude. La souffrance de la dernière longueur se transforma en agonie sur les derniers mètres. Avant même de consulter le tableau d'affichage, il connaissait son temps à la seconde près, un chrono insuffisant pour battre le record olympique établi quatre ans plus tôt, mais qui devrait lui permettre de se qualifier pour la finale.

Comme pour le 400 mètres, Mykio savait qu'à la série suivante du 50 mètres, il ferait cavalier seul. Son temps devait s'inscrire parmi les seize meilleurs pour ouvrir la porte des demi-finales du soir. En sortant de la chambre d'appel, il s'était donné comme objectif de nager son 50 mètres nage libre en moins de 21,50 secondes, à savoir dix-sept mouvements pour franchir les trente-cinq mètres après le plongeon et la coulée, avec une sortie d'eau aux quinze mètres. Il en était capable machinalement. L'essentiel à ce stade initial de la compétition était qu'il parte bien et qu'il trouve rapidement les bons appuis.

Après la coulée, ses bras enchaînèrent un mouvement puissant et régulier dans un bien-être qui l'amena au mur d'en face en 21,32 secondes. Ce temps devait le qualifier en bonne place pour les demi-finales.

Il retourna dans la chambre d'appel pour les séries qualificatives du 200 mètres nage libre. Il était 11 h 30. Devant la ligne 4, il parvint à faire abstraction de ce qu'une première matinée olympique pouvait avoir de pesant en appliquant ses propres techniques de préparation : abstraction de l'environnement pour une meilleure concentration. Ces séries qui se succédaient ne suscitaient que de faibles applaudissements parmi le public de connaisseurs, des Chinois pour l'essentiel, venus le voir pour le juger. Pour le moment, il devait se concentrer sur le 200 libre, ce qu'il fit à la perfection.

En fin de matinée, le public nota que le Chinois s'était qualifié haut la main pour la finale du 400 mètres et les demi-finales des 50 et 200 mètres nage libre. C'était curieux et intéressant. Les commentateurs spécialisés eurent une réaction plus marquée. Ils avaient été impressionnés par la constance du jeune homme lors des trois épreuves rapprochées et par ses deux pole positions pour les épreuves du soir, sur la ligne 4.

Ce premier matin-là, le commissaire Pema Zhu n'eut pas la possibilité d'admirer Mykio. Il comparaissait dans le Liang Hutong devant le haut commissaire Tong, petite femme squelettique, la soixantaine, avec des yeux ronds ressemblant à deux lunes derrière de grosses lunettes à double foyer. Pema Zhu découvrait les hautes sphères de la sécurité politique.

— Camarade Pema Zhu, j'ai été chargée par le Département politique de la Sécurité intérieure de veiller avec vous au bon suivi politique de Mykio Dara, annonça-t-elle. Dorénavant, vous me rendrez compte directement au lieu de passer par l'échelon de la direction politique de la Jeunesse.

— C'est un honneur pour moi de dépendre directement du haut commissariat du camarade Liang et tout particulièrement de travailler sous vos ordres, camarade haut commissaire Tong, répondit Pema sur le ton guindé requis.

Elle fouillait déjà dans son dossier.

— Faisons un peu connaissance, dit-elle. Je vois que vous avez servi la Patrie dans des unités d'élite. Ce qui est surprenant, c'est que vous ayez demandé cette mutation au Tibet au lieu de monter en grade dans votre propre secteur.

— J'ai passé dix-huit ans en active, camarade haut commissaire...

— Appelez-moi camarade Tong, ça nous économisera de la salive.

— Mon origine tibétaine et chinoise et mes galons dans un corps d'élite m'offraient un poste d'officier supérieur à Bayi au Tibet. Dans mon régiment d'origine, j'allais être cantonné au rang d'officier instructeur jusqu'à ma retraite.

— Et votre solde avec cette affectation à Bayi était bien supérieure.

— Il n'y avait pas que ça. Je souhaitais retourner dans la ville de ma mère.

— Et pourtant vous avez abandonné vos nouvelles fonctions et quitté l'armée quatre ans après.

— J'avais mal évalué la nature des activités à Bayi et dans les environs.

— Je vois ça. Le rapport vous ménage, sans doute à cause de vos états de service antérieurs. Il dit simplement que vous aviez des scrupules... Pouvez-vous m'en dire un peu plus?

— J'ai été formé à la guerre, pas à la répression....

Pema vit les deux gros yeux grossis par le double foyer le fixer.

— Certains jeudis mon unité devait aller procéder aux exécutions à Bayi. C'était pas tant les exécutions, mais la masse de gens qu'il fallait traiter à la longue et leur état...

Tong se tortilla sur son siège et elle eut un mouvement des deux mains comme pour nettoyer l'air.

— C'est là-bas que vous avez fait la connaissance de Mykio.

— J'ai été champion universitaire, puis champion militaire avant de rentrer dans l'unité des plongeurs scaphandriers des Forces spéciales. L'encadrement des écoles primaires de Tso Go et de Tso Juck s'était ému des capacités physiques du gamin. C'était l'époque de l'engouement pour le sport, du recrutement intensif des jeunes talents. L'administration provinciale m'a demandé d'aller juger. J'ai vu.

— Mykio a été expédié à l'Académie des Sports de Pékin. Il y a profité d'une scolarité assez complète. Je remarque qu'il est bien noté en maths.

— Il a déposé une candidature à l'Université des Sciences de Pékin.

— Cela ne devrait pas poser trop de difficultés, à moins que sa nouvelle notoriété ne lui monte à la tête...

En disant cela, elle fit glisser une photo vers Pema.

— La photo est vieille, mais vous vous reconnaissez? demanda-t-elle.

Pema blêmit.

— Mykio connaît-il la vérité? questionna Tong.

— Non, répondit Pema la voix blanche.

— Vous vivez avec ça sur le cœur depuis toutes ces années?

Comme Pema ne répondait pas, elle reprit:

— Je n'évoque pas ce sujet pour vous asticoter. Tout ce qui relève du jeune camarade Dara intéresse maintenant la sûreté de l'État. Tout ce qui peut le déstabiliser doit être examiné. Au plus haut niveau de l'État, on nous pose des questions très précises. On demande un compte rendu détaillé sur ce qui est arrivé aux parents Dara.

— Le camarade procureur Chen a pris une position marquée devant le Bureau, qu'en penses-tu? demanda Li Feng au chef de la Sécurité, Liang Chaohua.

— C'est vrai qu'il a participé à nos premières réunions avec le regretté maréchal Zhang. Depuis, le camarade Chen s'est montré ton allié.

— Il soutiendra une action décisive. Il ordonnera l'arrestation de Wang... à condition que Wang puisse être arrêté. Hier soir, il est venu me voir. Il a tenté de me tirer les vers du nez. Il jubilait comme un vieux fou et grinçait comme une vieille porte.

— Chez Chen, c'est bon signe.

— Oui, Liang, un signe dont il faut se méfier.

Les choses sérieuses commencèrent à l'Aquatic Center avec la demi-finale du 200 mètres nage libre. Michael Rooses expliquait à ses téléspectateurs que, comme en course à pied sur un 800 mètres, le 200 nage libre imposait de partir au plus vite et de tenter d'arriver aussi rapidement. À ce niveau, toute baisse de régime était fatale selon Rooses, lui-même plusieurs fois champion du monde sur la distance.

En marchant vers le plot de départ, Mykio songeait à ce journaliste qui lui avait demandé si son lac était sacré pour lui, s'il y avait puisé des pouvoirs surnaturels. Il avait senti dans cette question de la dérision, ce qui l'avait amené à sourire. Nul besoin de répondre à cet homme aimable et sournois que son lac était en contrebas de montagnes culminant à 6 800 mètres, qu'il y avait acquis ses premières forces ensuite fortifiées à l'Académie de Pékin qui, elle, n'avait rien de magique ou d'enchanté.

En montant sur le plot pour la demi-finale du 200 nage libre, il ferma les yeux. Ses pensées voguaient parmi les vastes étendues de ses vies antérieures.

— Autant Brian Dougherty est démonstratif, autant ce jeune Tibétain est indéchiffrable, dit Tom Douglas.

Le son synthétique du faux pistolet provoqua l'envol de Mykio jusqu'à ce que le glissement de l'eau sur son corps le ramène à la réalité. Ses bras enchaînèrent un mouvement puissant et régulier dans un bien-être qui l'amena au mur d'en face en moins de 23 secondes. Ce fut après le virage qu'il remarqua que l'Américain White, un concurrent pourtant moins sérieux que Dougherty à la 5, était devant lui. Brian Dougherty n'entrait pas dans son champ de vision. Mykio s'acharna à suivre White à hauteur, très véloce. Convaincu qu'il devait se retenir pour ne se lâcher qu'à la fin, il était contraint de se cramponner pour ne pas être distancé. Un retard de près d'une taille d'homme était irrattrapable. Au virage du cent mètres, il vit que Dougherty et l'Australien Burton étaient à un bras. White avait toujours un buste d'avance. Il devait coûte que coûte arriver troisième. Une formalité, croyait-il. Or, Dougherty, White et Burton étaient dans son champ de vue sur cet avant-dernier cinquante mètres. Les quatre nageurs virèrent en même temps pour la dernière longueur. Allonge-toi, nage en amplitude maximum, se dit Mykio, qui savait que la douleur de fin de course poussait au recroquevillement. Au fil des mètres, il voyait le mur d'arrivée se rapprocher trop lentement. L'eau devenait lourde, les bras ne sortaient plus. Les spectateurs qui ne voyaient qu'un déchaînement de force ne soupçonnaient pas les ravages endurés sur ces derniers mètres. White et Burton étaient lâchés. Mykio se qualifia en touchant le mur deux dixièmes de seconde après Dougherty qui venait de battre son propre record du monde sur le 200 nage libre.

Dans la salle de repos, Wei avait la mine blafarde de celui qui a subi deux interrogatoires puis englouti, pour oublier, les faibles réserves de la sélection en alcool.

— Je ne viens pas te dire comment tu dois te comporter pendant cette finale du 400 libre, Mykio. Je laisse ce soin à Pema. Je suis venu te parler des muscles. Cette demi-finale du 200 libre t'a rincé. Ce 400 nage libre va être ta seconde course dans un délai extrêmement réduit.

Je dois te dire deux, trois choses utiles au sujet du muscle. Es-tu d'accord?... Ton 200 libre a été plus violent que prévu.

— C'est parti trop vite.

— Tu es aligné avec les meilleurs. Lorsque tu partiras sur ton 400 mètres, tes réserves ne seront pas intégralement reconstituées. Dougherty aura le même problème. Le moment délicat sera la première moitié de course. Si tu pars trop vite, je redoute une surabondance résiduelle d'ions H+ qui acidifient, rigidifient le muscle et rendent plus difficiles les mouvements. Ce n'est pas une certitude, c'est une crainte. Si tu donnes tout dès le début, tu risques cette accumulation néfaste. L'effet ne serait pas une crampe, mais un durcissement des muscles qui produira l'effet douloureux de tétanisation qu'on ressent en fin de course. La douleur pourrait te scotcher aux 250 mètres.

— Je vais m'économiser au début, dit Mykio.

— Sur les 275 premiers mètres, suis les gars. Après, lâche-toi. Et imbibe-toi maintenant de cette eau en forte teneur de bicarbonate pour neutraliser tes ions H+.

Le silence s'installa entre les deux hommes, puis Wei se leva, tapa deux fois sur l'épaule de Mykio et s'en alla.

— Nous attendons tous la première grande finale olympique, le 400 mètres nage libre dans quelques instants, où vont s'affronter une nouvelle fois notre compatriote Dougherty et Mykio Dara. Théodore Bernie, je vous remercie d'être avec nous ce soir. Depuis trente ans, vous commentez le sport sur les radios.

— J'ai commencé au début du premier mandat de Reagan, dit Bernie avec fierté.

Le gros chroniqueur était en studio à la régie centrale de World Sports TV à Atlanta, interviewé par le célèbre et incontournable Norman Truly, « le boss » pour les reporters de la chaîne à Pékin.

— Ça fait effectivement un bail, Théodore. Comment jugez-vous nos athlètes aujourd'hui?

— Ces Jeux propres sont, dit-on, réservés aux athlètes. Il est louable de bannir le dopage, mais on est peut-être allé trop vite. Il fallait préparer les athlètes à ces nouvelles règles. Les records passés ne sont plus crédibles. En désavouant les anciennes méthodes, on remet en cause d'une manière brutale et souvent non justifiée les références. En jetant au rebut les anciens champions, on fait fi de la pédagogie. L'athlète d'aujourd'hui est égaré, on lui a enlevé ses repères.

— Ce pessimisme n'est-il pas contredit par ce qui semble être une nouvelle génération de sportifs ? Le Tibétain Dara a accompli les meilleurs temps ce matin sur deux épreuves rapprochées. Dougherty a battu un record du monde en demi-finale.

— Dara semble hors norme. Il ne correspond en rien au profil type de l'athlète contemporain. Dougherty, à côté, est un vétéran qui connaît son affaire. Le jeune Tibétain n'a pas cette préparation. Il a été battu par Dougherty à la première course sérieuse, dit Bernie, en fourrant sa langue entre ses dents.

— Merci, Théodore Bernie, nous aurons l'occasion d'en reparler et retournons vers Tom Douglas et Michael Rooses au stade aquatique de Pékin.

— Ce type a pas tort, lâcha Mykio dans la direction de Pema.

— Dis-toi que les courses d'avant ne valent rien. C'est cette finale qui compte...

Mykio entendait Pema en sourdine.

— ... Tu es entré dans un cycle où gagner est une question cruciale... Ils t'ont propulsé si haut qu'ils n'accepteront aucune faiblesse.

— Tu veux me faire peur, Gen-la ?

— Je veux que tu aies pleine conscience de l'enjeu. Puise en toi...

Dans la chambre d'appel, le silence était d'ouate. Dougherty s'était adossé au mur et faisait des étirements. Mykio assistait à ces gesticulations. Le grand blond taillé en triangle tenait un pied qu'il ramenait en arrière et tirait vers le haut, puis il faisait la même chose avec l'autre pied. Ces gestes naturels chez d'autres athlètes frisaient l'exhibitionnisme chez Dougherty en raison peut-être de son extrême blondeur et de ses gestes très appliqués. En face de lui, Mykio se demanda comment les Occidentaux, comme ce blond, parvenaient à se mettre en condition en maniant seulement leurs muscles, leurs ligaments et leurs articulations. Ceci l'amena à se placer dans la meilleure position pour stimuler ses forces vitales. Il s'immobilisa, les deux mains à hauteur du plexus solaire, les paumes tournées devant la poitrine et il récita lentement *Ar mi Tuo Fuao, Ar Tuo Fuo...* en ne voyant qu'une lumière violette qui irradiait son plexus solaire. Puis, tandis que tous les visages de la chambre d'appel étaient tournés vers lui, il interrompit son mantra et fit quelques respirations profondes en se concentrant. Il puisait dans ce va-et-vient du souffle la force de son énergie.

— Qu'est-ce que tu fais? lui demanda un des nageurs.

— Je prends pleine conscience de ma respiration, répondit Mykio qui ajouta que c'était son soutra pour chasser la dispersion et ramener tout son esprit sur son corps.

— Ah bon, dit le gars en balançant ses bras.

Mykio lui sourit ainsi qu'à tous ses concurrents.

Les deux portes de la chambre d'appel s'ouvrirent sur le stade, laissant s'engouffrer le brouhaha du public.

— Hao, hao! fit Mykio pour remercier l'univers.

Et il sortit radieux sans se soucier de ses adversaires qui s'étaient mis à le regarder d'une drôle de façon.

Sur l'aire de plongeon, il observa furtivement Dougherty qui dégageait une puissance brutale. Il savait que personne n'avait jamais nagé aussi vite sur la distance que cet Américain blond. Puis il observa le Russe, le champion du monde en titre, qui en imposait par sa façon détachée et maniaque de sécher avec sa serviette le plot de départ. Ils allaient devoir plonger en même temps, côte à côte. L'un devait distancer les deux autres, et passer ce Russe lui parut alors très difficile. Battre l'Américain lui sembla improbable. Ils allaient forcément nager longtemps au coude à coude. Mykio sentit subitement en lui une grande fatigue.

Les huit athlètes montèrent sur les plongeoirs, les corps se plièrent. Les doigts de Mykio effleurèrent la surface du plot. Les huit corps commençaient déjà leur foudroyante détente. Le plongeon se passa bien, la sortie d'eau fut rapide, sauf pour Dougherty. Le Russe Kirov avait une attaque caractéristique, il ne nageait pas, mais s'élançait en aquaplaning, formant derrière lui une vague. Il se catapultait ainsi à la force des bras ce qui lui permit de parcourir le premier 100 mètres à 6,7 km/h avec une vélocité de 1,86 mètre par seconde et une fréquence de 1,08 seconde par mouvement. L'Américain Tom Brown était à la même hauteur que Kirov. Le Tibétain les suivait à un mètre. Le recordman du monde Dougherty était quatrième. Ce premier 100 mètres fut parcouru par les quatre nageurs en moins de 52 secondes. Le second 100 mètres fut un peu moins rapide, il n'y avait pas de plongeon. La rapidité des quatre nageurs les maintenait dans le même ordre. Les caméras sous-marines et extérieures montées sur rails filaient à 7 km/h. Brian Dougherty revint aux 200 mètres. Le Russe, en tête, avait une main d'avance sur Brown et un mètre sur Mykio. Il restait 200 mètres.

Avant la dernière longueur, Mykio sentit ses jambes se rigidifier progressivement sous l'effet de la douleur. Brown et Kirov avaient imposé un début de course très intense qui l'avait contraint de nager trop vite. Les ravages prédits par Wei se déclenchaient trop tôt. Au bord du bassin, ce dernier se rongeait les ongles. Il s'en voulait. Bien sûr Guzman avait suivi le Tibétain et fait la même analyse sur le renouvellement des sources d'énergie musculaire. Il avait dû conseiller à ses athlètes de partir brutalement en début de course, pour tirer Dara au-delà de ses capacités. Maintenant le gamin était à l'agonie, les muscles des cuisses le torturaient. Tout nageur confronté à cette situation avait le sentiment que ses bras ne sortaient plus, mais pagayait de manière désordonnée et sans rendement. Le mur d'arrivée ne cessait alors de s'éloigner. Cet état physique était habituel pendant les dix derniers mètres de course, mais il en restait ici cinquante avant l'arrivée. Wei ne se trompait pas, les coachs américains avaient bien préparé Dougherty, qui s'était économisé en dépit de son départ tardif. Le départ foudroyant du challenger Brown, vierge de toute course pendant cette soirée, noierait le Tibétain sur la fin. Dougherty devait suivre et tirer son avantage sur les derniers mètres.

A la poussée de ce dernier virage, Mykio, qui n'avait plus qu'un bras d'avance sur Dougherty et deux mètres de retard sur Kirov, connut un terrible abattement, celui qui pousse à l'abandon, le même qui le dominait lorsqu'il nageait vers les eaux froides du lac. Après la coulée, il enchaîna des gestes plus courts avec une vélocité soudain brutale qui lui arracha des gémissements de douleur. Les spectateurs assistèrent alors à sa montée en puissance, dans un véritable déchaînement. Jusqu'ici, on n'avait pas encore vu le Tibétain éclabousser autant. Ses bras le catapultaient, ses jambes filaient derrière. À côté de Wei, le coach américain Guzman, incrédule mais admiratif, se répétait : Quelles ressources !... Quelles ressources...

Au dernier 25 mètres, Mykio avait atteint son état de bien-être. La souffrance était présente, cuisante, mais vaincue. Son corps s'allongea, ses gestes furent plus amples, ses jambes battaient dans un tempo régulier. Il s'était placé sur orbite, il était en abstraction. La croix noire sur la plaque d'arrivée se rapprochait, mais il l'ignorait. Le Russe à la même hauteur agonisait en nageant à vide dans ses bulles, alors que le torse de Mykio sortait de l'eau, ses bras qui semblaient démesurés effectuant un crawl parfait. Dougherty ne pouvait plus revenir. Le Russe se noya selon le jargon, sur les deux derniers mètres tandis que Mykio touchait le mur et pulvérisait en 3'35''98 le record du monde établi par

Dougherty trois ans plus tôt à Perth. Les supporters chinois se levèrent d'un bond. Les voix des deux annonceurs du stade résonnèrent dans les tribunes pour déclarer, en français – la langue officielle – puis en anglais, que le record olympique et le record du monde étaient battus. Un nom s'inscrivit en tête du tableau électronique : Dara. Ce nom fut scandé pendant que Mykio se hissait hors de l'eau.

La première journée des épreuves olympiques de Pékin consacra « Mykio Dara, le magicien de la ligne 4 ». La presse s'arrêta sur l'image du Russe Kirov, grand seigneur, qui embrassait son cadet, image reprise par World Sports qui titra : « Quand s'arrêteront-ils ? » avec en sous-titre : « Le Mystère chinois. »

14

Influences

JO + 1

Liang Chaohua avait devant lui la revue de presse matinale qu'il referma avec une satisfaction non déguisée. Il était si facile de manipuler la presse. Chaque journal y allait de son couplet sur le directeur Lin. Un quotidien américain consacrait une page à celui qu'il appelait le Columbo chinois. Bientôt, le fin limier de la République populaire irait mettre les menottes aux fournisseurs de ces substances prohibées. Et le monde découvrirait alors que ces empoisonneurs étaient à Pékin et qu'ils avaient l'audace de s'afficher au CIO, dans les couloirs des ministères, jusque dans le bureau du Premier ministre Li Feng. En allant voir Li Feng, Hehnrick avait signé son arrêt de mort. L'Américain devrait savoir qu'on ne se promène pas impunément dans la cage aux lions. Il allait être arrêté par un policier irréprochable, accablé par des charges irréfutables. Liang tenta de communiquer sa satisfaction au commandant Xu qui assurait le suivi politique de l'enquête.

— Vous voyez, commandant, ça a pris. L'enquête sur le dopage est incarnée par un homme et non par un système. Il est important que la découverte du coupable américain apparaisse comme le résultat d'une enquête criminelle. Le public va se prendre de sympathie pour notre enquêteur.

Liang Chaohua sourit intérieurement. *Le coupable...* Il ne se posait pas la question de sa propre culpabilité, ni de celle de Li Feng et de ses alliés qui avaient fomenté cette contamination massive. La cible à abattre était Wang Lanqing. On était dans un processus historique de prise de pouvoir et Liang Chaohua, Li Feng, leurs camarades conservateurs, savaient que l'histoire allait leur donner raison.

— Le directeur Lin progresse, indiqua le commandant Xu. Il est déjà remonté jusqu'aux laboratoires BioPharm-Friedman.

— Je sais, il s'en est vanté. Et concernant le docteur Hehnrick?

— Lin ne devrait pas tarder à l'avoir dans sa ligne de mire, Excellence.

— Comment jugez-vous son enquête?

— Je n'ai pas de critiques techniques. Le directeur Lin et ses hommes fouillent dans toutes les directions, ce qui est normal au début. Mais ils commencent à s'intéresser de trop près à He Siquan. Ils sont allés fourrer leur nez chez lui. Maintenant, ils interrogent une multitude de personnes au sujet de sa famille. En suivant cette voie, ils vont bientôt se mettre à embêter les camarades du Parti qui ont nommé He à ce poste et ainsi de suite...

— On leur demande une enquête criminelle, pas politique, marmonna Liang Chaohua, soudain de méchante humeur.

Il reçut le directeur Lin devant une soupe fumante au sang de canard avec du vermicelle. Dans un canapé adossé au mur de droite, Lin reconnut le vieux procureur Chen.

— Content de vous revoir, camarade directeur Lin! Je ne vous présente pas le camarade procureur Chen.

— C'est un honneur de vous revoir, Excellence

Chen, dit Lin s'inclinant dans la direction du vieux Chen, qui sirotait son thé en avalant des baies confites.

— Les services municipaux font tout un raffut au sujet d'un ordre que vous auriez donné concernant les usines de traitement des déchets, dit Liang.

— Notre suspect He Sequan a jeté des bocaux aux ordures, des bocaux en alliage fermés sous vide avec un système de valves. Des ustensiles qu'on ne balance pas comme ça et qui viennent de l'extérieur. Deux cuistots les ont vus. Il faut chercher dans cette direction. L'arrêt des usines sera de courte durée.

En parlant, Lin se demandait en quoi la question des ordures de Pékin pouvait intéresser le procureur Chen.

— On n'arrête pas ces usines comme une machine à laver, fit remarquer Liang. Pékin grouille en ce moment de millions de gens qui consomment et jettent beaucoup. Il est impensable de suspendre le traitement de ces unités.

— Au moins quatre litres de sauce contaminée, conditionnée dans ces bocaux, sont venus de l'extérieur, insista Lin. Je pense que c'est dans les ordures municipales que l'on peut les retrouver.

— L'introduction d'une nourriture contaminée sur le site olympique est une très grave faute des autorités en charge de ces Jeux, déclara le procureur Chen la bouche pleine.

— Le cuisinier mort était pour le Parti un travailleur modèle, reprit Liang Chaohua. Loyal et apprécié, il faisait des dons aux déshérités du Parti et souscrivait aux obligations d'État, dirigeait plusieurs centaines de travailleurs dans les cuisines du Village. Sa nomination à ce poste est de l'entière responsabilité du Parti.

— Il reste mon suspect numéro un.

— Comprenons-nous bien, camarade directeur Lin. Dans le climat actuel d'instabilité, votre enquête doit être bénéfique pour le Parti. Qu'on le veuille ou non, elle s'avère avant tout politique. Nous devons protéger en priorité l'image vertueuse du Parti...

— Je ne pense qu'à cela ! jura Lin.

— Revenons sur un point. Vous avez interrogé les entraîneurs responsables des équipes.

— Dès avant-hier, oui. Nous les avons auditionnés séparément sans qu'ils puissent se consulter. Nous n'avions pas de raisons de les retenir. S'il s'avère utile de les réentendre, nous savons où les trouver.

Liang Chaohua hocha la tête en signe d'assentiment.

— Vous me parlez police, c'est bien... Mais les aspects politiques de cette enquête sont cruciaux. Tout aussi importants que ses aspects techniques. Concentrez vos efforts sur la recherche des meurtriers du cuisinier et leurs liens possibles avec l'entreprise américaine. Creusez dans cette direction. La Sécurité intérieure vous appuiera.

Lin se courba en remerciant. Au moment de passer la porte, il vit le procureur se lever, saluer Liang, puis s'approcher de lui pour le prier d'une voix sèche de l'escorter jusqu'à ses gardes du corps à l'entrée principale. Lin suivit le vieil homme dans un état de gêne extrême. Le procureur Chen était parmi les cinq aînés de la Patrie, plus haut placé que Liang, peut-être même que Li Feng. Aussi puissant que Wang Lanqing. Dans la tradition du pouvoir chinois, les plus graves décisions politiques étaient prises en dehors des institutions et du Bureau politique par une poignée d'aînés à laquelle appartenait le vieux procureur Chen. C'était eux qui choisissaient et limogeaient le numéro un du régime et du Parti.

— Redressez-vous, camarade, pria le dignitaire dans l'ascenseur qui amorçait sa descente.

Un étage plus bas, Lin entendit la voix éraillée du procureur :

— Ces confiseries de Liang sont indigestes, elles étouffent...

Puis, il lâcha abruptement, d'une voix révulsée :

— Ces Jeux sont une honte mais leur sabotage est un crime !

Sans rien répondre, Lin songea que le vieux Chen avait usé ses pantalons pendant près d'un demi-siècle sur les bancs de la magistrature. S'il était l'un des pires rétrogrades du régime, il était avant tout légaliste. À l'instant où l'ascenseur s'arrêtait, il entendit une voix compressée par l'asthme :

— On ne vous demande qu'une chose, traquez les saboteurs. Trouvez la vérité !

La porte glissa et le vieil homme s'éloigna en trottinant entre ses gardes du corps.

Pema Zhu découvrait les salons du «Club Chine» dans les bâtiments du parc culturel, adossé à l'administration centrale d'Olympic Green. Il se faufila parmi une foule qu'avaient attirée là toutes sortes de préoccupations. Si le sport était l'événement majeur – un peu partout des écrans diffusaient les épreuves – il ne devait pas occulter le business. Il circula à travers deux salons où on discutait ferme en grignotant des petits fours. Il n'était que 10 h 30, mais la fête ne semblait jamais s'arrêter. Dans une salle de conférence une centaine de personnes écoutait des personnalités françaises exposer le projet d'organisation de Jeux olympiques à Paris. Pema se faufila dans les rangs et s'arrêta à la table de Joël Neumann. Le financier suisse avait approché le coach Wei. Prudent, ce dernier avait demandé à Pema, le commissaire politique, de voir ce que voulait cet étranger. Pema et Wei savaient qui était Neumann. Tout le monde dans le sport connaissait Joël Neumann. Signer avec lui était le rêve absolu de tout athlète. Quelques secondes plus tard, Pema était assis en face de la légende vivante du sponsoring. Neumann était de petite taille, fin, blond avec des yeux bleu pale. Il expliqua qu'il n'avait que vingt athlètes qui formaient au sein de la NS, Neumann and Sponsoring, une famille soudée. NS pouvait prendre en charge la gestion de leur fortune, le suivi des questions juridiques et familiales comme les divorces, les problèmes judiciaires, s'il s'en présentait. Elle disposait des meilleurs avocats. Avec la Neumann, l'athlète, dans un cocon, n'avait qu'à se consacrer à son sport, ses performances. Pour le cas particulier de Mykio, elle proposait d'organiser la circulation de royalties entre l'annonceur, Mykio, le Parti communiste et Pema Zhu.

— Moi ? demanda Pema.

— Mon cher, vous êtes pour nous un interlocuteur indispensable. L'athlète qui arrive dans le circuit et perce est jeune, souvent managé par ses parents. C'est pour cela que dans le souci de préserver son équilibre affectif, nous considérons les parents comme de véritables partenaires. En ce qui concerne Mykio, nous envisageons d'associer le Parti et vous-même à notre contrat.

— Je ne voudrais pas que mon intéressement puisse être mal interprété par le Parti.

— Votre rétribution sera pensée dans le cadre d'un partage négocié avec le Parti. Nous savons faire ce genre de chose. Je traite directement avec votre ministère de la Jeunesse et des Sports. Vous n'aurez rien à cacher. Tout sera transparent.

Joël Neumann confirma ensuite qu'il avait un sponsor d'envergure mondiale pour Mykio dans le domaine des médicaments. Puis il annonça les chiffres. Pema habitué à compter en dizaines de yuans entendit valser les millions. Neumann entreprit alors une marche arrière calculée.

— C'est un premier contact, dit-il. Mykio a gagné une médaille d'or, ce qui le place parmi les cent cinquante médaillés individuels de ces Jeux. Les budgets consacrés à nos athlètes sont importants. Nous ne pouvons investir que sur des valeurs très sûres. En remportant cette médaille, Mykio a montré que le choix de Wang Lanqing était pertinent. Il est sur la bonne voie, monsieur Pema Zhu.

— Vous voulez dire qu'il lui faut au moins deux médailles pour entrer dans votre team ?

— Les athlètes qui ont deux médailles d'or individuelles aux Jeux se comptent sur les doigts de la main. Pendant les quatre années qui suivent, ce sont eux qui font l'événement dans leur discipline. Celui qui gagne trois médailles d'or individuelles écrit une page d'Histoire. Au-delà, nous pouvons parler d'une légende.

Tous mes athlètes ont écrit au moins une page d'Histoire du sport. Mon petit doigt me dit que Mykio sera parmi eux. Il jouira alors du plus gros revenu auquel un athlète puisse rêver.

Vues du ciel, les avenues d'Olympic Green étaient des fleuves humains. Au sol, le public était guidé par de joyeux plantons qui criaient les destinations en offrant des mascottes aux enfants. Le matin, la gare vomissait en continu deux cent mille personnes par heure munies de billets d'entrées dans les tribunes. Le soir la marée humaine était lentement avalée par la même gare. Le rail était le meilleur moyen de transport. Les temps d'attente étaient courts. La tête remplie de dollars, Pema choisit le train pour rejoindre le centre-ville et plus précisément le Liang Hutong où l'attendait la camarade haut commissaire Tong qui avait abandonné sa tenue noire pour un élégant tailleur aux tons pastel. Cette fois-ci, elle était tout sourires. Elle fit servir le thé et insista pour que Pema goûte ses baies confites.

— Nous sommes très satisfaits, camarade, confia-t-elle. Il est temps que j'auditionne Mykio.

— Mykio a besoin de toute sa concentration en ce moment, camarade Tong.

— Le Département me demande de me faire mon opinion sur la fiabilité de notre protégé... Tenez, reprenez un peu de ces gourmandises.

— Je n'ai pas très faim, camarade Tong.

— Ta! ta! ta! ne faites pas la fine bouche. Le Département a bien mesuré le pour et le contre d'un tel entretien avec moi. Vous l'avez deviné, il cherche des responsables pour le cas où les choses tourneraient mal, ce qui devrait vous soulager, dit-elle en observant Pema avec intérêt.

Elle ajouta que les magistrats qui avaient jugé les parents Dara avaient fait des dépositions équivoques. C'était un vrai problème. Elle indiqua à Pema Zhu qu'il allait être confronté au chef de la Sécurité du district de

Bayi à l'époque des faits. Il était en route pour Pékin. Pema répliqua qu'il ne voulait certainement pas revoir cet individu.

La contenance de cet ancien militaire plaisait assez à Tong. De ces hommes faussement solides qui font les meilleures victimes.

La vieille militante reçut Mykio vers midi.

— Merci d'être venu! camarade Dara, lâcha-t-elle d'un ton joyeux.

— Tout le plaisir est pour moi, haut commissaire Tong. Notez que je ne suis pas membre du Parti. Appelez-moi simplement Mykio.

— Asseyez-vous. Nous vous avons préparé votre déjeuner.

Mykio vit trois serviteurs s'affairer autour d'une table dans l'alcôve au fond du salon.

— Formidable, dit-il, mais je mange surtout des *tzampas*.

— Voyons, on a beaucoup œuvré pour vous recevoir agréablement!

Le ton se voulait gai.

— Ici, c'est la Chine, Mykio, nous n'avons pas de farine d'orge.

— Je suis Tibétain.

Elle le braqua avec un regard soudain froid et attentif, puis elle sourit, un sourire figé.

— Je peux vous offrir des nouilles.

— Avec joie.

— Vous êtes trop grand, je vais attraper un torticolis, asseyons-nous.

Les serviteurs autour desservaient les bols et les tasses. Une grande assiette fut posée devant Mykio.

— Vous savez, Mykio, que tout le Bureau politique suit vos exploits. Il m'a demandé de faire le point avec vous.

— Je le fais avec Gen-la.

— Qui ça?

— Pema Zhu.

— Ah oui! opina-t-elle, souriant avec bienveillance de cette appellation respectueuse vouée à un aîné. Avec le camarade Pema, vous semblez faire une bonne équipe et je m'en félicite. Je représente plus directement le pouvoir central. Vous devez comprendre, Mykio, que le président Wang vous a pris en affection. Le Bureau politique est derrière vous. Vous êtes en passe, peut-être, de devenir notre Nouveau Héros du Peuple. À condition bien sûr que vous réitériez l'exploit d'hier... Je connais votre passé...

Les traits de Tong se contractèrent.

— Le Parti n'a pas toujours été bienveillant avec vous... Or, c'est vous que le destin a choisi pour représenter notre grand pays et ses magnifiques territoires autonomes. Une percée sans précédent dont vous êtes le symbole. Je suis moi, simplement chargée de veiller, avec l'aide du camarade Pema Zhu, à ce que tout se passe bien.

Il entama son plat de nouilles.

— Vous avez dit connaître mon passé?

— Oui...

— Vous savez alors dans quelles conditions j'ai quitté le Tibet?

— C'est votre Gen-la qui vous a sorti de votre province pour vous conduire à l'Académie des Sports de Pékin. Un privilège pour un petit Tibétain.

— Sauf que mes parents ont disparu. J'attends des nouvelles depuis sept ans.

— Mais pourtant, vous êtes lié à Pema Zhu, il ne vous a pas aidé?

— Il a remué ciel et terre.

— Je vous promets, Mykio, que nous allons diligenter une enquête.

— J'ai une autre question, madame Tong, murmura Mykio après un long silence.

— Allez-y.

— Où est Jihong?

— La camarade Chen Jihong est au centre omnisport de Tianjin avec ses camarades. Pema ne vous l'a pas dit?

— Je souhaiterais lui parler.

Tong la fit appeler au Centre pendant que Mykio avalait ses nouilles.

— Tu vas bien ? lui demanda-t-il.

— Oui...

— Ils t'embêtent, grande sœur ?

— Ils sont plutôt gentils... On te regarde à la télé. Que je suis fière de toi, mon Mykio...

— Je pense à toi tout le temps.

— Tu sais, je t'en voulais de ne pas t'impliquer. Maintenant tu te réalises.

— Je vais demander que tu me rejoignes ici, Jihong.

— Il te faut toute ton énergie. Je risque de pas être comme il faut.

— T'as toujours été à la hauteur, Jihong.

— Non, Mykio. Je veux pas que les télés te filment avec une dopée. On te regarde avec les camarades. Nous t'admirons tous.

— Si vous le voulez, Mykio, je peux vous envoyer Jihong, proposa Tong d'une petite voix doucereuse en revenant dans la salle. Nous tenons la jeune camarade Jihong en haute estime. Elle sort du lot. Un brillant avenir s'ouvre devant elle.

— Oui, elle est admirable, murmura Mykio.

Tong regardait avec curiosité ce géant dont la capacité d'absorption de nouilles était inouïe.

— Je ne peux pas croire que vous ignoriez où sont mes parents...

— Croyez-moi, Mykio, je n'ai pas trouvé de trace de vos parents dans les archives centrales. Il existe peut-être quelque chose à Lhassa.

— Je veux bien attendre votre enquête, dit-il en la fixant droit dans les yeux après avoir avalé sa dernière bouchée. Mais il me faudra une réponse, madame Tong.

— Je ne vous retiens pas, répondit-elle en le raccompagnant.

— Alors ? demanda Liang Chaohua.

— Un gaillard magnifique qui peut préparer un mauvais coup.

— Qu'est-ce qui vous fait dire ça ?

— Son père a jeté un détritus sur l'effigie de Mao et sa mère le reste de saletés sur les miliciens venus l'arrêter.

— Il tient d'eux ?

— Son père était mathématicien et le gamin se distrait avec les maths.

— De là à déployer une banderole sur le podium...

— Il suffirait qu'il tourne le dos au drapeau pendant l'hymne.

— Aïe ! fit Liang horrifié.

— Nous avions un président, nous avons maintenant un mythe, résuma Li Feng le regard de biais posé sur le portrait de Mo Cuo plus plaisant que Liang Chaohua, venu faire son rapport. Nous avons offert à Wang en une journée ce qu'il a fallu trois ans à Mao pour accomplir avec la Révolution culturelle : mater les oppositions, se hisser au-dessus de tout. La pensée et l'autorité de Wang vont tout dominer.

— Li, n'oublie pas que la situation peut aussi bien basculer soudainement et notre président se retrouver en mauvaise posture, glissa Liang Chaohua. Je crois que la camarade Tong a bien cerné ce garçon. Il est obsédé par son passé. Il a en lui tous les germes de la contre-révolution. Un gars un peu rusé pourrait lui souffler quelques idées. Pourquoi gagner pour la Chine ? En gagnant tu renforces la position du pouvoir chinois. Tu as entre les mains une arme redoutable pour faire perdre la face au Bureau politique qui a tout investi sur tes épaules... Il suffit que tu perdes.

— Prendra-t-il ce risque ?

— N'oublie pas qu'il est originaire d'une contrée où l'on naît avec le sens du sacrifice. D'après mes informations, il n'a que haine pour la Patrie. Si on le pousse un peu, il perdra les pédales.

— Il a parlé au Grand Perturbateur qui lui a dit de nager.

— Le Grand Perturbateur dit toujours une chose et son contraire. C'est un embrouilleur. S'il le faut, on révélera au Tibétain l'exécution de ses parents.

— Sois prudent. Cette exécution est un secret d'État.

— J'ai mon idée.

— Si elle est bonne, fais selon ton inspiration, Liang.

— Tu vas voir, j'ai l'homme qu'il nous faut.

Obéissant au directeur Lin qui agissait sur instruction de Liang Chaohua, l'inspecteur Yang avait commencé par étudier le haut de la hiérarchie BFL. Comment le docteur Hehnrick était-il arrivé à Pékin ? L'immigration lui apporta la réponse : l'aérogare des jets privés de Capital Airport. Il s'y rendit, demanda le chef de la sécurité. Ils avaient l'heure exacte de l'atterrissage du Gulfstream et visionnèrent les bandes. L'Américain avait été accueilli par un Occidental et deux Chinois. Le registre des visiteurs indiqua qu'il s'agissait de Norman Hertz, Ruan Sing et Qi Wuzen. Avec noms et photos à l'appui, les ordinateurs du Renseignement firent leur travail.

Hertz avait un visa qui l'autorisait à travailler en Chine. La fiche était complète : filiation, études, carrière, et surtout le contrat de travail justifiant son séjour en Chine. Les *informations diverses* étaient vierges. Un type sans grand intérêt. La fiche sur Hehnrick était plus serrée avec des mises à jour récentes. Un professorat à Berkeley et la plus grosse partie d'une carrière partagée entre l'enseignement au Massachusetts Institut of Technology et l'administration d'État. On ne savait pas trop quelle était son implication, mais il intervenait à différents échelons. Consultant officiel du Centre d'études des maladies et virus, le CDC d'Atlanta et de son homologue militaire l'USAM-RIID. De nombreux déplacements dans la flotte de la Maison Blanche et une fois dans *Air Force One*. C'était ancien. Plus récemment il avait présidé le congrès mondial sur l'avancée des biotechnologies. Côté folklore, tout jeune, il avait fait partie de la sélection américaine de voile aux JO de Los Angeles, puis participé deux fois aux coupes de l'America. Depuis quelques années, il était l'une des figures de proue du CIO. Un type plus attiré par la lumière que par l'argent, pensa Yang. Sauf qu'il s'était fait acheter par BFL. Il y avait des pages d'informations sur BFL, d'après ce que Yang lisait sur les fiches.

L'attention de l'inspecteur se reporta sur les deux Chinois de l'aérogare. Les Renseignements avaient identifié le plus jeune, le plus maigre. Ruan, prénom Sing, quarante et un ans. Des études au Lycée numéro 4 de Pékin. Bon élève. Chassé de l'Université pour coups et blessures contre une fille. Service militaire à Yinchuan dans le troisième régiment de fantassins. Engagé ensuite pour cinq ans, mais chassé de l'armée pour cause d'homosexualité et de provocations indécentes. Depuis, aucune trace. Il réapparaît ici sur l'aire des jets privés de Capital Airport.

Qu'est-ce que fichait un individu pareil aux côtés du docteur Hehnrick ? Et ce second individu ? Plus petit que Ruan, ramassé, solide, sapé comme un officiel d'un certain niveau. L'écriture était nette comme le voulait le registre. Des majuscules : Qi. Prénom : Wuzen. Les photos étaient nettes. Les Renseignements n'avaient rien trouvé sur cet individu totalement inconnu des services.

Dans le couloir central des vestiaires de l'Aquatic Center, Mykio vit venir vers lui une physionomie familière qui poussait un chariot de nettoyage. Le sourire triste, mais plein de chaleur, inspirait confiance. Mykio reconnut un sang mêlé de Chinois et de Tibétain ou de Népalais.

— Nos frères m'ont demandé de te parler, dit l'homme qui inspirait le respect. Mon nom est Shen

Yiren, le nom de mon père était Norbu Trungpa. Il a vécu toute sa vie à Shigatse.

Dans son enfance, Mykio était allé une fois à Shigatse avec Pa-la voir Gyalwa-Jampa Bouddha, une statue de neuf étages qui incarne le Bouddha de l'avenir, prédit dans 2 500 ans.

— Vois-tu, Mykio, tu as acquis un puissant pouvoir...

— Ah oui?

— Celui de faire déchoir la Chine impérialiste. Le Bureau politique, le président Wang, se sont engagés sur ton nom. Ils ont proclamé que tu étais le champion de la Chine. Tes victoires successives vont renforcer ce pouvoir.

— Le Saint Homme m'a demandé de collaborer.

— En es-tu sûr?... Tu sais, le Saint Homme a lu en toi beaucoup de promesses et il laisse œuvrer ton libre arbitre. Il n'est pas homme de commandement.

— Il m'a demandé de nager.

— Si tu gagnes, il t'applaudira et il sera heureux pour toi. Si tu perds, il te bénira autrement, comme nos frères moines martyrisés. Tu as fait ce 400 mètres magnifique et il saura que tu perds pour servir la cause du Tibet. Il bénira ton sacrifice. Tu es dans une position unique. Pour la première fois depuis l'invasion du Tibet par la Chine, un Tibétain peut ébranler le pouvoir. Tu peux faire mordre la poussière au dictateur Wang et aux seigneurs du Bureau politique qui martyrisent notre peuple... Au revoir, Mykio, je t'ai appris ce que te demandent nos frères en exil.

— Ils m'enverront en camp de rééducation.

— Tu ne seras pas seul. Nous avons de nombreux relais à travers le monde. Ils ne pourront pas te garder en prison pour cette seule raison que tu as raté des courses de natation. Perdre à un championnat n'est pas un crime. Nous parviendrons à te faire sortir du pays. Tu pourras exercer ton talent ailleurs. C'est maintenant à toi de décider.

— Que te voulait cet homme? demanda Pema Zhu.

— Oh, rien... Il est de Shigatse. Il a aussi vécu à Bayi. Il connaît Tso Go. Nous avons parlé paysages.

15

Doutes

Les huit finalistes du 50 nage libre, isolés dans la chambre d'appel, rappelaient un commando en préparation. Les sept concurrents de Mykio étaient des vétérans âgés de vingt-cinq à trente-trois ans.

— Le 50 mètres nage libre est nagé en dessous de 22 secondes par les nageurs de haut niveau, indiquait Michael Rooses. La course est aussi brève qu'un 200 mètres plat. Le départ est déterminant. La suite se passe en un clin d'œil, pendant lequel le nageur déchaîne toutes ses forces. Il doit prendre garde de nager de manière parfaitement ordonnée, avec des gestes longs, en amplitude maximum, sans contractions. La course ne permet aucun rattrapage. Dans tous les cas, un mouvement doit permettre de franchir au moins 2 mètres 20, ce qui implique que le corps soit en élongation maximum, que les mains aillent chercher l'eau le plus loin possible, que les bras ne ressortent qu'à l'instant où la poussée des mains à l'arrière du corps commence à perdre de son efficacité. Toute la force se mobilise en interne, sans besoin d'oxygène. La capacité musculaire de chaque athlète est un facteur de sa performance. Mais l'élément psychologique joue aussi à fond. Les aînés, endurcis pour avoir subi cette épreuve de multiples fois, ont un avantage incontestable. On attend tous Denis Paterson qui détient le record du monde sur cette distance, mais qui a été battu ce matin par Mykio Dara.

— Il y a aussi les jumeaux roumains Attila et Dargos Karimacanu. Vous les avez rencontrés à Athènes. On raconte beaucoup de choses sur eux. Ils ne supporteraient pas d'être vaincus et les nageurs préfèrent ne pas les côtoyer de trop près, surtout après les courses.

— Dargos et Attila sont exceptionnels à maints égards. Il est remarquable qu'ils fassent toujours les mêmes temps au dixième près. N'oublions pas qu'ils ont établi cette saison les deux meilleurs temps mondiaux, derrière notre compatriote Denis Paterson. Ces deux Roumains ont déjà nagé le 50 mètres en dessous de 21 secondes, soit une vitesse de 8,4 kilomètres à l'heure, en tenant compte du plongeon.

— Le temps de Mykio Dara aux demi-finales en fait le favori, devant même Denis Paterson, ce qui doit déplaire aux deux Roumains qui ne connaissent pas Dara et ignorent l'étendue de ses ressources.

— Tu n'as rien à me dire Gen-la ? demanda Mykio dans la salle de repos en observant du coin de l'œil Pema qui massait nerveusement le pommeau de sa canne.

— Je pense que tu as tout le jus qu'il faut, sourit Pema en faisant un effort pour cacher son impatience. Une longueur à fond pour ce 50 libre, puis les quatre longueurs du 200 libre.

Cinq longueurs en or massif. Mykio avait la fortune au bout des bras. Pema n'en avait pas dormi.

— Moi je vais bien, mais toi t'es pas dans ton assiette, murmura Mykio qui voyait la main s'agiter sur le pommeau.

Un peu plus tard dans la chambre d'appel, il observait Denis Paterson qui avait des cheveux frisés aussi noirs que les siens et un regard rieur qui semblait ne

rien prendre au sérieux. Ce champion, le plus média-
tique de la natation mondiale, était plus petit que lui de
trois ou quatre centimètres. Mais sa présence éclipsait
les autres pourtant plus grands, plus triangulaires, plus
démonstratifs. Cet examen scrupuleux de Paterson lui fit
négliger sa préparation mentale. Mais il n'en avait pas
vraiment besoin. Tout allait bien.

Son temps aux demi-finales le plaçait à la ligne 4. À
sa gauche, sur la 5, Dargos Karimacanu, à sa droite, sur
la ligne 3, Attila Karimacanu. Le trajet de la chambre
d'appel aux plots de départ se déroula dans un silence
funèbre. La musique olympique retentit, les arbitres, aux
points stratégiques, étaient coiffés de chapeaux panama
blancs à rubans rouges. Dargos Karimacanu s'appliqua
à sécher la surface de son plongeoir avec sa serviette. À
sa droite, Mykio avait enlevé son survêtement rouge et
s'était assis sur la chaise derrière son plot. Il observait
le zèle maniaque de Dargos, véritable ménagère de son
environnement de départ. Mykio s'en fichait, ce qui
comptait pour lui, c'était cette surface lisse bleue de
50 mètres qu'il allait parcourir. Son regard ne s'en déta-
chait plus. Il avait envie de s'y immerger. Son corps était
appelé, tendu à bloc vers ce plongeon. Cette ligne 4 était
pour lui. De sa vie, il s'était rarement senti aussi bien. Au
«à vos marques!», son corps se ploya comme un élastique, les doigts effleurant la surface du plot. L'envol fut
instantané. Son champ de vue à gauche lui sembla vide.

À l'entrée dans l'eau, une voix sourde, incertaine:
«Faux départ!» Il ne perçut pas l'onde sonore du splatch
des deux Roumains.

Mauvais départ technique de la faute des officiels?
Parti trop tôt et disqualification? Tout pourtant continuait. Les deux Roumains faisaient une coulée. Mykio
comprit que ce n'était pas un faux départ technique.
Était-il disqualifié? La demi-seconde d'hésitation, sa
montée en puissance légèrement retardée par ce doute,
portèrent Dargos et Attila Karimacanu aux deux premières places, devant Denis Paterson. Un écart de
3,46 centimètres et un temps d'un dixième et demi de

seconde séparait les trois premiers. Mykio regarda l'écran d'affichage. Cette fichue course avait bien eu lieu et il était quatrième, une main derrière les deux Roumains premiers ex-æquo. Il vit émerger devant lui Denis Paterson.

— T'as entendu «faux départ»? demanda l'Américain.

— Ouais, c'est ces deux enfoirés, répondit Mykio, qui fusillait du regard les deux Roumains.

Paterson se hissa hors de l'eau et se dirigea vers le starter, qui fut laconique.

— Allez voir les arbitres.

Dans les tribunes de presse, la curiosité commençait à être piquée à vif. Les nageurs de ce 50 mètres ne regagnaient pas le couloir de sortie. Les deux Roumains devant les tribunes de leurs supporters lançaient des baisers et recevaient des fleurs.

— Il y a bien eu un cri «faux départ» parmi les concurrents, annonça le starter au juge de course installé derrière une table positionnée sur la plage à mi-bassin.

— Qui l'a entendu, ce cri? demanda le juge.

— Nous sommes quatre.

L'un annonça qu'il lui semblait que les mots venaient de la 4, où nageait le Tibétain qui était à l'extrême limite du faux départ, ce qui faisait un excellent départ. Un autre avait cru entendre «faux départ» à la ligne 5 ou à la ligne 3...

— Merci de votre aide, messieurs, répondit le juge, mais vos témoignages divergent sur les auteurs de cette annonce, ce qui écarte pour le moment une sanction individuelle.

— Tu dois oublier ce 50 libre, conseilla Pema Zhu livide.

Tout restait à faire, la fortune promise par Neumann retardée au moins d'un jour. Une nouvelle nuit blanche.

— C'était comme une mise en forme anaérobie, indiqua Wei pragmatique, la journée n'était pas finie. Le fléchissement, dans ce qui devait être l'explosion de sortie d'eau, t'a économisé pour la finale du 200 libre que tu vas maintenant attaquer. Nage comme tu as l'habitude et tout se passera bien.

Lorsque les deux baies vitrées glissèrent sur le bassin, les athlètes reçurent le grondement de la foule en pleine figure, comme un coup de poing. Leur taux d'adrénaline grimpa.

Les huit couloirs, les vingt-neuf arbitres et chronométreurs, les dix-sept mille spectateurs dans les tribunes, les sept mille journalistes qui couvraient l'événement, les six millions d'internautes et le milliard et demi de téléspectateurs les attendaient.

Mykio marchait derrière Brian Dougherty, l'Américain blond qui le regardait d'un mauvais œil depuis le 400 mètres de la veille. Son regard se posa involontairement sur le torse en triangle de ce concurrent. La tête de loup gravée sur l'omoplate droite de Dougherty avait quelque chose d'impérieux en accord avec la démarche altière de l'Américain. Derrière lui, le Russe Polianko faisait peur avec son pas de charge menaçant. Il semblait décidé à terrasser ses adversaires. Pris entre ces deux terribles individus, Mykio ne pouvait que bien se tenir. *Tchangko*, le loup tatoué sur l'épaule de Dougherty était un animal de malheur qui voyait très loin, savait organiser son attaque. *Tchangko*, l'insigne des matons. Dans ses craintes les plus cruelles, Mykio voyait ses parents dans un camp. Il vit le lointain visage de maman Ama-la. Son cœur se noua.

Debout sur le plongeoir, il tourna timidement la tête vers Dougherty, à la ligne 4 cette fois-ci. L'épaule droite portait aussi un loup tatoué. Mykio se baissa pour le plongeon, le regard involontairement braqué vers ce tatouage. Il croisa le regard triomphant de l'Américain, qui lui lança d'une voix claquante :

— *How are you ?*

Il vit les pieds de son adversaire se détacher du plot. La lourdeur l'empêchait d'y aller. Sa détente désespérée fut plus un réflexe qu'un acte volontaire. Il entra pesamment dans l'eau tandis que ses adversaires terminaient leur apnée en ondulation. Sa coulée fut courte et sa prise de bras anarchique. Il se surprit à frapper l'eau comme un malade. Les pieds de la ligne 2 étaient un mètre devant. Il était dans la vague provoquée par les battements de ses concurrents. Ses gestes peu à peu s'allongèrent et trouvèrent leur rythme. Au virage du premier 50 mètres, il était un mètre derrière les pieds de Polianko et de Dougherty mais sa nage était devenue parfaite. Il tourna au 100 mètres en 51,2 secondes. Dougherty avait tourné en 50,09 secondes, Polianko en 50,11, Mykio toujours dernier, soixante-dix centimètres derrière un Brésilien. Au troisième 50 mètres, il ressentit la crainte de nager trop vite à cette distance de l'arrivée. Le chronomètre indiqua sur cette longueur 25,89 secondes, une vitesse éblouissante, qui fit hurler les reporters dans leurs micros :

— Le Tibétain revient sur Dougherty et Polianko. Le voilà à la hauteur de leurs hanches !

Mykio avait acquis une parfaite vision de la course. Centimètre après centimètre, ses mains se rapprochaient de celles de ses deux voisins. À mi-bassin, au début du dernier 25 mètres, son effort le porta à cinq centimètres de la hauteur de Polianko. À dix mètres du mur d'arrivée, il paya son départ désastreux et le début de course en totale saturation. Dougherty, parti en trombe, était guetté par l'implosion. L'Australien James, deux centimètres derrière, n'allait guère mieux. Polianko, grand seigneur, s'était contenté de suivre l'Américain et l'Australien, sans se laisser distancer. La douleur du Russe était mieux maîtrisée et il lui en restait assez dans les bras et les jambes pour donner cette ultime impulsion qui assure la victoire. C'est ce qu'il fit avec un touché de mur à peu près au même instant que Brian Dougherty, suivi de l'Australien à trois centimètres, de l'Italien puis de Mykio. Malgré son effondrement aux deux derniers mètres, Dougherty, avec un demi-centimètre sur Polianko, établissait la meilleure performance de tous les temps en 1 minute 43,67 secondes.

En sortant du stade, Mykio croisa Wei, qui semblait en proie à une mauvaise digestion. Le mauvais Wei, se dit-il.

— T'as pas l'air trop ému d'avoir perdu deux fois, dit ce dernier en l'accostant.

— L'important est d'apprendre, répondit Mykio.

— Tu sens un peu la pression ici ? demanda Wei l'œil luisant de curiosité.

— Comme toi, Wei.

— Je t'avoue que t'as marqué des points, Mykio... mais tu dois te ressaisir.

— Moi, tu vois, je respire et je suis vivant...

— Qu'est-ce que tu me chantes là ?

— Je m'entraîne par la pratique de la respiration consciente pour faire naître l'énergie de la Pleine Conscience et la vivifier. Elle me permet d'être concentré et affranchi de la douleur. Wei... Y'a des forces... des voix très profondes...

Il gonfla son poitrail.

— Pose ta main sur ma poitrine... moi je place les miennes comme ça....aa... aar...aaarrrh ...AAAAARRR-RHH... *Ling... guang... pu zhao... Ling guang pu zhao...* Peux-tu m'aider et me bénir... peux-tu m'aider et me...

— *Ling guang pu zhao, ling guang pu zhao*, répéta Wei d'une voix lente en écho.

— *Ling guang pu zhao...* répétait Mykio d'une voix vibrante en accélérant le rythme.

Les ondes vocales les retenaient ensemble.

Peux-tu m'aider et me bénir...

— *Hao hao hao... Hao hao hao*, Wei... Merci merci merci...

Wei s'en alla chancelant en battant des bras : Ah, le Tibétain !...

— Ton idée semble avoir fait mouche, Chaohua, félicita Li Feng.

La tête de gorille imberbe de Liang Chaohua, devint toute rose.

— J'ai fait interroger l'entraîneur Wei, dit-il. Les deux mauvais départs du Tibétain étaient anormaux pour un nageur de ce talent. Wei dit que ça vient du fait que Mykio Dara n'a pas connu de compétitions de ce niveau, mais il admet que le temps d'attente après le signal était long. Ce gamin est une vraie crapule, il a décidé de faire perdre la Chine.

— Excellent. Il faut attirer l'attention du Bureau politique sur cette attitude scélérate.

16

Soupçons

JO + 3

— Il y a ce Ruan qui conduit Hehnrick... qui vient ici le prendre à l'hôtel Palace...

Deux photos de la bande de la sécurité de l'hôtel Palace montraient Ruan et Hehnrick ensemble.

— Où vont-ils? demanda le directeur Lin.

— Ces photos datent de six jours. On ne s'intéressait pas encore à Hehnrick... Mais celui qui m'intrigue le plus, c'est le dénommé Qi. Curieusement, il n'est même pas fiché.

— Des centaines de millions d'individus ne sont pas fichés, fit remarquer Lin.

— Mais celui-ci se comporte comme un officiel. Il serre ici la main d'Hehnrick, ils se parlent. Savez-vous qu'Hehnrick est allé directement de l'aéroport à la résidence de son Excellence Li Feng?

— Tu veux dire qu'il était avec ce Qi?

— J'ai interrogé la garde à l'entrée de la résidence de la Double Vue. Hehnrick était bien accompagné par un officiel. J'ai montré la photo de Qi à l'officier de service qui m'a brutalement prié de quitter le périmètre.

Lin eut l'air plus ennuyé que mécontent.

— Tu es imprévoyant, Yang, dit-il. Ne fais plus jamais ça sans mon accord.

— Les échecs de Mykio doivent être qualifiés, camarade Pema.

La camarade Tong l'avait convoqué au petit matin.

— À deux reprises, il a fait un mauvais départ. En revanche, il a bien nagé, répondit celui-ci.

— Vous voulez dire que ses défaillances sont d'ordre technique et pas politique ?

— Vous savez, il lui manque l'expérience de la haute compétition.

— Si je comprends bien, vous rejetez la faute sur le camarade Wei.

— Je n'accuse personne, rectifia Pema.

— Ne le prenez pas comme ça ! Le Parti est engagé derrière votre protégé. Vous savez ce que ça veut dire ?

Elle le dévisageait derrière les verres épais de ses lunettes qui rendaient ses yeux plus poissonneux que nature.

— Je dois m'assurer qu'aucun élément perturbateur ne risque de troubler ses performances. S'il se passe quoi que ce soit à ce niveau-là, vous m'en informerez. Les plus hauts dirigeants nous interrogent. Ne perd-il pas exprès, soumis à des pressions ? Je dois les rassurer... ou bien les alerter... C'est notre travail à tous les deux, camarade Pema.

— Son environnement humain se limite à Wei, ses deux gardes du corps et l'équipe médicale.

— Et vous-même.

— Oui, et moi...

— J'ai appris qu'il vous appelle *Gen-la*. Je ne suis pas certaine que votre relation soit quelque chose de très sain... Je fais allusion au passé.

— Vous me demandez de me retirer ?

— On ne vous demande pas de déserter une nouvelle fois. Il tient à votre présence... Je tente de réfléchir avec vous... S'il apprenait la vérité, cela pourrait le rendre hostile. Vous avez voulu garder ce secret, maintenant vous en êtes redevable devant la Patrie.

— J'obéissais à la Patrie !... Je travaillais pour elle !

— Doucement, camarade, je ne suis pas sourde. Ce n'est pas vous le problème, c'est cette situation malsaine.

— J'ai amené Mykio au sport et il fait tout pour sortir le Parti de l'embarras, rétorqua Pema Zhu dans un murmure quasi inaudible.

— Justement, vous avez sorti Mykio du Tibet. Quelques années plus tard, vous renoncez à vos fonctions à Bayi pour Mykio.

— Ce n'est pas Mykio que j'ai rallié mais la haute compétition.

— Justement, l'univers où vivait Mykio.

— Qu'insinuez-vous ? demanda Pema, la voix creuse.

— Je cherche à y voir clair sur les attitudes passées. S'il continue à perdre, toutes les causes de ses échecs seront passées au crible. Étant la personne la plus proche de lui, vous serez le premier sur la sellette. Les zones d'ombre de votre passé seront étudiées. Il est encore temps pour nous de travailler ces questions, camarade Pema. Je suis votre alliée.

— De mon côté, je vous assure que vous savez tout. Je vous ai tout dit.

— Du mien, j'ai du mal à analyser vos vraies motivations.

— Sur quatre finales, il a obtenu une médaille d'or. Il en aura d'autres, si on nous fiche la paix !

— Et dans ce cas, nous devons nous préparer ! S'il devient ce que vous espérez, le Nouveau Héros du Peuple, nous devrons lui présenter une histoire pertinente sur la mort de ses parents. Je travaille à cela. Le président Wang lui-même s'intéresse à cette question. L'État et le Parti ne veulent pas perdre la face devant le Nouveau Héros du Peuple. Êtes-vous capable de comprendre ça ?

— Qu'est-ce qui ne va pas, Mykio ? demanda Pema au petit déjeuner, encore secoué par sa conversation avec Tong.

— Dis-moi, Gen-la, si je continue à perdre, qu'arrivera-t-il au président Wang ?

— Je pense qu'il prendra du plomb dans l'aile.

— J'ai donc une sacrée responsabilité.

— Oui, mon garçon... Où veux-tu en venir ?

— Qu'impliqueraient des défaites successives du Tibétain Dara pour le Bureau politique ?

— Rien de bon pour le Tibet. Qui t'a fichu ces idées dans le crâne ?....

— Tu sais, Pema, je réfléchis.

— Imagine que tu gagnes. Tu montreras au monde le triomphe d'un Tibétain. Tu deviendras un symbole. Et le Tibet a besoin de cette force.

Pema Zhu posa sa main sur le bras de Mykio.

— Mykio, cette conversation est capitale. Ta vraie nature est de gagner et non pas de singer les malheureux martyrs.

— La recherche du podium à tout prix est un désir mal aiguillé. Mon corps me commande d'y aller, mais mon esprit est égaré. Je me disperse, Pema. Je ne parviens plus à me concentrer.

— Tu t'inventes des obstacles, Mykio. À mon avis tu refuses de t'accepter et tu entres en conflit avec toi-même. Rappelle-toi Bouddha : « Tout homme et toute autre forme de vie contiennent la possibilité de l'Éveil. Le moyen pour y arriver, c'est de devenir ce que nous sommes. » Regarde en toi, Mykio, tu es pourvu de tous les attributs du champion. En occultant cette réalité, tu refoules ta propre nature, tu t'éparpilles. Ton talent n'est pas une illusion, c'est toi. Le faire fonctionner, ce n'est pas convoiter, c'est être. En faisant ce que tu es, tu ne te perds pas. En étant toi-même, tu donnes au Tibet quelque chose d'unique.

Mykio réfléchit, puis il sourit.

— T'as raison, Gen-la, je dois offrir ce que je sais faire.

Peter Hehnrick croqua son biscuit en observant Jiang Yi avec attention. Le conseiller de Li Feng arborait le même sourire que lors de leur première rencontre à l'hôtel Fragrant, un sourire rayonnant de bienveillance. Hehnrick avait visé l'organigramme gouvernemental et compté une centaine de conseillers affectés à Li Feng, placés au-dessus des collaborateurs et en marge de la hiérarchie ministérielle. Jiang Yi figurait bien dans la liste. Jiang Yi avait servi Li Feng à Chongking et l'avait suivi à Pékin. Il devait faire partie de la garde rapprochée, la famille, ceux à qui on confie certaines affaires sensibles. Ce salaud avait mouillé BFL dans la contamination de la sélection chinoise. Hehnrick avait décidé de ne pas évoquer cette question, car en parler serait avouer ses craintes, créer une complicité, une dépendance. Un silence, même équivoque, était préférable.

— Il y a deux décennies, dit-il sur son ton plat habituel, celui des négociations, les grosses entreprises se sont installées en Chine. Leurs dirigeants ont mené des discussions très fructueuses avec votre gouvernement. Elles ont fait construire ces sièges sociaux et ces installations que l'on voit à Pékin et à Shanghai. Elles les ont remplis de matériel et de personnel et elles ont commencé à attendre que vous ouvriez enfin votre marché. Certaines patientent encore. C'est le cas de BFL.

— Vous avez en Chine des usines qui travaillent, Peter.

— Oui, mais pour l'étranger. Votre marché reste fermé à nos produits. C'est assez désagréable.

— Nous l'avons compris et nous avons décidé de faire un réel effort, Dr Hehnrick.

— De notre côté nous tâchons de répondre à toutes vos demandes, conseiller Jiang.

— Qi me tient régulièrement informé de tous vos efforts. Il me dit aussi que votre directeur Norman Hertz se montre coopératif.

— Vous êtes donc conscient que notre participation à un laboratoire de type P4 va vous faire gagner plusieurs années et des milliards de dollars de recherches. En contrepartie, la rencontre des responsables de notre division produit avec le directeur du bureau chinois des médicaments est un geste prometteur, mais les autorisations administratives pour nos médicaments prendront plusieurs mois. Comprenez-moi, je dois quitter votre pays avec un résultat concret.

— Nous n'ignorons pas que votre assemblée générale se tient bientôt. Alors voici ce que nous pouvons décider. Je pense que le camarade Li Feng sera d'accord. Le bureau de l'Administration centrale des médicaments devrait pouvoir officialiser, avant votre départ, un agrément pour votre gamme d'antalgiques et d'anti-inflammatoires. J'obtiendrai une conférence de presse avec le camarade directeur de l'Agence et le camarade ministre à la Santé

— Je pourrai alors réunir un conseil d'administration à Pékin.

— Vous feriez venir Jonathan Friedman ? demanda Jiang Yi.

— Pourquoi pas ? répondit Peter Hehnrick, amusé.

Audrey nageait en amplitude derrière Dougherty qui glissait en dos éducatif. Mykio n'avait pas trop envie de côtoyer ce tatoué exhibitionniste, mais il plongea quand même dans la ligne réservée aux Américains, au mépris des coups de sifflets et des gestes de panique de Wei et de Pema Zhu. Une longue coulée l'amena derrière un nageur qui se démenait en battements, il doubla un second nageur. Enfin il reconnut les pieds et les jambes de sa nouvelle copine.

— J'ai vu que tu étais inscrit dans toutes les courses, Mykio, dit-elle.

Ils faisaient un crawl de water-polo, la tête en dehors de l'eau.

— Je préfère pas y penser. Je vois que ton genou va bien !

— Tu penses gagner d'autres médailles d'or ?

— Hier matin, je pensais en gagner treize, maintenant onze, dit-il en riant.

Ils arrivaient au virage où les attendaient Wei, Pema Zhu et les deux gardes du corps de Mykio. Les deux molosses qui ne quittaient pas Mykio se faisaient appeler : «Numéro un» et «Numéro deux».

— Va dans la ligne 8 qui t'est réservée! cria Wei.

Mykio fit son virage culbute, mais sentit un étau se fermer sur sa jambe en l'air. Il poussa avec son autre pied, rien n'y fit. Il dut se résoudre à sortir la tête de l'eau. «Numéro un», accroupi, emprisonnait son pied.

— La 8, Mykio, commanda «Numéro un», pas de contacts, ce sont les ordres.

— Je veux bien la 8 avec une fille! répondit Mykio en chinois.

— Le président a stipulé «pas de contacts».

— Je ne nage plus dans ces conditions! s'énerva Mykio.

— On va réfléchir, obtempéra Pema Zhu, mais en attendant, sois gentil, va nager dans la 8. Ici, on dérange nos invités. C'est pas correct.

Mykio était inscrit dans la première demi-finale du 100 mètres nage libre à la ligne 5.

— Tu dois préparer ta finale dès maintenant, si tu veux battre Paterson demain, avait conseillé Wei. Il faut être futé, car Paterson et ses coachs vont passer leur soirée à voir et revoir ta course en vidéo. Tu peux faire 47,5 secondes ce soir, en gardant des réserves. Au début, laisse filer Truman et le Français, cale-toi à leurs maillots. Tu devras faire ton accélération un peu sur le tard, je dirais aux 60 mètres, et ton explosion aux 80 mètres. Demain, fais quelque chose de complètement différent. On parlera des muscles tout à l'heure pour ton 200 brasse. Là, ça va être coton.

Ce fut machinalement que Mykio se dirigea, au signal de sortie, vers le plot 5. Il plongea tout aussi mécaniquement, adoptant une cadence supérieure à celle du matin, filant à une vitesse de 7,6 km/h. Aux 60 mètres, il s'engagea progressivement dans son trou noir, montant en puissance. Le Français faiblit sensiblement un peu plus loin, aux 70 mètres, mais Truman, en tête, maintint une vitesse moyenne de 7,6 km/h qui semblait lui convenir. Il accéléra sur les quatre derniers mètres, ce qui ne permit pas à Mykio de le passer. Une coulée d'arrivée parfaite offrit à l'Australien cette victoire devant Mykio, à trois centimètres, soit 1,25 centième de seconde d'avance.

— Qu'en pensez-vous, Théodore Bernie? demanda Norman Truly de World Sports TV au gros chroniqueur.

— Il semble que la finale de demain va être difficile pour le héros chinois qui n'a pas réussi à s'imposer pendant cette demi-finale. Mais attendons la seconde demi-finale pour voir ce que Denis Paterson, et les Hollandais Peter Eijkman et Hans Bloomer vont faire. Tout cela va être très tendu, croyez-moi.

— Dites-moi, Théodore, lança Tom Douglas en duplex de la piscine, vous placez Eijkman et Bloomer favoris avec Truman, et bien sûr Paterson. Vous escamotez Dara qui a fait une fin de course puissante, ce qui laisse supposer qu'il n'a pas tout donné.

— Je vous dis et je vous répète que Dara a un problème avec les finales! Je n'ai qu'admiration pour ce garçon courageux. Il faut du cran pour s'aligner sur la plupart des épreuves olympiques de nage. Je souhaite qu'il fasse au mieux. Mais permettez-moi d'exprimer mes doutes...

— Entendons-nous bien, Théodore, dit Norman Truly de sa voix paternelle, la question de Tom était sans malice. Il ne vous demande pas de vous justifier, mais simplement pourquoi vous ne placez pas Dara, second meilleur temps sur cette demi-finale, parmi les favoris.

— Je vous dis simplement que, comme sur le 50 libre et le 200 libre, je crains que Dara ait une nouvelle défaillance sur le 100 libre. C'est aussi simple que ça!

Mykio retourna aussitôt dans la chambre d'appel pour la finale du 200 mètres brasse, sa quatrième finale et sans doute son troisième échec. Il n'aimait pas la brasse.

— Tu dois gérer ton 200 mètres brasse en ayant à l'esprit ta finale du 200 nage libre d'hier, conseilla Wei. Mais ici commence bien allongé, fais de longues coulées, n'exagère pas tes appuis, laisse partir les autres. Tu peux laisser filer Mike Barrow deux mètres devant sur les 100 premiers mètres. Surtout, économise-toi au début, car tu as beaucoup nagé aujourd'hui. Tu es saturé d'ions H+, provenant de la dégradation rapide de glucose pendant les efforts précédents. Je ne suis pas certain que tes muscles aient évacué leur surplus d'acide. La douleur risque d'apparaître plus tôt qu'à la finale du 200 libre d'hier. Ne brusque pas ton effort anaérobie en début de course, car tu seras performant à partir des 75 mètres. Sur les derniers 75 mètres, tu pourras tout donner.

Tom Douglas profita du tour du stade des médaillées au 200 nage libre féminin pour donner quelques explications sur la brasse. En excellent professionnel, en bon généraliste du sport, il avait préparé son sujet depuis des mois, bien qu'il ne soit pas un spécialiste de la natation.

— La difficulté de la brasse de compétition est qu'elle tend à pousser à la perfection, et à leurs limites, des gestes simples. Comme le pas de danse, qui n'est que la suite travaillée d'un pas spontané et qui n'a plus rien de naturel lorsqu'il est fait à la perfection, les mouvements de la brasse de compétition sont un ensemble de techniques gestuelles de haute précision.

— La brasse moderne de haut niveau impose une exploitation élaborée des appuis, précisa Michael Rooses. C'est en fait la nage la plus technique.

Mykio obéit exactement à ce que Wei lui avait conseillé, une nage longue, puissante mais sans trop forcer sur les 100 premiers mètres. Pourtant dès le premier 50 mètres, Fergusson, intouchable sur cette course, avait mis un mètre à ses concurrents. Aux 125 mètres, Mykio, éprouvé par une fatigue profonde, s'accrochait pour monter en puissance. Une douleur paralysante commença à l'envahir au virage du dernier 50 mètres. Une souffrance morale aussi, car il voyait les remous de

Fergusson et du Français Bernier loin devant. Mykio savait qu'il avait perdu cette course, mais il lui fallait finir. Il le fit dans l'agonie la plus lamentable.

Pema Zhu se mit à rire de lui-même en songeant à ses rêves de fortune entièrement bâtis sur les performances improbables de Mykio. Le garçon ne nageait que par vocation, avec sa tête et sa conscience. Pema ressentit honte et douleur. Une habitude. Le passé.

Les hauts dirigeants réunis à Huairentang, la salle de réunion du Bureau politique, au cœur de Zhongnanhai, passèrent aussi une mauvaise soirée. La majorité d'entre eux déversèrent leur mauvaise humeur sur le président Wang.

— Le peuple est furieux, camarade Wang. Les services de renseignement font état d'appels réclamant votre démission, indiquait Liang Chaohua. Ces Jeux sèment le trouble dans l'esprit des gens. Ils sont nombreux à se croire tout permis en raison de la profusion d'étrangers et de journalistes.

— Nous allons tous couler avec votre Dara, camarade président! prédit le vieux procureur Chen.

— La ville est encombrée d'une meute de gens surexcités. Nos unités de sécurité reconnaissent qu'elles n'ont guère le contrôle de la situation. Difficile pour elles d'agir. On leur a donné l'ordre de sourire et de n'embêter personne.

— Des employés de l'ambassade des États-Unis vont traîner sur le site olympique. Ils ont des contacts avec notre encadrement sportif et avec la Fédération des étudiants sportifs, qui est un vecteur que les États-Unis utilisent contre la Patrie. Ces déchets de la nation ont une antenne active à New York, qui fait du lobbying auprès des médias américains.

— Il devient de plus en plus clair que le chaos s'installe...

Wang Lanqing, avachi dans son fauteuil, ne soufflait
mot.

Il veilla tard cette nuit-là, en compagnie de son
vieux serviteur Xun.

— Si ce garçon perd demain son 100 mètres, je ne
sais pas ce qui se passera, Xun, professa-t-il en rallumant
son cigare.

— Tu connais l'histoire du pingouin? demanda le
vieux Xun.

— Vas-y.

— Il s'agit d'un grand Pékinois, plus grand que
les autres, qui habite à Pékin et qui rencontre dans la
rue un malheureux pingouin. Il prend le pingouin dans
ses bras et il continue sa route. Au bout d'un moment, il
ne sait que faire de ce pingouin. Il croise alors un policier.

«Eh, vous, que faites-vous avec ce pingouin?»

«Je ne sais qu'en faire de ce pingouin!» répond le
grand Pékinois.

« Eh bien, emmenez-le au zoo!» dit le policier.

Le grand Pékinois n'y avait pas pensé.

«Ah oui, dit-il, je l'emmène au zoo, en voilà une
bonne idée.»

Le lendemain le policier qui fait la circulation au
même endroit revoit le grand Pékinois avec son pingouin
dans les bras.

«Mais alors, dit-il, vous avez toujours ce pingouin?»

«Ben oui!» lâche le grand Pékinois.

«Vous n'êtes pas allé au zoo?»

«Si, on est bien allé au zoo, mais c'était hier, maintenant, on va à la piscine, on va se baigner.»

— Ho! Ho! Ho! Tu as raison, Xun, il m'encombre
mon pingouin! Ho! Ho! Je l'ai emmené en Inde voir le
Grand Perturbateur. Ensuite, je l'ai traîné sur le Grand
Stade et je lui ai donné mon drapeau! Puis, je l'ai conduit
à la piscine, où il barbote et où moi je coule! Ho! Ho!
Ah... tu es bien le seul à me faire rire avec tes histoires,
Xun! Ho! Ho! Ho!

— Demain soir, si ton Tibétain échoue, toi tu ne perdras pas la face, Wang, car tu as eu l'idée et le cœur de te pencher pour ramasser le pauvre pingouin. Tu penseras au grand Pékinois encombré de son pingouin et tu souriras.

— Tu es bon, mon ami. Allez, il est temps de dormir.

17

Traumas

JO + 4

Il était 17 h 30. Mykio ouvrit les yeux et sourit à Pema qui avait passé la tête dans l'entrebâillement de la porte. Il avait parlé à Jihong au téléphone, puis dormi une heure et oublié le compte à rebours pour la finale du 100 libre. Il y vit un bon présage. Il était maintenant armé. Il suffisait en fait qu'il se maintienne en pleine concentration. Il voulait dire par là en abstraction de tout ce qui pouvait distraire son esprit de son corps et le disperser. Il y était parvenu pendant ses toutes premières courses alors qu'il était encore frais et détaché. Mais progressivement, il avait absorbé l'ambiance, découvert que sa carapace dissimulait une multitude de fissures par lesquelles s'engouffraient toutes sortes de sensations qui alourdissaient le corps et plombaient l'esprit. Il avait fait le tour de ses différentes défaites. La première défaillance au départ du 50 libre provenait du sabotage concocté par les deux Roumains. La seconde était liée à Dougherty avec son aspect aryen et ses manies qui l'avaient ramené, par un chemin de traverse, dans son passé. Il pressentait aussi qu'après tant d'années de haute compétition au sommet, Dougherty avait acquis un troisième sens et trouvé intuitivement l'attitude adéquate pour le scotcher au départ.

La chambre d'appel, la marche vers les plots, les présentations au public, puis le plongeon, un parcours à très hauts risques, se répétait Mykio. Beaucoup y perdaient leur course sans le savoir. Maintenant qu'il savait tout ça pour l'avoir disséqué, il était prêt.

Il alla tout droit dans le bassin d'échauffement et il plongea dans sa ligne, les pieds devant. De retour à la surface, il s'immobilisa, écarta les deux jambes, les deux bras, et fit remonter très lentement une jambe, puis l'autre...

— Salut, je suis Guzman! Qu'est-ce que tu fais?...

— Je travaille mes appuis...

— Je vois ça...

Le coach américain s'était penché et tentait de regarder sous l'eau. Pas mal du tout, se dit-il. Le garçon avançait avec très peu de mouvements.

— Je travaille la pleine conscience de mes jambes, expliqua Mykio.

— Tu devrais y aller, les garçons sont dans le couloir.

Mykio se hissa hors du bassin et alla serrer la main à Guzman.

— Très heureux. Moi, c'est Mykio.

Le coach apostrophait déjà un autre nageur dans la ligne d'à côté. La main de Mykio resta dans le vide.

La porte de la chambre d'appel était close et les finalistes du 100 libre attendaient dans le couloir des vestiaires la fin d'une cérémonie de médailles, de l'autre côté des cloisons. Ils percevaient le grondement du public à travers les parois pourtant insonorisées. Mykio, saisi par une impulsion, fonça tout droit vers Paterson qui discutait avec trois autres nageurs. Son idée était de prendre la course en mains dès à présent. Il avait remarqué que Denis se payait le luxe d'aller discuter dans la chambre d'appel avec les uns et les autres. Il s'inquiétait de leur forme, demandait leur opinion sur la piscine, plaisantait. Mykio était décidé à prendre l'initiative.

— Ça ira? demanda-t-il sur un ton amical à l'Américain.

Les quatre nageurs le regardèrent surpris, puis Paterson lui sourit, l'invitant par ce sourire à en dire davantage. Mais Mykio n'avait rien d'autre à dire. Deux interminables secondes, puis Paterson reprit sa conversation. Il était clair qu'il était ici le centre d'attraction. Personne ne pouvait lui contester cette place, surtout pas Mykio qui percevait l'équilibre des points de force et qui venait de se comporter comme si Denis était le centre de l'univers. Denis savait copiner avec tout le monde, à commencer par ses adversaires. Les journalistes se bousculaient pour l'interviewer car il avait toujours un truc sympa à leur raconter. Mykio venait de se banaliser devant tout le monde. Il eut envie d'aller pisser, mais il se dit qu'il n'y arriverait pas. Il se plaça contre le mur, joignit ses deux mains devant son abdomen, les doigts de la main droite fermés sur son pouce de la main gauche et les deux mains bien soudées. Le Yin-Yang en appelait aux flux d'énergie du plexus solaire et de l'abdomen. Le pouce représentait le spleen et l'estomac, l'index, le foie et la vessie, les autres doigts, le cœur et les intestins. Il entonna des sons profonds : *wu jiu, wwwuuu, jiiuu, wuuu, jiuu*. Un nageur à côté s'éloigna. Mykio faillit s'excuser. Il devait absolument se concentrer en apaisant son esprit, mais il ne parvenait pas à détacher son regard de Denis qui était si sûr de lui. Mykio avait bien vu au fil des jours qu'il intéressait de moins en moins de monde. Il ne savait pas quoi dire aux journalistes. Il s'était enfermé dans un semblant de mystère. Son lac, le Daksum, était comme une vieille vidéo repassée cent fois. Il observa tour à tour ses concurrents qui avaient tous un palmarès au moins continental. Ces gars étaient vraiment à leur place ici, tous médaillés dans des compétitions internationales. Ils arrivaient groupés avec un équipement faramineux, des survêtements qui jetaient de la couleur partout. Ils avaient leur musique, leurs mascottes et des coachs balèzes, des durs qui en savaient un bout, se dit Mykio qui s'était posté dans un coin, la gorge nouée. Il était l'étranger. Il avait bien vu que ce coach américain se moquait de lui. Un vertige intérieur lui tordit soudain les tripes. Respirer devint un effort. Ses pieds, ses jambes étaient du plomb. Des idées néfastes l'envahissaient, le gouvernaient. Il ne pouvait plus lutter. Il ne pourrait plus plonger. Devant lui Paterson était un dieu. Mykio pria. Que les Bouddhas m'escortent, sinon je suis perdu ! Inspire, tu es vivant... Un sursaut. Il n'avait pas besoin de beaucoup de temps. C'était possible avec une seule respiration consciente.

— Mykio Dara ! chuchota alors une voix dans son dos.

Il reconnut dans le couloir le balayeur de Shigatsé avec son visage empli de compassion.

Enfin un visage familier. Mykio sourit.

— Tu vas nager ? demanda le Shigatsé.

— Oui...

— As-tu envie ?

— Dans l'absolu... oui.

— Dans l'absolu ?...

Mykio fit oui de la tête, ce qui décida le petit homme à lui remettre une enveloppe.

— Regarde ce qu'ils ont fait... imprègne-toi... et va nager pour eux, *nangrüpa*...

Mykio ouvrit l'enveloppe tandis que le petit homme s'éclipsait. C'était une photo. Il écarquilla les yeux. A-pa et Ama-la se tenaient la main. Ils étaient à genoux.

La main d'Ama-la dans celle de son A-pa était le centre de gravité de cette photo. La mort imminente en était le thème, l'officier derrière eux avec un pistolet, l'accessoire. L'amour, d'abord réveillé en lui, fut submergé par l'horreur.

Deux niveaux plus bas, dans le salon VIP, Mlle Wang Shan interrompit un entretien avec le fils du président Niles, venu voir gagner Meyer puis Paterson. Un VIP fils à papa de vingt-quatre ans, du pur protocole pour Shan, mais quand même.

— Il y a du grabuge avec Mykio, camarade Wang. Wei transpirait. Il avait le souffle court.

— Il est devenu fou... Il court partout! haleta-t-il.

— Et pourquoi?

— Allez savoir, il cherche un habitant de Shigatsé, un Tibétain.

Mykio avait parcouru les couloirs dans tous les sens puis il avait bousculé des personnes très tendues qui avaient à leur tour crié un peu trop fort. Le calme requis dans ce lieu de concentration avait été violé. Il s'était ensuite heurté à Numéro Un et Numéro Deux qui parvinrent à le cantonner dans le premier vestiaire vide. Il murmurait des mots de manière saccadée. Aussitôt sur les lieux, Pema comprit qu'il en appelait aux divinités guerrières de la période pré-bouddhique du Tibet. Une manière d'exprimer la haine et de provoquer ses ennemis. Numéro Un le ceinturait. Numéro Deux le tenait de face par les avant-bras et tentait de le raisonner. Mykio insultait abondamment la Chine et même les Tibétains de la ville de Shigatsé. Il en appelait au *Dü*, le démon. Pema vit Numéro Deux recevoir un crachat sur la figure, puis il entrevit quelque chose dans la main de Mykio.

— Qu'est-ce qui t'arrive *Bhou*? demanda-t-il.

Il y avait longtemps que Pema ne lui avait pas parlé en tibétain mais il lui arrivait de l'appeler *Bhou*, fils. Il crut entendre: *Amé-ro...nangrüpa* cadavre de ta mère... pourri de l'intérieur.

Il arracha le cliché de la main de Mykio. Ce qu'il découvrit le fit trembler. Il y avait les camarades officiers qui faisaient cercle et le major-général de Bayi derrière. La casquette de Pema, trop grande, recouvrait une bonne partie de son visage. Pema se rappelait le désagrément qu'il y avait pour un chauve à porter ces casquettes d'officier aux bordures intérieures en toile brute surfilées de gros fils qui serrent le crâne. Désagréable sensation. Par grands froids, c'était comme des couteaux.

Dans la longue Hongqi, Wang Lanqing ne disait mot. La course à laquelle il allait assister était un quitte ou double, ce qui ne lui plaisait pas. Il avait assez bataillé sa vie durant pour aspirer maintenant à l'exercice paisible du pouvoir. Il reçut fraîchement l'appel de sa petite Wang Shan qui lui expliqua qu'il y avait des difficultés avec Mykio. Elle ne savait pas encore quoi, mais elle voulait le prévenir.

— Va-t-il gagner ? demanda-t-il.

— La question est de savoir s'il va nager, papa.

— Non, petite Shan, la question est de savoir s'il va être victorieux. S'il ne gagne pas, je rentre !

— Mais nous n'en sommes pas là, papa !

— Je me déplace pour voir triompher le Nouveau Héros du Peuple !

— Eh bien rentre !

Pema était parvenu à maîtriser son tremblement. Mykio s'était calmé. Il s'était même assis sur le banc du vestiaire. La seconde photo ne permettait pas non plus de dévoiler le visage du bourreau. Mais il y avait la canne. Pema ne voyait plus qu'elle. Mykio hypnotisé par la scène centrale n'y avait pas prêté attention.

— Que comptes-tu faire Mykio ?

— Gen-la... C'est terminé...

— D'accord Mykio. C'est fini... On plie bagages...

— Papa, maman étaient très pudiques... Ils se cachaient même de moi pour s'embrasser... Ils osaient à peine se tenir par la main devant les autres... Et tu vois, sur cette photo, ils se tiennent la main, Pema. Devant cet officier, devant...

Le visage de Mykio était inondé de larmes.

— Ils s'aimaient si fort...

— Viens, Mykio, on rentre...

— Dans quel état est-il ? demanda Wang Shan dans le couloir.

— Indéchiffrable, répondit Pema.

— Je dois lui parler.

— Il ne veut voir personne... Ils sont parvenus à lui faire passer ceci.

Wang Shan eut un haut-le-cœur. Elle laissa libre cours à sa révolte dans son cellulaire.

— C'est une nouvelle tentative de sabotage aussi ignoble que le dopage de nos athlètes, papa ! Ces ennemis sont d'obscures crapules qui ne reculeront devant rien... C'est abject !... Je vais voir Mykio et tenter de deviner ses intentions.

— Il va nager ? demanda Wang.

— Je viens de te dire que je vais lui parler pour savoir où il en est.

— On retourne à Zhongnanhai ! annonça Wang dans la direction du chauffeur.

Le cortège de Hongqi fit demi-tour sur Anli Lu.

Mykio s'apprêtait à quitter le vestiaire. Shan s'assit sur un banc en lui faisant signe de s'asseoir en face.

— J'ai honte, dit-elle. Si tu déclares forfait, la Patrie ne t'en voudra pas.

— Vous avez peur ? demanda le jeune homme intuitivement en relevant son visage.

— Mykio, il y a au sein du pouvoir central une lutte entre deux tendances. Tu as fait ce voyage en Inde avec mon père. Tu as vu que lui, il voulait le progrès. Tu l'as compris, n'est-ce pas ?...

— Peut-être cherchait-il simplement à se sortir d'affaire.

— Quand bien même, il a choisi une solution progressiste plutôt qu'une attitude répressive. Sache qu'il y a ici de puissants camarades qui ne voulaient pas des Jeux. En revanche, il y en a d'autres qui pensent que la Chine évolue et que le pouvoir doit changer au risque de se perdre. C'est le désir de mon père. Le destin a voulu qu'il t'y associe.

— Le frère qui m'a donné cette photo est peut-être un Tibétain sincère qui exprime la haine de ses semblables devant un *nangrüpa*.

— Un *Nangrüpa*?

— Un collabo.

— Mykio, tu n'es pas de cette espèce-là. Tu veux le bien.

— Non.

Il s'était levé pour sortir.

— Aujourd'hui, j'ai compris que j'ai vendu ma famille.

— La seule chose que je te demande est de ne pas trahir la confiance du président Wang...

— Je n'ai pas demandé sa confiance. Je ne vous ai rien demandé.

— Il a couru un danger en t'accordant la sienne, souffla-t-elle en le fixant droit dans les yeux.

— Vous saviez au sujet de mes parents, dit-il en soutenant le regard.

— Non.

— Votre père, lui, savait.

— Non...

— Vous mentez.

— Que va-t-il faire? demanda Pema Zhu qui avait vu passer devant lui un Mykio au regard absent.

— Je l'ignore.

Dans sa torpeur, Mykio ne voyait plus que les images grises de sa prime enfance qui défilaient. La maison vide jusqu'à la nuit, Ama-la qui rentrait exténuée avec les mains crevassées, les colères de Pa-la, un homme de savoir pourtant si doux. Dans sa naïveté d'enfant, Mykio était parvenu à colorer ce film noir. Ses parents n'avaient pas pu être malheureux tout le temps. Personne n'est malheureux sans répit. Il y avait bien eu quelques rayons de soleil. Il se rappelait comment Ama-la lui parlait. Parfois elle riait en le serrant dans ses bras. Pa-la prenait très à cœur les leçons de maths. Il y eut la période de répit grâce à Pema. Puis, il y avait eu le silence. Les lettres n'arrivaient plus. Les recherches de Pema furent vaines. Parfois, Mykio imaginait Pa-la et Ama-la en exil, bien loin, ensemble, heureux en pensant à lui. Ces rares petites lueurs étaient dorénavant des décharges électriques qui lui trouaient le cœur.

En entrant dans la chambre d'appel, il découvrit ces nageurs irréels qui le regardaient. Il faillit s'excuser, ressortir comme un intrus qui s'est trompé de porte. Il se surprit à suivre le mouvement. Il longea le bassin avec les sept autres. Le bleu avait disparu. Il ne voyait qu'un trou rempli d'eau.

— Mykio Dara participe ce soir à deux finales et à deux demi-finales, rappela Tom Douglas. Il y a ces quatre épreuves et le poids qui pèse sur ses épaules. Des milliards de regards sont fixés sur lui. Le 100 nage libre est la course reine. Regardez comme il a l'air détaché. J'aimerais savoir ce qui se passe dans sa tête en ce moment.

Les haut-parleurs annoncèrent les palmarès des huit finalistes. On entendit huit fois des acclamations venant de zones différentes des tribunes. Mykio monta machinalement sur le plot. Il surprit la respiration de Paterson à sa droite. Un souffle de vie. Sa tête pivota de quelques degrés. Le célèbre visage mat avec les lunettes « speedo » bien enfoncées dans les lobes, les lèvres entrouvertes et ce corps ployé… le Paterson des encarts publicitaires : l'Invincible, dans cette posture de plongeon qu'il réussissait mieux que quiconque.

L'Américain avait passé et repassé les enregistrements des courses de Mykio pendant la nuit. Le jeune Tibétain avait une vélocité inégalée et une capacité de redémarrage jamais vue. Denis, qui était donné gagnant, savait intimement qu'il avait de grandes chances de perdre si le jeune homme à sa gauche ne commettait pas d'erreur.

Mykio ressentit cette appréhension. Il fit le vide.

Sept des huit nageurs sortirent de l'eau à treize mètres du mur, Denis Paterson surgit aux quinze mètres réglementaires, son temps de plongeon et d'apnée étant de 5,83 secondes. Aux 20 mètres, Paterson avait un bras d'avance sur Walter Truman à la ligne 3 et Peter Eijkman à la ligne 7. Les autres nageurs semblaient être exactement à la même hauteur, dix centimètres derrière l'Australien et le Hollandais, quinze centimètres derrière Paterson. Aux 25 mètres, l'ordre n'avait pas bougé : Paterson en tête avait parcouru cette distance en 10,51 secondes, suivi de Truman et Eijkman en 10,73 secondes. Mykio nageait les yeux mi-clos, respiration tous les quatre temps du même côté, celui de Denis Paterson, la tête très légèrement tournée vers Denis, dont il voyait les bras, soixante centimètres devant, travailler à la même cadence que les siens. Leur vitesse était de 7,59 kilomètres à l'heure. Chaque mouvement d'une durée à peine supérieure à une seconde les propulsait au-delà de 2 mètres 30. Au second 25 mètres, le mouvement de Mykio s'était allongé pour le porter à 2 mètres 38. Denis Paterson respirait tous les trois, puis quatre passages de bras, afin de surveiller sa droite et sa gauche. Walter Truman, à sa droite, remontait à sa hauteur. Mykio s'était calé derrière lui, mais un peu plus haut. Aux 35 mètres, il ne restait que cinq mouvements avant d'amorcer le virage. Denis pensait que Truman et Eijkman pouvaient tourner en tête au 50 mètres, mais la course se jouerait ensuite avec l'effort phénoménal du jeune Tibétain, qu'il avait observé maintes fois avec ses entraîneurs. Denis savait que Truman et Eijkman auraient du mal à finir. Quant à lui, il ignorait ce qui allait se produire. Il n'avait jamais eu la sensation de nager un premier 50 mètres aussi rapide et il se demandait ce que lui réserverait le terrible retour dans moins de 5 secondes.

Mykio s'était laissé tirer par le rythme infernal de ce début de course. Ses appuis fonctionnaient bien. Aux trois derniers mouvements, avant le virage, il tira brutalement de toutes ses forces. Le cauchemar devait continuer. Sa vue se brouilla, il plongea machinalement aux 46,50 mètres pour entamer son virage et se retrouva dans l'eau glacée, tenaillé par une souffrance de plus en plus insupportable. Ses gestes s'étaient mués en un déchaînement de force pour survivre. Denis ne s'attendait pas à cela si tôt. Il amorça son virage culbute avec une boule dans la gorge, se disant que c'était parti. Le jeune nageur à côté de lui était devenu une bête féroce, il croyait l'entendre hurler. Denis était déjà à saturation de vitesse et, à la sortie du virage, il décida de tout donner. Il savait que la fin de course serait une agonie complète. Il n'était même pas sûr d'arriver au bout. À 45 mètres de l'arrivée, il nagea en puissance maximum, au risque de couler sa fin de course. Il s'attendait à ça avec le Tibétain. Il y était préparé. Dans les tribunes de presse, les journalistes notèrent cette montée en puissance explosive dès le virage de Dara, puis de Paterson. Les journalistes, qui avaient enregistré aux 50 mètres chez Dara et Paterson un temps de 22,46 secondes, largement en dessous du temps de passage du record du monde qui était de 22,59 secondes, pronostiquèrent que les deux nageurs ne pourraient pas finir à ce rythme. À vingt mètres de l'arrivée, Truman et Eijkman étaient distancés d'un mètre. Denis Paterson et Mykio Dara étaient au coude à coude. Denis ne pensait plus à rien, il avait fermé les yeux, ne sortait plus la tête de l'eau. Il enchaînait les gestes malgré la douleur insoutenable qui avait envahi tout son corps, douleur qu'il n'avait jamais ressentie jusqu'ici que sur les tout derniers mètres des courses. L'Américain expérimentait une sensation nouvelle, pour lui révolutionnaire. Il découvrait que l'on pouvait continuer au-delà de la souffrance. À cinq mètres de l'arrivée, Mykio, qui était dans le même état, discernait faiblement le mur se rapprocher. Dans une lueur de lucidité, il remarqua la présence de Paterson à côté de lui, à la même hauteur. Jamais lors d'une course parfaite, sans pépins au plongeon, en donnant tout et plus que tout,

Mykio n'avait vu quelqu'un rivaliser avec lui. Ses derniers gestes furent de véritables arrachements, comme ceux de Paterson. Ils touchèrent enfin ce mur et dirigèrent leurs regards vers le grand tableau d'affichage. Les huit nageurs qui venaient d'arriver étaient également affichés avec leurs temps. En tête de tableau figurait Denis Paterson en 47,14 secondes, nouveau record du monde. En dessous de lui était affiché Mykio Dara en 47,14 secondes, nouveau record du monde.

Alors que le public se remettait du choc de ce double record inimaginable, Denis rejoignait le box de presse.

— Je remercie Mykio Dara, dit-il devant la caméra. J'ai décidé de tenter le tout pour le tout, en même temps que lui, et ça a marché. Je peux vous dire que, sans lui, j'aurais jamais fait 47,14...

Il se tourna, mais Mykio avait piqué en diagonale vers le sas de sortie.

— Il m'a parlé à moi, glissa Audrey à sa sœur.

— La presse commence à dire qu'il est fier.

— Ce sont des bêtises, Sandra. Il est détaché. Sa retenue est une forme d'éducation.

— Si tu veux mon avis, il est timide et il n'a rien à dire.

— Je veux bien qu'il soit timide, Sandra. Mais je t'assure qu'il sait quoi raconter.

18

Hymnes

JO + 4

La Hongqi du président Wang et sa suite motorisée avaient dépassé l'entrée Ouest de Zhongnanhai. Au bout de Fuyou, elle prit l'axe Nord pour retourner sur l'axe Anli Lu Olympic Green.

— Cette victoire est symbolique, petite Shan. Notre drapeau va se lever à côté du drapeau américain pour fêter un jeune Chinois originaire du Tibet et son camarade américain. Je dois montrer que cet exploit est applaudi par la direction du Parti et la Patrie. Nous en sommes les instigateurs. Nous devons maintenant apparaître comme tels !

— La Sécurité politique émet des doutes sur le comportement de Mykio pendant la remise de médailles, papa.

— Qui donc s'inquiète ?

— La camarade haut commissaire Tong qui travaille pour le camarade Liang Chaohua. Elle suit le jeune homme.

Le président Wang grogna, mais le convoi continua sa route vers Olympic Green.

Tout au 100 dos résidait dans la détente des bras, dans l'allongement extrême du corps, dans le tangage des épaules, dans et hors de l'eau. Sur 100 mètres, les poumons donnaient autant que pendant un 1 000 mètres plat. Comme le papillon, le 100 dos était une nage de brute, bien qu'il n'y parût pas. Mykio craignait plus que tout cette épreuve qui n'était pas sa spécialité. Wei avait interrogé Pema qui lui avait répondu qu'il ignorait ce qu'avait décidé le gamin. Cela se passait maintenant entre Mykio et la camarade Wang Shan. Wei était alors allé consulter la camarade Wang qui l'avait renvoyé à Mykio. Finalement, il se retrouva devant Mykio isolé dans son vestiaire.

— Veux-tu parler de ta finale du 100 dos ? demanda-t-il en passant timidement la tête par la porte.

— Oui, et alors ?

Le jeune homme était allongé sur un banc, les yeux clos.

— Je ne sais pas quoi dire, Mykio... J'ai rêvé de ça toute ma vie...

— Viens t'asseoir ici, Wei, commanda Mykio en se redressant.

Wei s'assit sur le banc d'en face, comme Wang Shan trois quarts d'heure plus tôt. Mykio le fixa droit dans les yeux avec une intensité qui fit frémir le coach.

— Hier à la demi-finale du 100 dos, dit-il, ma coulée a été trop longue et j'ai fabriqué trop de CO_2, mes jambes ont dégusté. Je me suis pourtant tenu aux 15 mètres de coulée... Comment analyses-tu ça ?

— Ton départ n'était pas bon, trop cambré et trop court, répondit Wei en proie à une vive émotion. T'es allé trop profond, comme pour une coulée de 20 mètres, la remontée aux 15 mètres a été forcée, tes ondulations étaient trop violentes. Tu t'es créé un stress. Tu as eu du mal à démarrer après cette coulée. Ton buste n'était pas totalement horizontal, ce qui a perturbé ton attaque de bras sur les premiers mètres. Tu as dû te forcer à sortir les épaules de l'eau et le tangage de tes épaules était saccadé au lieu de rouler. La sortie d'eau de l'épaule attaquante était trop importante sur les premiers mètres. L'ensemble manquait de fluidité. Tu as tourné en 26,10 au 50 mètres, mais sur la fin, tu t'es contracté...

— C'était hier, Wei.

Mykio tapa amicalement sur l'épaule du coach et sortit.

Dans le stade, il y eut un mouvement du côté des tribunes officielles.

— Le Comité olympique remercie M. Wang Lanqing, président de la République populaire de Chine, qui lui fait l'honneur d'assister à cette soirée olympique de natation. Nous pouvons commencer l'épreuve de la finale hommes du 100 mètres dos.

Les huit nageurs sautèrent à l'eau pour rejoindre leur barre de départ. Le président Wang était entouré par le président de la FINA et le président Della Serra. Wei, debout, penché vers Wang Lanqing, donnait les explications.

— Au dos crawlé on part dans l'eau. Notre nageur est à la ligne 6. À la ligne 4, c'est l'Américain Kowalovsky, qui, sur le papier, devrait l'emporter. On parle aussi du jeune Français Castella. Mais Mykio est un bon nageur de dos...

— N'est-il pas épuisé après sa victoire au 100 mètres nage libre ?

— Avec lui, la fatigue est parfois un atout, elle le transcende, votre Excellence, répondit Wei.

— Il n'a pas très bien commencé, nota le président qui voyait son nageur en quatrième position aux 25 mètres.

— Il est à moins d'un mètre de Kowalovsky et de Castella. C'est un bon départ, il démarre souvent comme ça. Il jauge, il suit, ensuite il lâche son effort. Regardez, avant le virage, il monte à hauteur brusquement. Il tourne et reprend en vitesse maximum. Il refait la même chose qu'au 100 libre, il est en pleine forme ! L'Américain et le Français vont être contraints de nager à saturation très tôt.

À vingt mètres de l'arrivée, Mykio se hurlait intérieurement dans son agonie : Allonge... allonge... Il devait faire un effort terrible pour garder la tête tirée vers l'avant. Les bras en sortie d'eau devaient aller fouetter l'eau le plus loin possible devant, le corps devait rester coûte que coûte en complète élongation alors que des crampes latentes rétractaient ses muscles vers un recroquevillement. La présence de Kowalovsky et de Castella à sa hauteur lui fit craindre qu'ils résistent comme Paterson. À cinq mètres de l'arrivée, Mykio remarqua que Kowalovsky n'était plus à hauteur, mais Castella était bien là, peut-être même devant. Il poussa un hurlement en lançant ses bras dans d'ultimes moulinets avant une courte coulée achevée par le mur trois centimètres devant Castella.

— Il a gagné ! tonna Wang Lanqing.

— Il est EX-TRA-OR-DI-NAIRE !!! hurla Michael Rooses, de World Sports TV, dans son micro.

— On n'a jamais vu ça, c'est peut-être le plus grand nageur de tous les temps ! cria Tom Douglas.

— Un nageur polyvalent d'exception capable d'éclipser Johnny Weissmuller et Mark Spitz ! commenta Michael Rooses.

Le président Wang descendit les marches de la tribune officielle suivi par Pema Zhu, Wei et deux personnes de fort gabarit, en costume. Avec sa démarche unique, le grand homme alla jusqu'à l'échelle de sortie d'eau. Il serra la main à deux nageurs, puis il se pencha et offrit sa main à Mykio. Le jeune Tibétain fut tracté hors de l'eau par la large main présidentielle. Les photographes eurent le frisson de la photo à ne pas rater. Le président de Chine populaire étreignait le grand garçon en maillot de bain, mouillant son costume bleu sombre.

— J'ai deux grands enfants, annonça-t-il aux journalistes, ma fille et ce garçon ! Je suis très fier de lui. Nous sommes tous très fiers de lui...

Puis le président Wang desserra son étreinte, le prit à part et lui parla d'une manière que seul Mykio pouvait comprendre. Il fut accroché par le regard de Wang, aussi écrasant que toutes les pierres de la muraille de Chine. Mykio sentit son estomac se nouer.

— Maintenant tu vas recevoir tes médailles et notre drapeau va être hissé.

Les prunelles de Wang enfoncées dans celles de Mykio étaient deux trous noirs. Le jeune homme aurait baissé les yeux, mais le regard de Wang à cet instant était une invitation au dialogue, au partage.

— Vous saviez au sujet de mes parents.

— Oui. Depuis peu, mais je savais. Pendant les minutes qui vont suivre, tu seras seul avec le drapeau et l'hymne national de la Chine populaire et de ses grandes provinces...

Mykio baissa la tête, courba légèrement le torse, ferma les yeux. Une fatigue inconnue montait en lui. Ses oreilles bourdonnaient.

— Le monde entier va te regarder, dit Wang. Le pouvoir est maintenant entre tes mains.

Mykio monta sur le podium en proie à une épouvantable nausée, remerciant son corps de ne pas avoir vomi sur le président Wang. Le comte Della Serra s'approcha. Mykio décela en lui un homme de cœur. Il reçut la médaille puis l'accolade. Paterson, sur la même marche que lui, reçut la sienne du président de la FINA. Il y eut un silence.

Mykio trouva l'hymne américain plein d'élan. Il éveillait le volontarisme. Il magnifiait l'homme tourné vers une grande aventure. Une musique de héros. Mykio inspira. Un appel d'air. Il était heureux pour Denis qui avait les larmes aux yeux. Lui, Mykio, se demandait comment il allait pouvoir écouter dignement la mélodie aigre-douce de la RPC.

— C'est reparti avec Mykio Dara sur cette demi-finale du 200 mètres papillon! cria Tom Douglas dans son micro.

— Il a viré au 50 mètres en 25,90 secondes, soit deux centièmes en dessous de Denis à la demi-finale précédente. Regardez, Tom, comme il maintient le rythme. Ce garçon n'est jamais las. Bon Dieu!... C'est presque effrayant de voir ça! Après deux finales victorieuses, il conserve une allure infernale en papillon!

Dans les tribunes nageurs, Audrey et sa sœur Sandra encourageaient leur compatriote, mais leurs cœurs vibraient pour la ligne 4.

Denis goûtait maintenant l'eau tiède de la douche. Il était dans un tourbillon enivrant de bonheur.

— À un moment, j'ai cru que t'allais te barrer pendant ton hymne, dit-il au Nouveau Héros du Peuple qui se savonnait à côté de lui.

— Oh non, quelqu'un m'en a dissuadé.

— Qui?

— Toi.

— Pardon?...

— Tu étais si heureux, je n'allais pas te tourner le dos.

En sortant des vestiaires, Pema découvrit la frêle silhouette de Neumann au milieu du couloir, qui dessinait le V de la victoire de l'index et du majeur.

— Ah, vous voilà! triompha Pema en brandissant sa canne.

La soirée fut contrastée pour le nouveau héros du peuple. Une interview à la télévision chinoise et un plateau dans le studio de World Sports TV avec l'accord du ministre de l'Information. Mykio apparut peu bavard, taciturne. Le public le trouva mystérieux. Il partagea l'antenne avec l'Américaine Audrey Meyer, rayonnante, médaillée d'or au relais 400/4 nages.

Ils firent chemin ensemble, Audrey et lui, vers le Village Olympique avec Numéro Un et Numéro Deux sur leurs talons. La foule avait laissé la place aux voitures de nettoyage. Au moment de se séparer, chacun vers le quartier abritant sa délégation, ils marquèrent une courte halte, puis se dirigèrent ensemble vers la Cité Mauve.

— Pourquoi as-tu toujours cette écharpe, Mykio ?

Même en survêtement, sur le podium, il portait l'écharpe blanche d'Ama-la.

— C'est mon *Khada* qui veut dire bonne chance et bon cœur, petite sœur...

19

Déclic

Wang avait retrouvé ses couleurs et son charisme. Il interrogeait Liang Chaohua, convoqué devant ses pairs à Huairentang Hall.

— Si cet individu de Shigatsé appartient à un groupuscule terroriste, comment a-t-il pu s'introduire au Centre aquatique?

— Ce délinquant était un agent du site olympique parfaitement en règle, camarade Wang. Ils grouillent de partout, viennent de toutes les provinces du pays. C'est le CIO qui les choisit selon ses propres règles de recrutement. J'avais donné mon avis sur ce sujet à l'époque, camarades.

— C'est vrai, je m'en rappelle, acquiesça le procureur Chen, mais ceci laisse entendre que ce réseau qui se fait appeler «Mouvement des Cimes» est implanté un peu partout, n'est-ce pas?... C'est forcément cela, admettez-le, camarade Liang.

— À la faveur de ces Jeux olympiques, on voit poindre le museau de rats qui jusque-là restaient dans l'ombre...

Wang sourcilla.

— Et il s'est évanoui?

— Nous n'assurons pas nous-mêmes l'ordre à l'Aquatic Center, camarade président Wang. Le CIO a la main sur la sécurité dans ses enceintes...

Pema Zhu qui voyait que Mykio l'observait en devinant ses pensées, posa sa question :

— Qu'as-tu fait avec l'Américaine cette nuit?

— Hier soir, tu veux dire. Je lui ai montré des photos du Tibet.

— C'est tout?

— Et je lui ai appris des rudiments d'automédication par l'application des mains et les sons... Ne cherche pas plus, Pema, j'ai nullement l'intention de tromper Jihong.

— Au Tibet, on peut avoir plusieurs femmes. C'est aimer. Ce n'est pas tromper.

— Avec Jihong, si, Pema.

Un visage sans rides, les cheveux lustrés en arrière avec une ondulation romantique. Le commandant Xu de la Sécurité intérieure était de ces individus sur lesquels la vie glissait. Dans le cadre des directives de Liang Chaohua, et sous le contrôle du haut commissaire Tong, Xu assurait le suivi politique de l'enquête criminelle. Il rendait compte au Parti tandis que Lin rendait compte au gouvernement.

— Le travail de routine habituel suit son cours, expliquait le directeur Lin. L'offre de récompense, les interrogatoires, n'ont ouvert aucune piste.

— C'est faible... Avez-vous interrogé le personnel à fond? demanda Xu.

— Oui, avec nos méthodes.

— Je vois... Continuez.

— Pour la durée des Jeux, le chef He avait délaissé sa maison dans le Lingjing Hutong, où il habitait avec sa femme, son père, sa fille et son gendre. Nous y sommes allés. Les He n'y étaient plus.

— Nous nous occupons de ces gens-là, sourit Xu.

Lin était fasciné par les dents d'une blancheur immaculée de Xu. Un individu extrêmement soigné pour un officier politique.

— Les Délices de Pékin est approvisionné par des entreprises agréées, continua Lin. Nous interrogerons tous les employés des fournisseurs qui sont intervenus ce jour-là et la veille, pas moins de trois cents personnes.

— Nous saurons bien obtenir des informations et des dénonciations. Mes services vont vous épauler. Revenons-en aux assassins du cuisinier. Avez-vous du nouveau, camarade directeur Lin ?

— Les recherches sur le véhicule qui a renversé He n'ont rien donné pour le moment. Nous avons interrogé le directeur de cette usine BFL et le gardien. Ce dernier était de ronde, il n'a rien vu d'autre que la police après coup. De son côté, le directeur a interrogé le personnel qui n'a rien vu non plus. Il faut dire que les fenêtres des ateliers donnent sur des jardins et non pas sur la cour.

— Il faut chercher plus haut. Le grand patron de BFL est actuellement à Pékin. Il s'appelle Hehnrick. Nous avons un gros dossier sur lui. Il tuerait sa mère pour remporter des marchés en Chine. Il est allé jusqu'à obtenir une audience chez son Excellence le camarade Premier ministre Li. Les comptes rendus en sont très négatifs.

Une grimace se dessina sur les lèvres du commandant Xu qui dévisagea le jeune inspecteur Yang.

— C'est vous qui avez mis le doigt sur le lien entre He Sequan et BFL, inspecteur. Le meurtre de He devant les grilles de BFL n'est pas anodin, n'est-ce pas ?

— Moi, si je décidais de tuer quelqu'un, j'éviterais de le faire devant mon seuil, répondit Yang.

— Ah... Oui ?

— Il nous faut des éléments pour avancer sur BFL et Hehnrick, précisa Yang. Par exemple, nous n'avons rien sur le fameux Qi.

— Cet individu n'est pas fiché, nous n'y pouvons rien.

— D'accord... Mais un officiel non fiché...

— Qu'insinuez-vous ? demanda Xu devant l'hésitation de Yang.

— J'ai le sentiment qu'on ne nous aide pas beaucoup...

— Yang ! interrompit Lin.

— Voyons, directeur, que jeunesse s'exprime, dit Xu en faisant un geste apaisant de la main. Qu'est-ce qui vous chagrine, inspecteur ?

— On nous empêche d'interroger la famille de He, mise au secret. Nous menons une enquête criminelle et on nous interdit d'interroger les proches du suspect numéro un.

Le commandant adressa au jeune policier une œillade qui pouvait être aussi bien une invitation galante que le sourire de la mort.

— Il me semble que l'inspecteur Yang n'a pas très bien compris nos contraintes politiques dans cette affaire, dit-il à Lin. Le camarade vice-Premier ministre Liang n'a-t-il pas été assez clair avec vous, directeur ?

Il salua Lin d'un geste vague et il quitta la salle.

Lin fut convoqué en cette fin de matinée chez le haut commissaire Tong, une vieille connaissance. Plus on grimpait dans la hiérarchie, moins on y trouvait de monde. Les tracasseries émanaient des mêmes personnes. Il avait déjà eu affaire à la petite femme qu'il découvrit telle qu'autrefois, frêle, tassée, tout aussi vindicative.

— Camarade directeur Lin, au rapport, dit-il en respectant la formule appropriée.

— Le camarade Liang Chaohua est très occupé et il m'a chargée du suivi politique de l'enquête, annonça-t-elle.

— C'est un grand honneur et un plaisir de travailler avec vous, camarade haut commissaire du Parti Tong.

— Vous êtes très pris par l'affaire, je sais. Elle occupe beaucoup de monde. Il est indispensable que les responsables chargés de ses différents aspects coopèrent...

Elle haussa ses chétives épaules, dont les extrémités ressemblaient à deux moignons et posa sa main sur le dossier à sa droite.

— J'ai ici un rapport de la Sécurité intérieure sur votre subordonné, l'inspecteur de second échelon Yang.

— Qu'a-t-il fait ?

— Le rapport mentionne des insinuations et un mauvais esprit dans le cadre de l'enquête.

— Le commandant Xu, n'est-ce pas ? Nous avons réfléchi, Yang et moi, avec cet officier, à l'investigation en cours.

— Vous vous associez à votre subordonné, ce qui vous honore, mais je n'avais pas terminé. L'inspecteur de second échelon Yang a émis des doutes sur l'orientation des recherches. Il a laissé entendre qu'on pouvait avancer dans d'autres directions que cette entreprise américaine.

— Un bon policier ne progresse pas avec des œillères. Je suis surpris que le commandant Xu, professionnel d'expérience, ait perçu dans nos conversations une attitude équivoque.

— Ce ne sont pas tant les propos qui le dérangent mais la tournure d'esprit. Il ne met pas en cause le travail accompli mais l'attitude, camarade directeur Lin.

— Camarade commissaire du Parti Tong, en qualité de membre du Parti et de policier, je place cette mission au-dessus de toutes celles de ma carrière. J'évalue à sa juste mesure le très grand honneur que m'a fait le camarade Liang Chaohua en me la confiant...

— Le commandant Xu sonde l'implication possible d'une puissance étrangère. Au lieu de collaborer loyalement, votre subordonné tente de le distraire en semant le mauvais esprit.

Elle se pencha sur le dossier maintenant ouvert.

— Croyez bien que nous vous tenons en estime,

camarade Lin, mais il est regrettable que notre attention soit attirée par cet inspecteur Yang. Je lis dans ce rapport qu'il porte une boucle d'oreille. Est-ce vrai ?

— Malheureusement oui.

— Et vous l'avez toléré ?

— Un peu de fantaisie peut aider les langues à se délier, à se fondre plus facilement, répondit Lin mollement.

— J'ai ici une note de services sur l'inspecteur Yang qui n'est pas favorable. Il fréquente des étudiants de milieux aisés aux mœurs relâchées. Il lui arrive de sortir avec des étrangers, à qui il parle de la police pour briller. Son comportement a éveillé des soupçons. Nous savons que c'est vous qui l'avez parrainé pour qu'il rentre au Parti. C'est vous qui l'avez présenté pour le séminaire de l'Institut central du Parti.

— Me demandez-vous de l'écarter ?

— Il doit préparer sa défense. Nous sommes certains que vous parviendrez avec lui à chasser les doutes qui se sont installés.

— Ceci va réclamer du temps. Mes services ont mieux à faire dans l'immédiat que de noircir des questionnaires.

— Noircir des questionnaires, c'est répondre à des questions et donc résoudre des problèmes. La bonne tenue politique de votre enquête est une priorité nationale, directeur Lin.

Dans le sous-sol du même immeuble, trois officiers supérieurs étaient réunis autour du vice-Premier ministre Liang Chaohua. Le Premier ministre Li Feng laissait à Liang Chaohua les mains libres pour monter les opérations répondant aux objectifs fixés par le puissant lobby conservateur contre la dérive libérale de Wang Lanqing. Autour de la table, il y avait le général en chef du Renseignement et un général de l'Armée de l'Air qui avait la charge des opérations. Ces officiers savaient la majorité du Bureau politique et les chefs de l'Armée populaire de Libération acquis aux conservateurs. Il fallait sauver le Parti, le régime, le système. On attendait un déclic pour défaire Wang et ses proches. «Déclic» était le nom choisi par Liang Chaohua pour les opérations en cours sur Olympic Green. La brèche ouverte par «Déclic» permettrait aux politiciens de lancer le pays sur la voie de la Restauration. La première phase de «Déclic», «Hormones», avait conduit à l'élimination de la sélection olympique. Après la secousse morale provoquée par «Hormones», la seconde phase, «Chaos», devait provoquer l'onde de choc décisive.

Un beau programme remis en cause par l'émergence du Tibétain Mykio Dara. «Hormones» n'avait pas frappé assez fort. «Chaos» devait donc être re-calibré.

Le moins gradé de ces officiers supérieurs, Qi, l'émissaire auprès d'Hehnrick et de Hertz, avait troqué son costume de sous-fifre du ministère de la Défense pour sa tenue de colonel des Forces spéciales.

— Il a revu l'Américaine cette nuit, dit-il.

— Vous croyez qu'ils baisent? demanda le chef des opérations.

— Non, mais ils se touchent, répondit le chef du Renseignement. Il lui enseigne des techniques de relaxation. C'est plutôt sensuel mais assez distant.

Les murs en plomb permettaient d'être à peu près certain que ce qui se disait ne serait pas capté. On entendait tellement de choses sur les technologies américaines et européennes en matière d'écoutes qu'il valait mieux être prudent.

— Ils sont sur votre piste, camarade colonel Qi, indiqua le chef du Renseignement.

Qi dévisagea ses supérieurs d'un regard glacial.

— Que savent-ils?

— En ce qui vous concerne, rien, répondit le chef du Renseignement. Les flics vous cherchent, voilà tout. Il serait avisé que vous n'apparaissiez plus guère.

— Telle était bien mon intention, répondit sèchement Qi qui, malgré son sens de la hiérarchie, détestait qu'on mît en cause la façon dont il conduisait ses missions. Par ailleurs, je vous rappelle que, pour la suite des opérations, il n'est nullement question que j'apparaisse à visage découvert.

— Nous sommes au courant, répondit Liang Chaohua, soucieux de calmer le jeu.

— Parlons précisément de la phase suivante. Êtesvous opérationnel?

— Nous sommes en mesure d'agir dès demain, camarade vice-Premier ministre, s'empressa de répondre le chef des opérations. Le Tibétain va être neutralisé.

D'un regard, il fit signe à Qi de reprendre la parole.

— Le Nouveau Héros du Peuple a été testé cinq fois négatif ces derniers jours. Un test positif demain ne lui enlèvera pas ses médailles, sauf si ce test démontre qu'il se dopait avec un produit n'apparaissant aux tests qu'avec retard ou d'une manière aléatoire. BFL nous a fourni ce produit qui rétroagit.

— Est-ce que BFL se doute de quelque chose? demanda Liang.

— Ils collaborent et ferment leur gueule. Ils font mine de ne pas se sentir concernés par l'usage que nous faisons de leurs produits.

— Et pour contaminer Dara?

— Nous allons utiliser l'Américaine, les isoler et les accoupler.

Qi exposa les détails de l'opération, qu'il conduirait lui-même, avec deux acolytes. Il avait fait son choix, deux individus du nom de Ruan et Goo. Qi était le « guerrier », celui qui frappe. Il regarda tour à tour le chef du Renseignement et Liang Chaohua. Ce dernier hocha la tête d'un air dubitatif mais ne fit aucun commentaire. Personne n'aurait osé contrarier Qi, pas même le vice-Premier ministre Liang.

— Personne ne se permettrait de contester la décision de tes hommes, assura le chef des opérations. Tu as déjà utilisé ces deux criminels. Tu es le mieux placé pour les évaluer.

— Ils ont évolué. Ruan est un écorché vif qui se sait

condamné et qui souffre malgré les doses d'amphétamines qu'on lui sert. Il n'aspire qu'à crever. Il se régale
à l'idée de la sortie théâtrale qui s'offre à lui. Il y a Goo,
l'ami de Ruan, son copain de défonce qui a la même
infection que Ruan à un stade moins avancé. Goo suit
Ruan, il lui obéit, y prend plaisir.

— Tant que tu les as bien en main...

— La question est là, camarades, la motivation.
Ruan et Goo ne croient plus en rien. Vous l'avez com-
pris, ce sont deux pervers. Je les tiens par les fantasmes.
Je leur offre une grosse branlette finale. C'est solide.

La grosse masse du vice-Premier ministre bougea.
Un lent basculement de la tête. Un mouvement de satisfaction.

— À l'heure qu'il est, dit-il, le Tibétain est le plus
grand danger pour le communisme depuis Chang Kai
Chek et son Guomindang. Tu vas lui régler son compte,
camarade colonel Qi. Les services te suivent.

— Un programme de titan attend ce soir Mykio
Dara, triple médaillé d'or, avec deux finales et une demi-
finale. Il va devoir avaler coup sur coup le 400/4 nages et
le 200 papillon. Est-ce réalisable, Michael ? demanda
Tom Douglas.

— Les deux finales sont deux courses horriblement
éprouvantes. Je parle du 400/4 nages et du 200 papillon.
Mykio a fait vingt-deux courses en cinq jours. Hier soir,
il a montré qu'il était capable d'enchaîner coup sur coup
plusieurs courses sans que ses performances en souffrent. Ses demi-finales du 200 papillon et du 100 brasse,
après les deux finales historiques du 100 libre et du
100 dos, ont été impressionnantes. Peut-être va-t-il aujour-
d'hui en subir le contrecoup. Son 400/4 nages ce matin
était plutôt moyen ; en revanche, son 50 papillon a été un
déchaînement de force. Il y a effectué la meilleure performance mondiale de l'année.

— On dit que Mark Spitz, avec neuf médailles d'or,
une d'argent et une de bronze sur plusieurs olympiades,

détient un palmarès olympique qui ne sera sans doute jamais égalé. On va maintenant savoir si Mykio a les moyens de le détrôner.

Dans la chambre d'appel, Mykio s'était assis par terre, les jambes allongées au sol, le dos contre le mur, sa serviette sur la tête. Il parvenait de nouveau à s'évader en retrouvant d'autres souvenirs, comme si sa mémoire s'était agrandie. Son passé n'était pas pour autant devenu un horizon plus vaste, mais fourmillait maintenant d'une multitude de détails et d'impressions. Il existait comme une alchimie avec son enfance. Il faisait un avec lui-même. Il voulait retourner à Tso Go pour s'y promener, discuter avec son ami Chang Li. Il voulait aussi évoquer avec Gen-la ses rencontres avec A-pa et Ama-la, leurs relations, mais celui-ci restait muet. Pema réprouvait le passé.

Allongé dans la chambre d'appel, sa serviette sur la tête, Mykio songeait à tout ça. Au lieu de pleurer la mort de ses parents, de fuir la Chine, de demander refuge dans n'importe quelle ambassade qui l'aurait accepté les bras ouverts, il était serein, en paix, docile. Il chassa vite cette pensée capable de ruiner sa course du 400/4 nages. Il ouvrit les yeux dans la nuit de sa serviette pour inventer la mer. Il ne l'avait jamais vue. Il l'imagina... L'eau claire. Le soleil chaud. L'eau lisse comme le verre. La vue à couper le souffle. Respire fort. Sens l'énergie. La marée s'inverse lentement. La brise souffle. Les vagues se forment. Les vents augmentent. Des nuages noirs. Les vagues se creusent. Les moutons apparaissent partout. Le vent siffle. Wha! Wha! WooOO! Whoosh! WHOO-SHHH!! LA PLUIE!!! LE TONNERRE!!! LES ÉCLAIRS!!! LE VENT FOUETTE! FOUETTE! ÇA CRAQUE! C'EST LE CHAOS! TSUNAMI!! OURA-GAN!!! TYPHON!!!! Tout l'océan bouillonne! Il enrage!! Les vagues claquent! Le tonnerre gronde!! Lentement le vent meurt. La pluie s'arrête. Le Calme. C'est fini... Il se leva. Au passage, il fit un clin d'œil à Audrey dans les tribunes qui le lui rendit, puis après ce signe de vie, tout devint pour lui machinal. En montant sur le plot, il inspira fortement. Le 400/4 nages était une course terrifiante. Le corps devait produire un cent mètres puis enchaîner les trois autres dans des nages qui imposaient un effort et une cadence de respiration très différents. Mykio, qui commençait à bien connaître ses concurrents pour travailler tous les soirs ces questions avec Wei, savait que, comme lui, ils étaient bons dans toutes les nages, mais qu'ils n'étaient pas des spécialistes du papillon et du crawl. Il devait donc les lâcher dès le départ en papillon, tenter de maintenir l'écart sur les deux cents mètres suivants puis terminer avec sa supériorité en crawl.

— Au 50 papillon, Dara vire en 26,87, ce qui va très vite. Clark a viré en 27,91... Virage au 100 papillon, Dara est en dessous du record du monde de 1,95 seconde, ce qui est énorme. Il a mis au virage près de deux mètres à Clark. Enchaînement en dos, Dara est bien en ligne...

Mykio n'était pas encore assez fatigué pour craindre une crispation et il voulait creuser son avance sans trop souffrir pour aborder la brasse avec sérénité. Il vira à mi-course un mètre cinquante devant Clark qui était en seconde position.

— 1 minute 2,87 secondes au 100 dos. Maintenant, on va voir ce qui se passe, lâcha Michael Rooses, qui vit Mykio faire sa coulée de 15 mètres et ressortir dans une brasse longue, au style traditionnel, avec une faible sortie d'eau du corps.

— Il ne nage pas comme à sa finale du 200 brasse avant-hier, nota Tom Douglas. Il évolue en amplitude avec de longues coulées, on pourrait croire qu'il fait de l'ondulation sous l'eau.

— Si c'était le cas, il serait disqualifié. Regarde comme c'est beau, Tom. William ne parvient pas à le rattraper. C'est incroyable, il ne semble faire aucun effort.

— Un nouvel exploit pour Mykio Dara qui vire au 100 brasse en 1 minute 11,05 secondes, et un mètre cinquante devant Clark. Le crawl ne devrait pas poser de problèmes à Mykio !

Clark ne doit plus avoir le moral, se dit Mykio en virant pour le 100 crawl. Je tiens mon avance sur les soixante-cinq mètres et j'attaque. Il boucla son 100 mètres nage libre en 57,65 secondes tandis que les dix-sept mille spectateurs de l'Aquatic Center étaient debout et l'ovationnaient. Le speaker annonçait un nouveau record du monde sur la distance en 4 minutes 7,92 secondes.

— On a un mot sur les lèvres, Michael, nous n'avons pas encore osé le prononcer, mais il est sur toutes nos bouches... Dara n'est-il pas le plus grand nageur de l'Histoire ?

— Je comparerai ses exploits d'hier et d'aujourd'hui à un état de grâce, comme le saut de Beamon à Mexico en 1968. N'oublions pas Johnny Weissmuller et son record du 100 libre qui a duré vingt-cinq ans, un quart de siècle !

En plein centre de Pékin, Hehnrick recevait Norman Hertz dans un salon du dernier étage de l'Hôtel Palace.

— Qi m'a demandé un produit qui nécessite que je lui livre de l'*Hypoglophyse retard*, expliquait Hertz.

— Où est le hic ?

Hertz était sollicité par Qi. Quoi de plus prévisible ? Qi avait bien retenu que l'hormone hCG était sécrétée par le tissu du placenta. On ne la produisait qu'à partir de l'urine de femme enceinte. Elle favorisait l'ovulation chez la femme et la production de testostérone chez l'homme. L'*Hypoglophyse* était un stimulateur de production hormonale de type hCG. L'*Hypoglophyse* dite *retard* appartenait à la dernière génération de molécules exogènes «intelligentes». Elle provoquait des sécrétions pulsées. Un mécanisme original : les à-coups de sécrétion maintenaient un niveau de sécrétion maximum tandis qu'une imprégnation continue non pulsée inhibait cette sécrétion. On pouvait ainsi programmer l'évolution du traitement ou du dopage.

De produits en produits, les Chinois commençaient à fouiller les fonds de tiroirs.

— Sous quelle forme la veulent-ils? demanda Hehnrick.

— Ils cherchent un processus qui ne laisse aucune trace sur les cibles. Une injection intramusculaire est localisable et datable. La bonne dispersion de cachets dans le sang, d'une gélule, d'un liquide, reste aléatoire. Et dans la plupart des cas, l'assimilation peut être remarquée. Il ne restait que le suppositoire. Il m'a dit que ce serait parfait.

— Qui veulent-ils doper?

— L'*Hypoglophyse retard* n'a aucune vertu anabolisante chez la femme. Transmise à l'homme, c'est une tout autre affaire.

Hehnrick tiqua. Les stimulateurs de production hormonale étaient traqués par les autorités sportives partout dans le monde. L'*Hypoglophyse* en particulier permettait de décliner tout un tas de cochonneries. L'*Hypoglophyse retard* était un traitement expérimental non encore autorisé aux États-Unis. Vraiment Hertz lui cassait les pieds.

— C'est vous qui leur avez parlé de l'*Hypoglophyse retard*?

— Bien sûr que non, monsieur. Je n'ai même pas évoqué le nom. Mais c'est ce qu'ils veulent.

— Dites-leur que ça n'existe pas.

— C'est à vous de décider, monsieur, répondit Hertz d'une voix molle en souriant gauchement tandis qu'il guettait un signe d'Hehnrick.

Les Chinois étaient en train de préparer un nouveau coup, plus tordu que la contamination de leur sélection. Dans le cas particulier de l'*Hypoglophyse*, Hehnrick se dit qu'il pouvait être rassuré, elle avait une vocation thérapeutique dans la lutte contre les déficiences de croissance. La livrer était légal. Le détournement à des fins illégales par un client n'était pas l'affaire du fabricant. Hehnrick se demanda pendant une seconde s'il était vraiment sûr de cela.

Il fit un geste, chose rare chez lui, sa main alla caresser lentement ses cheveux.

— Risque-t-on une traçabilité vers BFL? demanda-t-il.

— Globomed a créé des molécules présentant la même signature. Chez eux aussi, il s'agit de clés de dernière génération.

— Faites quand même attention, Norman.

— Voilà nos deux héros masculins de la natation, Denis Paterson et Mykio Dara, pour cette finale du 200 mètres papillon. Épreuve parmi les épreuves, n'est-ce pas, Michael?

— Dara mis à part, Denis est un des rares nageurs au plus haut niveau des Jeux qui s'aligne sur le 50, 100 libre et les 50, 100 et 200 papillon. Il a le profil et le potentiel de Mark Spitz. Son absence au 200 libre peut être considérée comme un accident au cours des sélections américaines. Si Dara n'était pas ici, Denis serait au zénith.

— Ça risque d'être sanglant entre eux deux sur ce 200 papillon.

— N'oublions pas le Français Georges qui est l'homme à passer sur cette course.

Denis, très concentré, n'en échangea pas moins quelques mots avec Mykio.

— T'es affûté? demanda-t-il en observant Georges, supposé imbattable.

— Ouais, répondit Mykio.

— Quand je pense que Georges avale des 200 papillon à longueur de journées. Il les a tous gagnés depuis dix ans.

Paterson se dirigeait déjà vers Georges. Mykio le vit taper sur l'épaule du Français de sa manière amicale mais revenir aussi vite.

— Qu'est-ce qu'il t'a répondu? demanda Mykio.

— J'ai pas pu en placer une. Il m'a dit «fais pas chier».

— Il te craint.

— Tu parles... Écoute... Georges, c'est un diesel. Une grosse cylindrée incapable de monter haut en régime. On l'a bien étudié avec Guzman. Il donne tout son jus au départ et continue dans une lente accélération. Aux 150 mètres, c'est un turbo phénoménal. Il a quand même tendance à piocher sur la fin. Je vais le chahuter sur le premier 100 mètres en nageant vite. Avec un peu de chance, il commencera à piocher plus tôt que d'habitude. C'est notre seule chance. Si on le laisse filer, on est foutus.

— Tu tiendras?

— Toi, tu tiendras.

— Mais toi?

— C'est pas ma course... Avec Guzman et les copains on t'a vu flipper à mort avant tes deux finales et gagner... Tu sais, on analyse tout. Ton attitude avant le 100 libre et ta victoire, c'était vraiment très spécial.

— Tu parles de notre victoire, Denis.

— Oui, justement... Regarde Georges... Il nous voit causer et il flippe.

— Si tu veux mon avis, on l'aide à trouver l'énergie qui lui fait défaut en ce moment.

— Non, non, il commence à flipper. Ce gars n'a qu'une course à passer et c'est ingérable.

Les deux grands panneaux vitrés glissèrent.

Les premiers 75 mètres furent un coude-à-coude entre Denis à la 5 et Georges à la 6. Denis vira en tête aux 100 mètres, en dessous du record du monde de deux secondes, un temps éblouissant. Sur cette mi-course, Mykio, troisième, vira un mètre derrière Georges qui était dans le temps du record du monde. Le papillon du Français semblait tourner au ralenti. La piscine était à lui et il avait bien l'intention de finir en solo. Il avait passé Denis aux 140 mètres et était en tête, Mykio dans ses jambes. La confrontation commença aux 145 mètres, avant le virage, moment que choisit Mykio pour lâcher Denis et s'attaquer à Georges. C'était aussi le moment où les muscles et le cerveau manifestaient leur refus d'aller plus loin. Les derniers mètres avant la coulée pour le virage des 150 mètres furent décisifs. Le moral était mis à dure épreuve, car il restait l'ultime 50 mètres. Georges n'avait jamais été menacé sur une dernière longueur. Or, Mykio était calé sur lui. La dernière longueur était pour Georges une donnée technique. Il fallait tenir. Il n'avait jamais fini un 200 papillon au coude à coude. Mykio le lui imposa.

— Le Tibétain ne va quand même pas arriver une seconde fois à égalité! cria Tom Douglas qui voyait Mykio à hauteur du favori vingt mètres avant l'arrivée.

Les bras du Français et du Tibétain tournaient en cadence un mètre devant Paterson. Ils éclaboussaient peu. Mykio fournissait un effort mental constant pour attaquer l'eau sans déjauger, projeter ses mains le plus loin possible devant. Les muscles lui commandaient des gestes contraires : écarter les bras et les sortir plus tôt de l'eau, ce que fit Georges sur les dix derniers mètres, condamné à piocher trop tôt car c'était parti trop vite. Georges arracha de peu la seconde place devant Paterson qui avait résisté au-delà de ses espérances.

Dans sa ligne 4, Mykio se retrouva encadré par Paterson et Georges qui avaient opéré une coulée pour le rejoindre. Les deux vétérans prirent la main du cadet qu'ils levèrent en signe de victoire. Denis et Georges rigolaient comme deux copains. Les trois poings réunis feraient la une de la presse mondiale le lendemain. Ils avaient tous les trois battu le record du monde.

— La camaraderie entre ces trois immenses champions donne aux Jeux olympiques tout leur sens! lança Michael Rooses ému.

— On retrouve l'esprit imprimé par Coubertin, compléta Tom Douglas.

20

Menaces

JO + 6

Il faisait une chaleur étouffante. Ruan, le chauffeur au kaposi, avait posé son blouson sur le lit. Comment Qi arrivait-il à garder son costume et sa cravate ? L'habitude de l'uniforme, pensait-il. Qi était militaire, mais Ruan ne savait pas trop où. D'ailleurs, il s'en fichait. Qi appartenait à la branche armée qui allait renverser le régime. Un gars solide, fêlé. Ruan était fier de travailler pour lui.

Qi remarqua que Ruan s'était remis à transpirer.

— Tu tiendras le coup ? demanda-t-il.

— C'est le foie, Qi. Il commence à être complètement bouffé. J'ai hâte qu'on en finisse...

Ruan souffrait. Qi éprouva dégoût et pitié.

— Tu dois éviter de leur offrir la moindre faille dans ta vie personnelle. Ils auront ta peau...

Yang écoutait le directeur Lin, en songeant à toutes les failles qu'il pouvait offrir. Il en était effrayé. Il n'avait pas imaginé être surveillé un jour. Les feuillets, qu'il avait lus déjà deux fois, lui montraient combien il avait été imprudent. Tout était vrai. Il était allé plusieurs fois dans la boîte de karaoké *Love* sur Dongdan Beidajie avec des amis allemands, puis des amis français de sa petite cousine Wu, qui avait été cadre d'Air China à Berlin et à Paris. Il avait parlé de son métier sans prendre garde. Heureusement, pas de politique. De ce côté-là, il pouvait être tranquille. Il ne se rappelait pas avoir dit un mot suspect aux étrangers. Il en était à peu près certain. À peu près...

Lin se concentrait. Il était tout aussi perturbé que Yang.

— Tu fréquentes des contestataires ? demanda-t-il.

Yang répondit non, mais il se ravisa.

— Ma copine Suekin vient d'adhérer au Nouveau Réveil du Peuple, avoua-t-il. Il s'agit d'un groupe de réflexion constitué par des jeunes communistes. Ils se déclarent respectueux de la constitution et du communisme, fidèles au Parti... Vous pensez qu'ils m'utilisent contre vous, directeur Lin ?

— Je m'interdis de penser de cette manière, Yang. Je devais te mettre en garde car à cette échelle et à ce niveau de la hiérarchie, ils ne laissent rien passer.

Yang s'enferma dans son appartement juché dans un de ces immeubles moroses aux innombrables terrasses en vérandas empilées les unes sur les autres, qui constituaient désormais l'architecture d'habitation la plus commune à Pékin. La matinée était moite et l'atmosphère embrumée. La propagande officielle annonçait que la pollution avait bel et bien disparu et imputait la brume persistante aux sables du désert de Mongolie. Yang croyait aux sables de Mongolie, beaucoup moins à la propagande. Il avait poussé la climatisation à fond, car la terrasse-véranda transformait l'appartement en four. C'était étrange de se retrouver chez soi à cette heure. Comme si son existence était devenue incertaine. Les réponses au questionnaire de la camarade Tong étaient ambivalentes. Il avait refrappé le texte pour voir ce que donnait son premier jet de réponses, avant d'immortaliser sur l'original ce qui risquait d'être un point final à sa carrière. À la seconde lecture, il se décida à appeler Suekin.

— Je t'aime, annonça la jeune voix insouciante.

— Il faut qu'on se voie.

— Quelque chose ne va pas ?

— Je suis chez moi.

Elle portait une salopette blanche, maculée de taches de peinture, qui accentuait son côté effronté. Ses cheveux abondants étaient retenus en arrière par un gros élastique.

— On est en plein travail sur les banderoles pour la manif, expliqua-t-elle, en jetant un regard périphérique sur la pièce en bataille. T'es pas au bureau, Yang ?

— Ils font une enquête sur moi. Ils ont mentionné ton nom dans ce rapport...

Elle saisit les feuillets.

— Qu'est-ce que c'est ?... C'est ridicule, Yang. Papa va régler ça.

Une telle légèreté ! Yang se surprit à avoir un peu peur.

— Ton père ne peut rien faire, dit-il. Le haut commissaire politique Tong est l'œil politique de Liang Chaohua.

Yang décela enfin un signe d'inquiétude.

— Qu'est-ce que t'as fait ?...

— Rien. Je m'intéresse pas à leurs trucs.

— Yang, je pense tout de même qu'on devrait aller voir papa.

— Le directeur Lin a décidé de m'aider, Suekin.

— Oui, mais papa saura ce qu'il faut répondre pour moi. Tu comprends ?

Un peu plus tard dans l'après-midi, Yang fit la connaissance du père de Suekin dans le quartier officiel de Taijichang Dajie, un quartier entier sur dix hectares au centre de Pékin, aussi bien protégé que Zhongnanhai. Le directeur central Yao reçut le jeune officier dans son bureau de la Direction nationale des statistiques. De la baie vitrée, Yang distingua les toits du Comité central du Parti de Pékin. Le bureau de Yao ressemblait à un salon avec une très grande table basse et des canapés club, un vase en porcelaine regorgeant de fleurs. Il y avait l'habituel alignement de photos qui montraient le camarade Yao en compagnie des plus hauts dignitaires du Parti. L'homme avait un front très dégagé, un regard pointu et se tenait très droit.

— Toutes les personnes à qui j'ai parlé vous considèrent comme un policier promis à une brillante carrière.

Ces mots décidèrent Yang à garder son questionnaire dans sa poche. Après tout, ce document était interne au service et le divulguer pouvait constituer une faute. Le père de Suekin semblait du genre à détecter les fautes. Yang n'avait plus trop envie de se confier.

— Suekin m'a indiqué que vous aviez à répondre à un questionnaire embarrassant.

— Les officiers de police sont l'objet d'un suivi politique, directeur Yao. La commissaire politique de l'enquête me réclame des informations sur les activités syndicales de Suekin à l'Université. Les jeunes ont constitué un comité de soutien au Tibétain Mykio Dara. Il s'agit plus d'un fan club que d'une activité syndicale. Il y a toutefois derrière ce comité de soutien des étudiants plus âgés, de dernier cycle. Il m'est arrivé d'accompagner Suekin à des réunions. Il ne s'y disait rien de politique ni de critiquable. J'en atteste dans mon questionnaire.

— En qualité de policier d'élite, vous êtes formé à la détection des propos illégaux.

— Je suis sur mes gardes et je voulais m'assurer que Suekin ne se fasse pas entraîner par des anarchistes, camarade directeur Yao.

— Elle ne m'a jamais parlé de ce Nouveau Réveil du Peuple...

— D'un naturel curieux, je suis allé voir. Ils étudient les nouvelles tendances en Chine, comme le phénomène Mykio, le tassement du karaoké, l'émergence de l'Alternative-Clinic, les nouveaux grands forums d'échanges d'idées sur le Net.

— Vous avez bien fait d'y mettre le nez, camarade Yang. Dans mes instituts, nous étudions aussi les tendances et les évolutions, mais par les chiffres...

La conversation se poursuivit sur des banalités,puis Yang quitta le secteur de Taijichang Dajie en se demandant ce qu'il était allé y faire.

Denis Paterson fixait le bleu de la piscine pour y trouver l'envie de plonger. Son instinct et son expérience lui disaient qu'il allait perdre ce 50 papillon. Les épreuves se succédaient et il n'avait décroché qu'une médaille d'or. Ces Jeux étaient en train de le banaliser. La journée avait été gaspillée dans l'excitation du relais 4 × 200 libre et la débâcle à cause de Dougherty qui ne s'était pas donné à fond. L'équipe était un atout, mais elle s'avérait aussi être un étau. Guzman avait compris au regard de son nageur qui passait devant lui que l'après-midi avait été mal géré. Il avait lâché du lest et les nageurs s'étaient surexcités. La mauvaise performance de Dougherty, l'aîné, avait provoqué le «blues» chez les nageurs mûrs comme Denis. L'angoisse sous-jacente de l'après-compétition. Le pronostic de l'entraîneur était simple : Denis allait perdre et Guzman culpabiliser, car cette défaite serait de sa faute. Il aurait dû calmer le jeu, faire travailler Denis à l'écart ou l'envoyer voir un film au cinéma du Village.

Au son de l'ordre vocal synthétique, Mykio monta sur le plot, en se forçant à ne pas adresser un regard à Denis. Il était trop bien, en harmonie, totalement tendu vers son but. Il ne voulait pas être contaminé par le blues de Denis qui n'avait pas dit un mot dans la chambre d'appel. Mykio sentait bien que les concurrents le regardaient autrement et que les bilans, les décomptes des médailles commençaient à être établis par les coachs, la presse, les sponsors, les fédérations. Il avait conscience qu'il incarnait en fait un grand péril dans la carrière de Denis.

Il arracha l'eau dès la fin de sa coulée. Rien ne lui indiquait qu'il était devant avec l'Anglais à la ligne 6.

À dix mètres du but, l'Anglais entrevit, à sa dernière sortie de tête, seuls, les bras de Dara à sa hauteur. Il ressentit le choc de pouvoir gagner cette course et son corps se disposa à tout donner, alors qu'il était déjà en puissance maximum. À cet instant, l'Anglais commença à piocher au lieu de maintenir fermes ses appuis, ce qui lui fut fatal. Mykio toucha le mur le premier devant l'Australien qui s'était fait oublier à la ligne 7 et venait d'accomplir un sans faute. Au toucher de mur, Denis Paterson souffla le bronze à l'Anglais, qui aurait remporté l'or s'il ne s'était pas mis à fantasmer sur les derniers mètres.

— Quelle passe d'armes! Ceux qui disent que la natation est un sport d'autistes n'ont rien compris! s'exclama Michael Rooses, aux anges.

21

Chocs

JO + 6

Qi était assis à l'avant à côté de Ruan. Le dénommé Goo était à l'arrière.

L'Opel bleue aux couleurs du comité d'organisation des Jeux s'arrêta devant la guérite de contrôle. Qi exhiba une carte de la sécurité sur laquelle il était accrédité comme capitaine de la police des manifestations et émeutes et il plaça le code-barre de son passe devant le lecteur. Le feu vert clignota. La barrière se leva.

L'Opel roula jusqu'à la Cité Mauve. Ruan la gara sur le parking. Il était 21 heures. Le programme prévoyait que Numéro 1 et Numéro 2 ramènent le Tibétain dans son appartement à 21 h 30.

À la Cité Mauve, Mykio était trop concentré pour entendre quoi que ce soit. L'analyse de ses demi-finales commençait chaque soir sous la douche de son appartement. Il se concentrait sur l'aspect technique de chaque course et tâchait d'en tirer les premières leçons utiles aux finales du lendemain. Était-il monté en puissance trop tôt ? Pouvait-il accélérer encore ? Était-il parti assez vite ? Partir plus vite endommagerait-il son alimentation musculaire? En général, il sortait de la douche avec des idées assez précises et une flopée de questions, que l'examen des films des demi-finales allait résoudre. Venait enfin la discussion technique avec Wei et Pema Zhu qui avait toujours du bon sens. Ce travail de l'après course occupait largement la fin de soirée. Avant de s'endormir, il s'essayait à une visualisation créative des enjeux du lendemain.

Il entendit un bruit sourd du côté de la porte d'entrée. Fichu Wei, toujours en avance!

À travers la vitre embuée, il crut l'apercevoir. Rien d'anormal, Wei avait la clé magnétique. Mykio se dit que le coach allait insérer le DVD dans le lecteur. Il agissait toujours ainsi. Mais il y avait avec Wei un autre homme, plus grand et plus maigre que Pema Zhu. Mykio crut ensuite voir une silhouette qui tirait une lourde masse ressemblant à un corps. La silhouette disparut et resurgit en tirant un second corps.

Mykio ouvrit la porte vitrée.

Les trois hommes étaient habillés en techniciens du Village. Le premier, qui portait de grosses lunettes noires, pointa une arme sur lui. Mykio reconnut les dépouilles de Numéro Un et Numéro Deux dans un sale état. Numéro Un donnait encore des signes de vie. Il lâchait des sons inaudibles. Le tueur maigre, celui qui avait la plus mauvaise tête, l'acheva à bout portant. Numéro Un rendit un râle.

— Habille-toi!... Rapplique! intima le meneur d'une voix tranchante en lançant à Mykio une salopette de technicien.

Les caves de la Cité Mauve débouchaient sur une galerie qui reliait les quartiers du Village olympique aux unités d'approvisionnements. L'escalier de secours menait à un parking où étaient garés une dizaine de fourgons électriques semblables. Qi identifia avec un bipeur le véhicule consigné pour l'opération. Les phares clignotèrent.

— On embarque ! lança-t-il, en enfonçant son arme dans les reins de Mykio.

Au bout de quatre minutes, ils arrivèrent dans la zone de livraison de Voiles du Ciel, le quartier américain. Ruan et Goo sortirent du fourgon un réfrigérateur d'un mètre cube qu'ils placèrent sur un diable. Goo poussa le chargement derrière Ruan et Qi qui encadraient Mykio. Ils s'engouffrèrent dans le couloir des livraisons de Voiles du Ciel.

Au quatrième étage, Ruan enfonça à nouveau son arme dans le dos de Mykio tandis que Goo faisait rouler le réfrigérateur en dehors de l'ascenseur. Qi inséra une carte magnétique dans la serrure électronique de l'appartement des Meyer.

Il se trouva nez à nez avec Sandra.

— Mademoiselle, appelez vos parents et votre sœur.

Sandra ne tarda pas à comprendre qu'il ne s'agissait pas d'une plaisanterie. Derrière elle, Audrey apparut, torse nu. Mykio qui passait la porte devant un homme armé n'avait pas l'air dans son assiette. Qi fit signe aux deux filles de reculer. Le dernier à entrer fut Goo qui poussait le réfrigérateur. Il le désolidarisa du diable et l'immobilisa au milieu du salon. Ruan en sortit un rouleau de gros scotch et des menottes puis il invita Mykio à aller dans la première chambre.

— Il n'y a personne dans les chambres, cria-t-il après avoir enfermé Mykio et visité la seconde chambre.

— Où sont les vieux ? demanda Qi aux deux filles.

— À une réunion à l'Unité CNO en bas...

Goo sortit du réfrigérateur deux éponges. Il en lança une à Qi et ceintura Sandra en lui plaquant l'éponge d'éther sur le visage. Qi fit la même chose avec Audrey. Les deux jeunes femmes sombrèrent sans avoir le temps de résister. Goo se précipita dans la chambre où Mykio avait été enfermé, son éponge à la main. Il y eut un tumulte puis le silence. Goo ressortit.

— Ils dorment, dit-il en regardant les deux filles endormies sur la moquette.

Ruan se pencha et il tira le pantalon de survêtement d'Audrey jusqu'aux genoux.

— Retourne-la! intima Qi qui avait sorti un suppositoire de sa poche.

Il fit sauter la protection plastique du suppositoire, se pencha sur Audrey, mais hésita.

— Est-on certains que c'est la nageuse?

— C'est vrai qu'elles se ressemblent, dit Goo.

— J'les savais pas métisses, murmura Ruan admiratif.

— Tu lis pas les journaux?

— On pourrait examiner leurs pieds, suggéra Ruan.

— Tu t'intéresses aux pieds, maintenant?

— La nageuse doit les avoir plutôt lisses, la sprinteuse doit les avoir rugueux.

Ruan guetta l'assentiment de Qi puis il enleva les chaussettes. Il examina les pieds. D'étranges sensations.

— La nageuse, c'est elle! trancha-t-il en montrant Audrey du doigt.

Qi se pencha, mit le suppositoire. Goo porta Audrey dans la seconde chambre et l'étendit sur le lit à côté de Mykio. Puis, il alla prêter main forte à Ruan pour attacher Sandra au frigo.

De son côté, Qi alla dans la chambre des parents Meyer avec une mallette extraite du réfrigérateur qui contenait un ordinateur portable, une caméra et un moniteur. Il posa le portable sur la table de maquillage, fit ses branchements et alla installer la caméra dans la chambre où dormaient Mykio et Audrey. De retour dans la chambre de Dieter et Cora, il prit soin de bien refermer la porte, avant d'extirper de la poche extérieure de la mallette un uniforme des commandos antiterroristes qu'il alla cacher au fond du placard. Il était inutile de rappeler à Ruan et à Goo qu'il allait seul sortir vivant d'ici.

Ces préparatifs achevés, il alluma son ordinateur et se brancha sur internet.

Le groupe d'intervention antiterroriste attaché au onzième corps d'armée basé à Pékin rejoignit la place Tang Lingsheng au centre du Village olympique, à la croisée des cinq avenues. Dans le bus de commandement en tête du convoi, le chef des opérations, un général-major, était penché sur l'épaule de son officier des transmissions. Les enregistreurs se mirent à clignoter alors que les haut-parleurs commençaient à diffuser le discours en anglais de l'illuminé qui se réclamait du Mouvement des Cimes.

> *... Nous exigeons que le président Wang Lanqing déclare closes les 29ᵉ Olympiades. Il demandera publiquement pardon et fera preuve d'humilité dans ses propos. Nous ne sollicitons qu'un geste, une attitude humaine. Ensuite, les sportifs impliqués dans ces Jeux rentreront chez eux...*

Qi fit glisser l'e-mail vocal dans la corbeille. Il ouvrit ensuite une nouvelle fenêtre et apparut sur son écran une note technique à l'intention des autorités, où étaient exposées les mesures anti-intrusion pour cette opération : des senseurs muraux, disposés sur les cloisons sensibles à côté d'un bloc d'explosif, et un otage saucissonné à dix kilos d'explosifs. Qi était satisfait. À la première tentative d'intrusion, Sandra Meyer serait la première à exploser.

Dans le salon, ses deux acolytes avaient commencé à tapisser les murs avec du papier de plomb sorti en rouleaux du réfrigérateur.

Le bus de commandement de l'unité antiterroriste avait pris position sur la place Tang Lingsheng, à cent mètres de Voiles du Ciel. Le général-major regardait opérer l'officier des transmissions devant les consoles. L'e-mail vocal des terroristes avait été transmis à l'état-major. L'officier pointa son doigt sur un écran. Les immeubles du Village olympique défilaient en 3D. Une croix rouge clignota sur le haut de l'un des bâtiments du

quartier américain. Il s'agissait du quatrième étage de
Voiles du Ciel.

— C'est de là qu'ils ont émis l'e-mail, mon général.

Le technicien cliqua sur une croix rouge qui s'était
figée. Un numéro de téléphone apparut en bas de l'écran.
Le général-major pianota ce numéro sur son cellulaire.

— Attendez, nom général, dit l'officier des transmissions en pointant à nouveau son doigt sur l'écran.

Les appartements de Voiles du Ciel apparaissaient
en noir, gris et blanc comme si le mur de façade avait été
effacé. Des pigments rouges plus ou moins concentrés
qui flottaient légèrement indiquaient les sources de chaleur. L'immeuble ressemblait à un corps vivant sous
rayons X. Seul l'appartement des Meyer, au quatrième
étage, était opaque, un rectangle sombre. Inerte.

Le général-major rendit compte à l'état-major.

— Nos dispositifs d'observation sonore et thermique
sont couplés avec le logiciel des architectes de la résidence. Nous devrions voir les terroristes et les otages évoluer dans l'appartement. Au lieu de cela, nous avons du
gris statique dû à un parasitage. Ces salauds semblent
connaître nos méthodes.

Le général-major prit ensuite son cellulaire et il
appela le numéro de téléphone affiché en bas de l'écran.

Le téléphone sonna sur la table de nuit. Qi décrocha.

— Nous avons deux otages américains et votre
mascotte tibétaine. Vous trouverez deux clampins refroidis à la Cité Mauve.

— C'est déjà fait. Nous vous prenons au sérieux.

— Vous avez entendu nos ordres. Nous attendons la
déclaration du président Wang. Il a intérêt à se remuer.
Qi raccrocha.

Le troisième homme, Goo, s'était enfermé dans les
toilettes. Il avait mis la ventilation à fond pour ne pas être
entendu. Il n'avait d'yeux que pour le couvercle de la
cuvette. Pas question de perdre un grain. Il avait ensuite
déversé la poudre sur la surface blanche. Les gros grains

devaient donner pas mal de poudre. Sniffés en l'état, ils se colleraient contre la paroi nasale où ils deviendraient un grumeau mou, neutralisé au milieu des glaires. Ce grain écrasé pourrait donner une centaine de particules volatiles qui iraient se coller sur les zones sensibles jouant le rôle d'émetteurs vers le cerveau. Il façonna la poudre en une ligne de quelques centimètres. Il extirpa de sa poche une carte de visite qu'il roula en paille et l'introduisit dans sa narine droite. La dernière opération l'obligea à s'agenouiller. Dans ce réduit, sa corpulence lui imposa un exercice de contorsion qu'il effectua mécaniquement après avoir expiré et bloqué sa respiration. Plus rien ne pouvait l'arrêter. Il tira la chasse pour couvrir le bruit et il inspira lentement, l'index de la main gauche sur la narine gauche, tandis que sa main droite tenait la paille fourrée dans sa narine droite. La poudre disparut comme un tas de poussière dans un aspirateur.

« AAHHH !... »

Il tira la chasse pour couvrir un second reniflement indispensable à la bonne dispersion dans l'organisme du produit miraculeux. Il ressentit alors une vague inquiétude pour gérer la suite : les otages, Qi et Ruan... Il aurait donné n'importe quoi pour être seul et prendre son plaisir... Bon, il allait mener ça très bien. Un enthousiasme serein le gagnait. La cocaïne savait y faire. Il profita du bruit de l'eau qui coulait pour inspirer un peu plus. Il passa ses doigts mouillés sur son visage et principalement sous son nez, car le problème de ce produit c'était qu'il dégageait une sale odeur de benzène. Puis il sortit en prenant garde à ne pas trop s'approcher de ses camarades.

Ruan descendit de l'escabeau, jeta par terre le rouleau de scotch et ce qui restait de feuilles de plomb.

— Viens ici, mon gros, dit-il à Goo.

Goo vit Ruan pencher la tête en plissant les yeux, comme pour mieux le scruter.

— T'y as touché ?

— Non...

— T'es resté un sacré moment aux chiottes et tu as tiré la chasse trois fois... Tu pues le benzène...

— Ce sera plus facile pour nous, Ruan... Tu te sentiras mieux.

— Tu crois?

— On est déjà shootés aux amphés, Ruan.

— C'est de la pharmacie, pas de la drogue.

— Ce sera comme si tu prenais de la morphine. Je souffre de te voir comme ça...

Ruan porta sa main sur son côté droit. Une poussée de douleur. Une anxiété.

— Et Qi?

— À mon avis, il s'en fichera...

— T'as raison. Ce qui l'intéresse, c'est qu'on crève tous...

— J'ai peur d'une seule chose, Ruan. Tu vas rentrer dans ton tunnel.

— Je te jure que je me contrôlerai...

— On finit la tapisserie, Ruan. Après, on s'éclate.

— Bon dieu, j'en ai envie. Tu peux pas savoir... J'ai l'impression d'en avoir pris... C'est puissant. Je crèverai, mais il m'en faut.

— Écoute, continue le boulot, moi je vais te préparer un petit truc aux toilettes.

— J'ai envoyé là-bas le camarade ministre Deng, annonça Liang Chaohua aux cinq membres du Comité permanent réunis à Huairentang.

— Comment a-t-on pu laisser entrer des terroristes sur le site? demanda Wang Lanqing.

— Tu dois répondre, intima à son tour le procureur Chen dans la direction de Liang.

— Je vous rappelle, camarades, que la sécurité du périmètre est sous la responsabilité de la police de Pékin, qui elle-même prête main forte au service de sécurité du comité d'organisation des Jeux, qui de son côté a sous-traité à des sociétés étrangères. Les organisateurs de ces

Jeux ont voulu écarter nos contingents de la Sécurité intérieure basés à Pékin pour des raisons, je dirais... esthétiques. Nous avons eu l'occasion d'évoquer ces questions et je me suis amplement exprimé là-dessus ces dernières années.

— Il est vrai que le camarade Liang a mis en garde le Bureau, admit Li Feng.

— Je ne tente pas de me défausser sur le gouvernement de Pékin. Il a dû traiter avec des organismes privés de sécurité n'appliquant pas nos méthodes, argumenta Liang Chaohua sur un ton d'excuses. Ils cherchent des bombes au lieu de s'intéresser aux individus suspects. Ces criminels n'ont eu aucun mal à se jouer d'eux.

— C'est la deuxième fois qu'un tel incident se produit, dit le procureur Chen qui faisait allusion au balayeur de Shigatsé.

— Mon opinion est que, s'ils assassinent Mykio Dara, le pays entier sera en deuil. Mykio Dara sera alors un nouveau héros de la Chine, le pays sortira meurtri mais grandi, les Jeux se poursuivront avec les larmes de notre peuple, lâcha le vice-président de l'Assemblée du peuple en charge de la doctrine du Parti, qui venait de dire en quelques mots ce que chacun pensait.

— Sauf si ce deuil est provoqué par une intervention de notre police, précisa Liang Chaohua.

— Nous dirons que nous avons attendu car nous voulions sauver les otages, appuya Li Feng.

Wang, dans son inquiétude, était apaisé. Le pire avait été évité : un assaut brutal.

— Où est Qi? demanda Goo à Ruan qui venait de sortir des toilettes.

— Dans la chambre avec le Tibétain et la fille. Il leur file les amphés et règle sa caméra.

— OUUUH! C'est bon... Dis-moi, Goo, avec les amphés et l'ecsta y vont baiser.

— Si tu veux mon avis, la nageuse commence à mouiller.

— Moi aussi.

Il se sentait très bien et Goo aussi.

Le téléphone sonna une seconde fois. Qi décrocha.

— Quoi encore ?

— Vos demandes ont été communiquées au pouvoir central actuellement réuni à Zhongnanhai. Comme vous avez pris la liberté de vous attaquer à des ressortissants américains, nous devons associer les autorités de leur pays aux discussions que nous menons avec vous.

— Nous ne discutons pas !

Qi raccrocha.

Dans la chambre, Mykio sentait à côté de lui la respiration saccadée d'Audrey. Il lui avait pris la main et écoutait à travers sa paume et ses doigts chauds les palpitations des veines. Il percevait les siennes aussi dans sa poitrine, qui battaient tranquillement comme un tambour pendant la veillée d'armes. Il ne se demandait plus pourquoi on les avait isolés dans la chambre des parents Meyer. De son côté, Audrey n'était plus en état d'être effrayée. Ses traits s'étaient adoucis, son regard détendu. Envahie par une étrange langueur, son souffle était un appel. Ses pupilles élargies ne se lassaient pas de regarder les larges mains bien formées, avec ces veines gonflées de vie, qui lui massaient le poignet, remontaient sur l'avant-bras, les doigts qui circulaient et se nouaient, le pouce de Mykio qui exerçait de délicieuses pressions et dansaient sur elle avec force et douceur. Des milliers de sensations étranges lui travaillaient la peau. L'air était du feu. Elle ne sut comment elle se retrouva sous la douche à se savonner avec le gel que lui avait tendu le sinistre ravisseur. À vrai dire, plus rien ne lui semblait étrange.

Pour Qi, Mykio et Audrey étaient des sujets d'observation, comme des rats de laboratoire. La sibutramine, l'alcool, l'endopamine avaient causé l'effet voulu. Il les observait sur son moniteur vidéo en imaginant sous leurs crânes l'accélération des influx nerveux se muant en messages chimiques voyageant à travers les synapses d'un neurone à l'autre. Dans ce cas précis, la recapture de la dopamine et de la sérotonine au niveau des synapses avait été bloquée, d'où une concentration de ces enzymes du plaisir dans les synapses cervicaux. La libido de l'un et de l'autre, exacerbée par les produits, permettrait de les voir copuler sous peu.

— Ils vont baiser ? demanda Ruan dans le dos de Qi.

Les athlètes étaient beaux et Ruan aimait observer leur nudité.

Audrey ne se cachait pas et semblait exhiber son corps nu au Tibétain. Celui-ci avait saisi un pied, que bizarrement il s'était mis à lécher, puis il le massa, remonta jusqu'au mollet de la jeune fille, embrassa sa toison. Elle se laissa masser les tétons qu'il semblait tirer. La langue du sujet s'enfuit ensuite dans la jeune femme, tandis qu'un doigt la caressait paisiblement. Toute pudeur avait disparu chez l'un et l'autre. L'effet était inespéré.

— Je ferai l'examen médical de la fille, confia Ruan, question de voir ce qu'il a foutu en elle.

— Calme-toi, Ruan, intima Qi. Il faut attendre que l'accouplement produise chez elle la sécrétion hormonale et chez lui les démangeaisons propres à la surdose d'hormones femelles. C'est lui notre sujet.

En parlant, Qi observait sur son écran les segments du nageur. Il n'y avait pas de doute, les dimensions segmentaires étaient celles d'un athlète de haut niveau. Il devait chausser au moins du 52 et ses mains étaient de véritables battoirs. Il ignorait que les montagnes orientales pouvaient produire de tels spécimens. La fille avait des jambes aussi longues que le Tibétain.

— Il serait intéressant d'examiner la sœur, songeait Ruan, saisi par de nouvelles envies.

Il alla dans la salle de bains avaler un verre d'eau pour hydrater sa bouche.

— Tu sais, c'est quand même triste de foutre en l'air le Tibétain, marmonna-t-il en revenant.

— Que veux-tu dire ? demanda Qi.

— Ce Paterson et toute l'Amérique allaient boire le bouillon. C'est nul d'arrêter ça.

— Wang va boire le bouillon, Ruan. Le système politique qui t'a refilé le Sida va crever.

— T'as raison, qu'ils crèvent.

Mykio se réveilla. Sur sa peau circulaient des fourmillements qui fusaient vers les zones les plus sensibles en émettant de petites décharges. Tout son corps était électrisé. Il remarqua que sa main était refermée sur le poignet d'Audrey qui enserrait sa jambe droite avec ses deux cuisses. Il resta ainsi immobile à lui caresser le dos avec sa main libre. Elle dormait profondément. Ils ne faisaient qu'un. Ils étaient menottés. La chaîne passait derrière un barreau du lit. L'image de Jihong, même lointaine, n'apparut pas. Le noir de la chambre était un bleu profond. Il s'y noyait avec délice et vertige.

Bien plus tard, le temps ne comptait plus, il vit la porte de la chambre s'ouvrir. Le meneur apparut. La silhouette menaçante dans l'entrebâillement de la porte ne lui faisait plus peur. Il était même prêt à discuter avec cet homme. Il se sentait bien.

— Nous négocions avec ton gouvernement. Habille-toi, entendit-il.

Qi lui lança un short et un polo de Dieter Meyer pris dans un tiroir puis il s'approcha, déverrouilla la main menottée de Mykio et referma la pince sur le poignet d'Audrey.

— Mon... gouvernement ?

Ruan apparut dans l'entrebâillement de la porte. Il inspira fortement et sentit monter en lui énergie et enthousiasme.

— Vous êtes un tas d'ordures, lâcha Mykio secoué par une forte houle qui montait de son abdomen.

— Tu parles d'ordures ?... Regarde-moi bien, lança Ruan qui s'était approché. Jette un œil sur ces croûtes...

Il releva son tee-shirt.

— Tu vois, il y en a partout… Je suis en train de crever. J'étais plus beau que toi. Il y a en Chine des centaines de milliers de transfusés qui y passent en ce moment. Les gouvernements municipaux, les Provinces, l'État, s'en foutent et continuent à écouler le sang vicié.

— Explique-leur ça au lieu de péter les plombs, répondit Mykio en enfilant le short et la chemisette de Dieter Meyer.

Il se sentait étonnamment lucide.

— Tu devrais être des nôtres, maugréa Ruan soudain fatigué.

— Tu es gouverné par la colère. Tu souffres.

— Tu me vois, dit-il en se découvrant de nouveau le torse. Est-ce que j'ai le choix ?

— Le choix est devant toi. Audrey et sa sœur y sont étrangères. Libère-les.

— Dans d'autres circonstances, nous serions tes supporters. Nous serions venus avec les copains et les banderoles TIBET ! MYKIO DARA ! annonça Ruan brusquement régénéré après deux brefs reniflements.

Qi s'interposa. Ces deux illuminés pouvaient devenir potes.

— Wang doit mettre fin à ces Jeux. Va lui expliquer. Tu es libre.

— Avec Audrey et Sandra ! cria Mykio.

— Tire-toi ! cria à son tour Ruan pressé de retourner s'emplâtrer les narines.

Cette discussion l'avait épuisé. Il laissa Goo et Qi maîtriser le Tibétain devenu fou qui se retrouva à moitié habillé dans le couloir.

Les soldats et policiers venus réceptionner Mykio sous le porche de Voiles du Ciel s'arrêtèrent à deux mètres et l'encerclèrent. Ils gardèrent leurs distances, comme si le jeune homme était une grenade dégoupillée. Scène inattendue pour un Tibétain. En général, dans de semblables circonstances, les forces de l'ordre prenaient moins de précautions, ses frères finissaient en charpie.

22

Délires

Son sexe, ses seins, ses cuisses appelaient d'autres effusions. Les amphétamines étaient longues à se dissiper, mais elles n'empêchaient pas Mykio de réfléchir à sa situation. Que contenaient les pilules que lui avait fait avaler Qi? Devait-il ou non accepter le test demandé par le général-major et le vice-ministre? Ou bien attendre le moment normal des tests, l'après-compétition du soir? Était-il seulement en état de concourir?

Le vice-ministre à la police dépêché par Liang Chaohua lui adressait régulièrement un coup d'œil signifiant: alors, tu te décides? En définitive, il demanda qu'on le conduise auprès de Mlle Wang Shan.

Blasé de tout pour avoir été éligible au prix Nobel à deux reprises, le professeur Lei ne fut pas surpris par la convocation chez le président Wang au milieu de la nuit, mais par la présence chez son illustre hôte d'un grand gaillard qui avalait un plat de spaghettis en sauce. Le président observait son jeune convive en fumant tranquillement un cigare. Wang Shan assise à côté de son père feuilletait un magazine. Un fond de musique de Sanxun berçait la pièce. Wang expliqua ce qui était arrivé à Mykio.

— Il m'a dit avoir été drogué, confia Wang Shan.

— Nous allons examiner ce garçon. Je vous dirai ensuite ce qu'il en est, Excellences.

— Il y va de l'intérêt de la nation, camarade Lei.

Wang se tourna vers Xun pour lui ordonner de suivre Mykio et de l'assister en tout. Il fit appeler son second garde du corps, le commandant des Forces spéciales Che Pufeng.

— Tu vas escorter et protéger cet enfant comme moi-même, ordonna Wang. Un dernier point, professeur, il doit se reposer. Xun, tu veilleras sur son sommeil.

— T'es sûr que Qi va s'en aller sans faire le ménage ? demanda Goo à son compagnon.

— Tu crois qu'il a vu qu'on se sert ?

— J'ai pas l'impression, mais ce gars voit tout. N'oublie pas, c'est une machine à tuer.

Ruan réfléchit.

— T'as raison, si j'étais lui, j'achèverais ma mission, puis je buterais tout le monde.

Ruan renifla. Le produit lui donnait de l'inspiration. Il avait une lucidité nouvelle sur les événements. À son tour, Goo inspira un bon coup et se leva pour se diriger vers les toilettes.

— Reste ici, j'ai la trouille, Goo...

— J'en ai pour une minute.

— Non, ne me quitte pas...

— Tu deviens parano, Ruan.

— Imagine le contenu des sachets sur cette table. Un beau paquet à notre disposition... On n'aura plus à se cacher pour aller sniffer au compte-goutte.

— Tu as peut-être raison. Ensuite, on pourra consommer le tas tranquillement avant de partir. On fera tout ça comme on veut.

— Oui, à notre manière, Goo...

Ruan songea au tas ocre. L'Américaine menottée

par les poignets à la grille arrière du réfrigérateur lui donnait des idées plus précises.

Wang Lanqing fut tiré de sa somnolence par le téléphone de sa table de chevet.

— Notre laboratoire de l'Unité 301 a effectué les prélèvements et les analyses sur Mykio Dara, camarade président, annonça le professeur Lei. Ces dernières révèlent une progression anormale du taux de testostérone et une production hormonale atypique dans son sang. Nous avons aussi localisé une inflammation au niveau de la glande hypophyse qui produit les hormones et se trouve dans le cerveau, sous l'hypothalamus. La glande de Mykio est congestionnée, en suractivité hormonale. Nous traçons ces dérèglements mais nous ne pourrons empêcher qu'il apparaisse positif aux tests du CIO... Il y a autre chose, camarade président. Le président de la Commission médicale du CIO a fait appeler l'hôpital et il exige que l'on pratique un test antidopage. Une équipe est arrivée dans ce but. Ils disent que si Mykio est soustrait aux tests, il sera disqualifié.

— Qui leur a dit où le trouver ?

— La presse. Elle grouille de partout. Ils sont un millier devant l'hôpital.

— Que fait-il en ce moment ?

— Il dort.

Wang raccrocha. Il demanda à Xun de se débrouiller pour joindre Della Serra. Dix minutes plus tard, les deux hommes communiquaient. Le président du CIO expliqua qu'un test antidopage dans ces circonstances était incontournable. S'y soustraire était une grave infraction. En revanche, s'il s'avérait qu'il avait été dopé pendant son kidnapping, il serait lavé de tous soupçons et garderait ses médailles.

Wang rappela le professeur Lei et il autorisa le test antidopage.

— Tu vois, Ruan, j'imaginais une vraie bataille, un sacrifice. Un feu d'artifice final. Pas un abattoir.

Ruan aimait bien Goo, mais y aurait-il assez de cocaïne pour eux deux ? Et puis ce qu'il allait faire à l'Américaine accrochée maintenant à la grille d'aération n'était pas vraiment compatible avec Goo. Ruan commençait aussi à entrevoir des scrupules chez Goo qui allait devoir sacrifier un corps en bon état qui fonctionnait encore. Oui, Goo allait avoir du mal.

Dans la chambre, Qi s'était assis à côté d'Audrey, menottée sur le lit. Les stimulants neuromédiateurs avaient cédé le pas au sommeil. Elle se sentait glisser. Sandra, Mykio devaient être morts. C'était son tour. Elle voyait l'arme dans la main de Qi, elle fixait le plafond. Des pensées floues lui traversaient l'esprit sans l'effrayer. Elle sentait en elle l'odeur puissante du sexe, de l'amour.

Qi choisit la nuque, souleva les cheveux, et d'une main, il lui tourna la tête. Elle se laissa faire. Il posa le canon de telle manière que la balle traverse le cerveau et ressorte par le front. Il plaça son index sur la détente.

— Tu t'amuses à quoi ?

— Je fais ce qui est prévu, Ruan.

— On a oublié dans notre communiqué les populations victimes des trafics sanguins.

— Qu'est-ce que tu racontes ?

— Le Tibétain m'a mis un pétard sous le crâne, Qi... Et y a quelque chose qui t'échappe...

Qi se retourna et il vit la main gauche de Ruan se porter jusqu'à son visage d'une blancheur extrême. L'index tapotait la narine. À cet instant, le canon du Luger de Qi s'éloigna de la tempe d'Audrey et pivota vers Ruan. Qi vit le bras maigre, la main osseuse et le gros revolver pointé sur lui puis l'index de Ruan appuyer sur la détente, tandis que le sien se durcissait pour exercer sa pression, trop tard. Son corps soudain mou chavira, s'affaissa sur Audrey. Il n'entendit pas le dernier mot de Ruan :

— Je la veux vivante...

Le Luger de Ruan pivota ensuite de trente degrés.

— Je suis dans mon tunnel, avoua-t-il malgré lui à Goo qui sortait des toilettes.

Il n'avait pas le courage de lever son arme contre son pote. Mais son arme était déjà levée. Son bras pivota de dix petits degrés vers Goo. Une légère pression sur la détente. Il voulait vraiment être seul. Il appuya.

Le téléphone sonna. Quelqu'un lui parla en anglais. Il tendit l'appareil à Audrey, se fichant de ce qu'elle pouvait raconter. Audrey ne put émettre un son. Ruan poussa le cadavre de Qi qui la recouvrait à moitié. Le corps bascula au bas du lit.

Ruan sentit que ses mains étaient mouillées. Il toucha les draps puis porta sa main sur le bas-ventre d'Audrey. La fille avait mouillé le lit.

— Allô!... C'est Aldo, Audrey.

— Je vais mourir!

— Non, Audrey, nous sommes là. Nous travaillons avec les autorités chinoises. Les provocateurs veulent des choses simples.

— Ils sont fous!... Aldo!

Le psy entendit ensuite un sanglot. Puis une autre voix au débit bizarre. Les mots sortaient hésitants, machés.

— C'est Ruan... Aldo!... Fais venir Wang Lanqing, sinon... je t'envoie les... deux filles par la... fenêtre.

— Le professeur Lei, en ligne, Excellence.

La voix du scientifique était un ton plus haut et le débit plus rapide qu'à l'ordinaire.

— En fait la sécrétion atypique d'androgènes et de testostérone est stimulée par la présence dans l'organisme du garçon de gonadotrophine chorionique humaine naturelle. Par abréviation l'hCG. Il s'agit d'une hormone sécrétée en abondance par le chorion et le placenta pendant les premiers mois de grossesse.

— Ce qui veut dire?

— Transmise à l'homme, elle stimule la production d'hormones par le testicule. Il faut plusieurs jours pour que l'hCG déclenche ses effets et apparaisse aux tests. Ceci montre que Dara a été infecté avant cette nuit et, si on regarde bien l'agenda, avant même le début des Jeux...

— Il a été testé plusieurs fois !

— Dans ce cas particulier, la positivité apparaît à retardement, Excellence.

— Le CIO est-il intervenu sur lui ?

— Oui, Excellence. Ils ont pratiqué leurs tests.

— Flûte ! lâcha Wang.

Les membres de la Commission exécutive du CIO n'avaient pas eu le temps d'aller se coucher.

— Dara répond positif aux tests, annonça le comte Della Serra en raccrochant brutalement le téléphone.

— Le problème est que ce dopage est ancien, précisa Birmingham. Il ne date pas de cette nuit. Il faut du temps pour que ce virus de fabrication laborantine s'installe et produise son effet. La surproduction hormonale, qui est l'une de ses conséquences, ne débute qu'après plusieurs jours. Or, chez Mykio Dara, elle est à plein régime.

— C'est un peu comme s'il était enceinte, plaça Hehnrick d'un air avisé et perplexe, le nez plongé dans les analyses.

— Vos conclusions ? demanda Della Serra, dans un silence de plomb, aux deux responsables des Commissariats antidopage venus rendre leurs conclusions.

— Nous allons devoir conclure que cet athlète est inapte à la compétition. Vous en tirerez toutes les conséquences.

23

Dérives

— Enfin seul! souffla Ruan en contemplant les deux cadavres.

Il était gouverné par de puissantes pulsions et ce qui était merveilleux c'était qu'il allait les réaliser. Pour commencer, il fouilla les poches de Goo pour récupérer les sachets que son gros ami s'était appropriés. Ruan ouvrit un à un les sachets et versa la poudre ocre jaune sur la tablette. Le tas devait bien peser huit grammes. Ruan, qui avait une longue pratique, ne se trompait pas de beaucoup. Assez pour s'en mettre plein le nez pendant des heures et, avec un peu de chance, provoquer l'overdose libératoire. Ruan se fit un double rail de cinq centimètres. Un bon quart de gramme. AAHHH!...

— Les otages!

Il regarda Audrey, s'en détourna, puis enjamba Goo et sortit de la chambre rejoindre Sandra menottée au conduit d'aération. Il s'arma de ciseaux pour s'occuper du chemisier de la championne, puis lui enleva son pantalon de survêtement. Il fit glisser la culotte. Il observa ensuite le corps étiré, les pieds, les orteils. Il aimait les pieds.

Birmingham écouta les dernières explications de ses collègues biologistes, puis tapota sa tasse de café avec sa cuillère. La Commission devrait prendre une décision avant la fin de la nuit.

— Messieurs, les laboratoires consultés confirment que ce virus met plusieurs jours pour atteindre sa maturité et commencer à produire le surcroît d'hormones dues à l'infection.

— L'utilisation d'hCG permet aussi de lutter contre l'effet dépressogène de l'arrêt des stéroïdes anabolisants, précisa Hehnrick. À la fin d'un cycle de dopage, l'administration d'hCG relance la production endogène de testostérone freinée pendant le traitement des stéroïdes hormonaux. Ceci laisse entendre que Mykio Dara ne se dope pas seulement depuis hier...

Parler, expliquer, lui permettait de digérer la nouvelle. Li Feng n'avait pas froid aux yeux. C'était donc bien Mykio Dara la cible. Les analyses pratiquées par le CIO révélaient à Hehnrick un dérèglement dû à l'*Hypoglophyse retard*. Lui seul était capable de reconnaître cette signature. Le dopage habitait le jeune homme comme le sang à la naissance. Hehnrick savait que plus rien ne pourrait sauver Dara de la disqualification.

— Mais pourquoi se serait-il dopé en sachant que cela provoquerait inévitablement son élimination? demanda le vice-président danois.

— N'oublions pas qu'il est Tibétain. Peut-être a-t-il voulu se sacrifier.

— La possibilité qu'il ait été piégé ne doit pas être écartée, rétorqua Della Serra.

— Notre marge de manœuvre est faible, je dirais nulle, puisque nous l'avons déléguée à l'Agence mondiale antidopage, dit Hehnrick. Nous allons sanctionner Dara, tout en sachant qu'il est peut-être innocent.

— Si la Chine a des problèmes, l'Olympisme ne doit pas servir de fusible. Nous avons tout fait pour que ces Jeux se déroulent bien. La bonne foi de Wang n'est peut-être pas en cause, mais il ne parvient pas à tenir ses engagements. Cette prise d'otages le prouve. Ils devaient garantir la sécurité des athlètes. Leurs difficultés deviennent les nôtres, dit le Français.

— Ils nous manipulent, lança un autre membre soutenu par quelques hochements de têtes.

— N'oubliez pas, mes amis, que vous avez été les premiers à soutenir la candidature de la Chine, rappela Della Serra aux collègues qui venaient de s'exprimer.

— En effet, puis l'on s'est acharné à fixer des règles d'une extrême rigidité. Vous avez mis en place une mécanique de sanctions qui ne laisse aucun choix. Si l'on veut rester dans la légalité, il faut éliminer Dara, avança la vice-présidente espagnole.

« C'est votre œuvre, Franco, assumons-la », songea Hehnrick en adressant un regard distant à l'Espagnole.

La police de Pékin avait accepté d'accueillir une camionnette banalisée de l'ambassade américaine, bourrée de matériels de transmission. À l'intérieur, l'ambassadeur des États-Unis et Aldo Servolovitch, le psy de la sélection américaine, un petit homme basané, communiquaient avec le FBI. Sur les écrans s'affichaient les visages des membres de la cellule de crise, réunis à Washington.

— Le ton de la voix a changé. Il mâche les mots... Il est enclin au dialogue avec une espèce de mollesse... C'est une évolution notable dans le comportement...

— Le dénommé Ruan est bien sous l'effet de la drogue, confirma le directeur des évaluations du FBI de Washington DC. En revanche, pour les autres, nous ne savons pas. Combien sont-ils ?

— Nous l'ignorons, répondit l'ambassadeur.

— Qui est le chef ?

— On n'en sait rien, ça change tout le temps.

L'air matinal fit du bien à Hehnrick, qui aimait marcher et avait ressenti le besoin de s'extraire de l'at-

mosphère «air conditionné» et «café-croissants» du dou-
zième étage de l'immeuble du CIO, en haut de la tour de
verre qui fermait au nord l'esplanade centrale d'Olympic Green. Il pénétra dans le hall du Grand Hôtel
Continental encore endormi. Ne logeaient dans ce palace
entièrement neuf, comme d'ailleurs tous les bâtiments
vingt kilomètres à la ronde, que les membres de la
Commission exécutive, les dirigeants des vingt sociétés
sponsor, les invités d'honneur et les quelques débrouil-
lards qui sont toujours là où il faut. Hehnrick avait préféré le centre de Pékin à cause de ses affaires. Il traversa
le hall en se répétant pour la énième fois qu'il ne devait
surtout pas gamberger. Il n'était pas responsable de
l'usage des produits BFL par les clients, surtout quand
ces derniers étaient des gouvernements. Il devait chasser
toute crainte, il n'avait rien fait d'illégal. Non, tout allait
bien. Les réunions entre BFL et les administrations chinoises liées à la santé et aux médicaments avaient été
programmées comme prévu, sauf que Hertz n'avait pas
l'envergure pour aller au bout de l'obtention de ce marché chinois. On ne pouvait pas trop lui en vouloir, il avait
été recruté pour faire fonctionner des usines pas pour
graisser la patte aux dirigeants de ce pays. Hehnrick
reconnaissait toutefois que Hertz s'était plutôt bien sorti
de ses tractations avec Qi. Jiang Yi avait apprécié, les
portes s'ouvraient. Un rendez-vous avec le ministre de la
Santé et la conférence de presse s'organisaient. Il ressentait un léger vertige avec toutes les opérations en cours. Il
y était habitué.

Monté au dernier étage, il sonna à la porte de la
penthouse occupée par son ami Edouard. Voir un visage
amical lui plut. Édouard, le magnat des médias, drapé
dans une robe de chambre en soie assortie à ses chaus-
sons, l'introduisit dans le salon principal. Ils se connaissaient depuis la Harvard Business School où Hehnrick
avait complété ses études scientifiques.

Il demanda un Perrier, puis donna tous les détails
sur le dopage de Mykio Dara.

— Les tests B vont confirmer ce dopage, certifiat-il. Mais attention, Della Serra est soumis à une forte pression de Zhongnanhai qui ne va cesser de s'accroître pendant les prochaines heures. Et ce n'est pas fini... Certains membres du Comité commencent à regretter la nouvelle réglementation. Un clivage s'est formé.

— Tu penses que la majorité pourrait basculer en ta faveur?

Hehnrick ne répondait jamais à des questions directes le concernant. Il laissa filer ces quelques secondes en regardant Édouard avec intérêt. Édouard était à part dans son échelle d'évaluation des hommes. Un original déluré, mais un génie à sa façon.

— Comme toujours, tu m'impressionnes, Peter, dit ce dernier. Tu sais transformer la boue en or. Je porte un toast. Ce fiasco en Chine va impliquer de grands changements, et, espérons-le, influencer l'histoire.

Édouard porta sa tasse de café vers l'eau gazeuse de Peter. Ils trinquèrent.

Ruan laissa libre cours à son imagination. Il fit d'abord absorber à Sandra un cachet d'ecstasy et un peu de poudre – il avait ses raisons –, puis entama les premiers jeux avant de tenter des expériences. Il se servit un peu de tout, fit des va-et-vient vers le frigo de la cuisine, revint vers Sandra avec toutes sortes de choses. Il procéda alors avec douceur puis avec fermeté. La violence viendrait plus tard. Il la fit monter sur une chaise, puis utilisa les divers objets et produits qu'il avait rassemblés. Son cerveau était fertile. Les idées de Ruan se bousculaient, mais revenaient aux mêmes thèmes.

Il profita d'un regain de force et d'enthousiasme pour aller dans la chambre. Audrey dormait.

Il retourna vers Sandra dont les yeux se fermèrent. Bientôt, elle fut au bord des larmes. Ses jolies lèvres tremblaient d'émotion. Ruan, qui remarquait quelque chose, lui fit avaler un second cachet d'ecstasy, puis son attitude évolua. Sandra se mit à pleurer. Ayant perdu la

notion du temps, elle attendait la suite dans un état
proche de l'inconscience.

— Les amphétamines et la cocaïne sont sacrément
efficaces pour chasser les inhibitions! cria Ruan, dans
la direction du cadavre de Goo, comme si son gros ami
pouvait se réveiller.

Les Chinois avaient compris depuis longtemps que
l'appartement des Meyer était sous l'empire de la cocaïne.
Avec les Américains, ils s'étaient alors réunis dans le bus
de commandement chinois. Le psy américain donna son
opinion:

— La cocaïne rend impuissant tout en excitant les
travers pulsionnels. Le cocaïnomane pervers plonge dans
une dérive imaginaire où il sublime sa propre déchéance.
Les autres autour de lui ont de moins en moins d'importance. Il se noue. Lorsqu'il sombrera, il deviendra fragile
comme un gosse apeuré. Il verra des ennemis partout,
mais ne tentera pas de leur résister, il se cachera. Il peut
essayer de fuir, de quitter subitement l'immeuble et se
jeter dans les bras de la police en pleurant au secours.

— Ne peut-il pas aussi se déchaîner autrement?

— À cette heure, il doit être faible, courbaturé. Il est
dans un tunnel où il se fait des nœuds à lui-même. Il est
enchaîné à ses pulsions.

— Il a un flingue et de la dynamite qu'il peut utiliser quand ça lui chante.

— Il ne l'a pas fait depuis maintenant cinq heures.
À mon avis, ce genre d'idée simple ne lui traverse plus
l'esprit. Attendons qu'il tombe tout seul. Il s'est déjà
vanté d'avoir liquidé ses deux complices. La cocaïne le
conduit à saborder ses propres plans.

— Votre avis? demanda le ministre au psy chinois.

— Cette drogue allume un soleil noir. Le sujet
sublime son corps réduit à l'état de déchet. Il aspire à la
destruction physique, théâtrale, mais un théâtre à deux,
lui en face de lui-même. J'ai entendu les mots de Ruan sur
la bande et je partage l'opinion de mon confrère. Le sujet
Ruan est peut-être en voie de se neutraliser lui-même.

Ruan s'occupait de plus en plus de lui puis il revenait vers Sandra qui se mettait alors à chuchoter, à
approuver. C'était comme l'amour, avec une impression
vertigineuse en plus... Il la contempla silencieusement.
Ruan sentit des envies qu'il ne soupçonnait pas, oubliées
depuis longtemps. Il se disait qu'il était comme un
devin : la jeune femme avait les mêmes penchants. Il
reniflait de plus en plus fort. Sandra le guidait et il s'appliquait à recommencer d'une autre manière. Il y avait
maintenant du mou dans ses initiatives. Les doigts anky-
losés de Ruan glissaient. La main non menottée de
Sandra le retint lorsqu'il faillit tomber. À 7 h 25, subitement, il vit des policiers rentrer dans la pièce et il se
cacha. Le téléphone qui sonna lui fit comprendre qu'il
n'y avait pas de policiers.

— Tu deviens paranoïaque ! hurla-t-il, sans savoir
que c'était vrai.

Pris de frayeur, il alla débrancher les explosifs, faillit
tout faire sauter, s'y reprit à trois fois. Épuisé, il alla sniffer une très longue ligne. Ragaillardi comme jamais
auparavant, il retourna s'occuper d'Audrey en songeant
qu'une pendaison à côté de sa sœur pouvait être mar-
rante.

Les lettres MCS de MediasCanauxSports s'entrecroi-
sèrent pour se coller brusquement les unes aux autres. Le
présentateur avait demandé qu'on éteignît le télépromp-
teur. Il regarda les téléspectateurs droit dans les yeux.
Les millions d'âmes collées devant leurs écrans s'attendi-
rent à le voir sourire comme chaque matin. Il resta de
marbre.

— La nouvelle vient de tomber. Dara a répondu
positif aux tests antidopage. Parmi les observateurs qui
voyaient dans ce nageur des aptitudes anormales, figure
notre ami Théodore Bernie qui interviendra dans un instant. Le principal titre de cette matinée est bien sûr la
prise d'otages au sein du Village olympique. Audrey et

Sandra Meyer sont toujours entre les mains de terroristes dans l'immeuble Voiles du Ciel qui abrite la délégation américaine.

En haut du Grand Hotel Continental, le propriétaire de MCS, l'opulent Édouard, sabla le champagne. MCS venait de reprendre la tête de l'audimat. À un kilomètre de là, dans le bâtiment du CIO, Anne-France prévenait la commission exécutive que les résultats A sur Dara avaient filtré. Quelqu'un dans les services ou à la commission avait vendu la mèche.

— Ce quelqu'un peut très bien se situer à Zhongnanhai ou au sein du gouvernement chinois, fit remarquer un membre.

Ruan avait vidé les armoires de ce qu'elles pouvaient contenir en matériel de sport. Il cherchait des cordes et des lanières en plastique ou en caoutchouc. Les deux cordes à sauter des deux jeunes athlètes l'occupèrent pendant un moment. Il coupa les extrémités et fixa les deux cordes au second conduit d'aération, puis des nœuds coulants sur la partie pendante. Ceux-ci étant trop bas, il recommença. Ces exercices de nouages répétitifs ankylosaient ses mains. Au bout d'une heure de nouages répétitifs, il eut une autre idée.

Il y avait une petite modification dans son comportement. Il ne voulait plus simplement forcer ou contraindre sa victime. Sandra devait ne se considérer que comme son simple objet. Elle trahissait des dispositions à l'abandon. Un peu de cocaïne devrait accentuer cet état. La jeune femme sniffa sans se faire prier, puis s'accroupit sur la chaise sans que Ruan le lui demandât. Ruan la laissa dans cette position et retourna récupérer ses cordes et ses lacets. Il voulait maintenant ligoter Sandra. Dénouer les cordes fut difficile. Ses mains malhabiles ne parvenaient plus à défaire les nœuds, il utilisa ses dents puis dut se résoudre à utiliser un couteau. Lorsqu'il eut fini, il retourna vers Sandra qui n'avait pas changé de posture.

— Je suis à lui, dit Sandra, avec une voix qui laissait entendre qu'elle n'existait plus.

Ruan était pris d'une envie de jouer à autre chose. Il abandonna Sandra et remit à plus tard la pendaison d'Audrey. Son sadisme s'estompait pour ouvrir une autre porte. La mise à mort, le rôle de bourreau ne le fascinaient plus autant. Assis sur le sol, il imaginait des scènes excluant Sandra, devenue embarrassante à ce stade.

Il reprit les cordes et les lacets et tenta de se les appliquer. En fait, il se remit à faire les mêmes opérations, mais sur lui-même. Depuis plusieurs heures, cette tentation se faisait de plus en plus obsédante. Ses proies avaient changé d'apparence. De victimes, elles devenaient à présent maîtres.

Il ignorait que son jeu pouvait s'avérer extrêmement difficile à tenir pour un homme qui ne se connaissait pas. Sa vraie maîtresse en fait était la cocaïne. Elle allait bientôt montrer sa vraie face, mais patientait encore. Elle aimait les paliers puis, d'un coup, l'accélération.

— Je peux t'aider, souffla Sandra le voyant qui essayait de s'attacher les mains.

Ruan sentit un besoin vertigineux de s'abandonner. Les cordes, les ficelles, les menottes, les objets devaient servir à l'enserrer, à le malmener. Il devait être livré au bon vouloir de Sandra. La face cachée de Ruan était également perversité. Le sujet était totalement mauvais. Il pensait que cette envie était le complément de la première, renversée sur un autre thème. Il se trompait.

Il indiqua à Sandra d'une voix rauque – il ne parvenait plus à parler autrement – qu'il devait être puni, jusqu'à ce qu'il décide qu'il ne devait plus être puni. Il sniffa deux autres lignes. Il était 9 h 20. Il voulait renverser les rôles, mais le premier Ruan résistait.

Pendre Audrey morte ou vivante ?

Il verrait.

— Le cauchemar continue, annonça Della Serra à ses collègues. Sandra et Audrey Meyer sont toujours entre les mains de ces cinglés, la presse ne parle que de ça. De son côté, Dara reste cloîtré dans la partie VIP de l'hôpital 301.

— Vous devriez appeler Wang Lanqing, hasarda le vice-président français.

— Je vais m'y résoudre, répondit Della Serra qui se rendait compte qu'il lui était de plus en plus aisé de communiquer avec le président Wang.

Les intermédiaires s'étaient effacés. Facilité de nature à honorer et à inquiéter.

Wang annonça à Della Serra que Mykio Dara était un héros national avec six médailles d'or et qu'il se reposait pour les trois finales du soir. La Chine le voulait en pleine forme.

— Il doit toutefois se soumettre aux analyses contradictoires des tests B, osa dire Della Serra.

— Et être jeté en pâture à la presse pour perdre ses courses ?

— Il y a de grandes chances qu'il n'y ait plus de compétition pour lui, monsieur le président.

— Ne vous mettez pas dans la position d'exclure de la piscine notre héros national. Vos charges sont irrecevables avec ce qui s'est passé cette nuit. Je vous conseille de retarder vos tests B et d'attendre nos analyses.

— Je suis à votre disposition pour examiner toute nouvelle pièce sur ce sujet.

— Franco ?

— Oui, monsieur le président ?

— Nos analyses vont nous sortir, vous et moi, de cette situation. Ayez confiance. Patientez encore un peu.

L'envie de voir le corps nu et encordé d'Audrey se balancer sous le conduit d'aération avait disparu. L'accélération brutale de la cocaïne avait emmené Ruan ailleurs. Très loin, mais en réalité au plus proche de lui-même.

— Tu ne veux pas que je sois à toi? demanda-t-il à Sandra.

— Je peux être ta maîtresse, répondit la jeune femme.

— Alors je suis à toi. Je ne suis plus rien. Je suis ta chose.

— Détache-moi...

— Tu peux me commander comme ça. Tu as les deux pieds et une main libres.

— Une maîtresse n'est pas menottée...

— Ils doivent être en train de le transfuser pour changer son sang, maugréa le vice-président yougoslave du CIO.

— Wang Lanqing nous a adressé un message inhabituel, annonça Amédée Diaalo sur un ton énergique. Une génération de Chinois s'est préparée pour cet événement. Le président nous fait savoir qu'il s'occupe personnellement de cette affaire. C'est un message important. Il communique avec nous directement. C'est un signe.

— Et vous trouvez normal de laisser nager en finale un gars que l'on sait dopé? demanda l'Espagnole.

Ruan était aux pieds de Sandra qui ne trouvait pas les mots pour le pousser à la dernière limite. Pourtant, il lui contait inlassablement les traitements qu'il était prêt à endurer. Elle lui disait qu'elle lui ferait subir tous ces châtiments et bien d'autres, mais qu'il fallait la détacher. Dans le désespoir, poussée par l'instinct, Sandra, saturée de produit, gardait une certaine lucidité.

— Tu prends une ligne et ça va être génial, dit-elle.

Ruan alla en titubant vers sa cachette dans la cuisine. Il se fit une ligne qu'il aspira d'un seul coup.

— Je le tiens, lâcha Sandra assez fort pour que sa sœur, dans la chambre, l'entendît.

Ruan ressentit le choc d'une profonde émotion. Dès que les policiers menaçants disparurent, il décida dans un ultime élan qu'il devait expier, avouer quelque chose sous l'autorité de cette Américaine qu'il détacha. Il présenta ses mains. Enfin, le rêve enfoui, ignoré, sublime...

— Il est foutu. On est sauvées.

Ruan s'en fichait. Il voulait être foutu.

Sandra menotta Ruan au radiateur à 9 h 55. Elle alla libérer Audrey, eut la lucidité de s'extraire immédiatement de l'ambiance nauséabonde en jetant dans la cuvette des WC les reliquats de cocaïne pendant que Ruan gémissait :

— Fais... pas ça.

24

Vertiges

JO + 7

Les deux filles étaient parties. La longue chute de Ruan à terre, fixé au frigo, commençait. Il guettait la porte qui allait s'ouvrir, bien décidé à leur donner des réponses, des noms, ce qu'ils voulaient, car il savait d'expérience qu'on ne résistait pas à un bourreau armé d'une matraque électrique. Il se mit à trembler. Pourquoi avait-il désamorcé la bombe ? Il pleura, se disant qu'il n'était pas normal, qu'il y avait des choses qui clochaient en lui, qu'il n'y pouvait rien. Il avait pris son pied à tout faire foirer. Il pleurait surtout Goo. Il renifla en raclant sa gorge pour faire circuler et avaler un maximum de glaires chargées de produit stocké dans les sinus. Après dix secondes, il se sentit bien. Il vit la porte s'affaisser et un essaim de frelons fondre sur l'appartement. L'un le tint en joue. Les autres se dispersèrent. Il les vit ensuite tirer hors de la première chambre deux housses lourdes. Il entendit de nouveaux bruits de pas dans le couloir, discerna un visage sans masque, un officier, qui formula un ordre clair. À la même seconde, sous l'impact, le crâne de Ruan explosait.

S'occuper directement d'une affaire de terrain rappelait sa prime jeunesse à Wang. Il avait rappelé sa fille Shan qui ne croyait pas au dopage volontaire de Mykio.

— Nous étudions ce virus, Excellence, expliquait le professeur Lei en visioconférence. Il présente des particularités intéressantes. Identifié chez Mykio Dara, il affecte l'hypophyse, une structure gris-rouge sous le chiasma optique. Mes équipes ont été obligées de travailler un peu sur lui et sont parvenues à détecter une inflammation atypique de la partie antérieure de son hypophyse qui sécrète l'hormone de croissance. L'inflammation est lente. Elle ne produit ses effets qu'à maturité. Les tests pratiqués par le CIO ne peuvent détecter cette forme de dopage que tardivement. Ceci tend à confirmer que Mykio Dara a été infecté il y a plusieurs jours.

— Il me faut une certitude, camarade professeur Lei, gronda Wang.

— Nous menons une étude biochimique comparative sur Audrey Meyer et Mykio Dara. Ces deux jeunes gens sont contaminés, mais les analyses sont explicites : il s'agit de deux virus différents, peut-être un mutant qui se transforme dans l'organisme d'Audrey d'une manière différente que dans l'organisme de Mykio. C'est pourquoi nous pratiquons aussi une analyse sur Sandra Meyer qui a la même carte génétique que sa sœur jumelle. Nous pouvons ainsi tracer l'évolution du virus chez Audrey et comparer cette évolution avec ce qui se passe chez Mykio.

— Dépêchons, camarade Lei ! tonna Wang.

— Dara s'est soustrait aux tests B, nous devons le sanctionner, invectiva le vice-président yougoslave à l'adresse de ses collègues.

— Je suis assez d'accord avec Nicolas, annonça le vice-président français.

— Restons calmes. Nous attendons les conclusions du professeur Lei, répliqua Amédée Diaalo.

— Nous patientons depuis douze heures. Ils se fichent de nous. Je suis désolé, mais nous manquons à nos devoirs.

— Je suis d'accord avec Nicolas, dit à son tour le vice-président danois.

— Moi aussi, je propose un vote, Franco, insista la vice-présidente espagnole.

— Ne cédons pas aux pressions. Les élans moralisateurs de la presse ne doivent pas nous influencer. Il nous reste un peu de temps pour trancher le cas Dara, répliqua Diaalo qui menait la résistance.

— Je ne suis pas d'accord avec toi, Amédée. Depuis que nous avons mis les pieds dans ce pays qui nous mène par le bout du nez nous perdons notre identité. Cet attentisme est lamentable.

— Il faut voter l'exclusion de Dara et la rendre publique !

— Calmez-vous, s'il vous plaît, intima Della Serra.

— Il faut que nous votions ! martela le Yougoslave, soutenu par une partie de la commission.

— Je refuse ! répondit Della Serra. Un vote ne peut pas être passionnel. Il doit être éclairé. Nous sommes dans l'ombre. Je ne déciderai rien avant d'avoir écouté la Chine.

— Une fois de plus, la Chine nous plonge dans la confusion, résuma un membre.

Hehnrick de son côté ne disait rien. Il observait le processus de scission à l'œuvre parmi ses confrères tout en réfléchissant.

— Comment va-t-elle ? demanda le psy à l'infirmière qui s'occupait d'Audrey.

— Elle pleure depuis deux heures environ.

— Elle est seule ?

— Sa maman a été avec elle, mais Mme Meyer est aussi très lasse, elle est allée se recoucher.

— Merci, mademoiselle. Je vais lui parler.

Aldo s'approcha du lit où Audrey était couchée sur le dos, les lèvres entrouvertes, un souffle court provenait du fond des bronches. Aldo dit simplement :

— Je suis là.

Il lui essuya doucement le visage avec un linge.

— Restez, Aldo, murmura-t-elle sur un ton qui fit tressaillir le psychanalyste.

Après un long moment elle dit :

— Maman... Je voulais qu'il m'aime... Maman... pourquoi ?...

Elle se redressa sur le lit, ses yeux s'ouvrirent en grand et, se tournant sur le côté pour se cacher, ses mains griffèrent le drap. D'une voix profonde, qu'Aldo ne lui connaissait pas, elle articula des Non ! puis elle se roula sur son lit balançant la tête de gauche à droite en criant comme une possédée : Maman !... Maman !...

Aldo, qui n'était pas préparé à cela, fut ébranlé par la puissance de ces convulsions. Une douleur fondamentale, inattendue explosait. Audrey, à cet instant, semblait proche de la folie. Lui faire administrer une forte dose de Valium ne la calmerait que pendant une heure et après ce serait pire.

Elle se dressa brusquement, les yeux perdus, les cheveux en désordre lui couvrant le visage. De sa bouche jaillit un flot de mots incohérents :

— Amour... Maman, où étais-tu ?... Qu'as-tu fait ?... Papa, tu te branlais... Nage... Nage... L'amour, l'acte d'aimer, c'est si beau !... Regarde Audrey comment j'étais... j'étais... j'étais...

Elle frappait maintenant son oreiller en crachant ces mots avec haine. Aldo sortit sans bruit et demanda à l'infirmière que le médecin lui injecte un léger sédatif pour la calmer. Il alla ensuite voir les Meyer.

Dieter posa ses journaux et enleva ses lunettes.

— Ces porcs ont traumatisé mes filles. Pensez-vous, Aldo, qu'elles puissent être marquées longtemps ?

— Sandra semble se remettre, mais l'état d'Audrey est toujours critique.

— Je crains qu'elle soit éprise de ce Tibétain.

— Ce n'est pas cela. Quelque chose d'autre ne va pas. Elle ne cesse d'appeler sa mère.

— Tu entends, Cora, tu devrais aller auprès d'Audrey, ma chérie.

— Non, Cora, cela ne ferait qu'empirer... À travers sa mère, elle vous réclame vous aussi, Dieter...

— J'y vais, dit Dieter en se redressant.

— Non, vous ne ferez qu'accentuer sa détresse... Que s'est-il passé, Dieter?...

— Rien. Tout va bien avec nos deux enfants, nous les avons toujours choyées, répondit Cora.

— Ce sont nos perles, dit Dieter.

— Cora, Dieter, on se connaît depuis des années et je sais que vous êtes des parents très appliqués... Que s'est-il passé?

— Je ne comprends pas votre question, Aldo, dit Cora.

— Votre fille vous appelle tous les deux, comme si vous étiez... morts.

Aldo se reprit.

— Ce n'est pas tout à fait cela. Elle vous cite comme si elle venait de se rendre compte que vous n'existiez pas. Je veux dire pas comme parents.

— Pas trop de psychanalyse, Aldo, s'il vous plaît. On a toujours fait ce qu'il fallait. Audrey est sous le choc, c'est aussi simple. Vous voyez bien que Sandra réagit autrement.

— Ah... Vous venez de les associer, Dieter. Cette nuit a provoqué un choc chez Audrey. Elle a découvert l'amour dans sa relation brutale et intense avec Mykio.

— Sandra aussi a découvert l'amour avec son fiancé, et elle a bien réagi.

«Bien réagi»... Terme froid, de diagnostic, songea Aldo.

— Audrey a appréhendé l'amour dans une ambiance survoltée et violente. Il en résulte une nostalgie traumatisante qui la ravage dans son lit, où elle se vide de ses larmes... Nous allons en rester là... Ce type de défoulement traumatique, je parlerais plutôt de douleur traumatique psychique, un mal profond dont le sujet ignore la cause, peut conduire vers l'auto-anesthésie ou l'autodestruction. Il faut régler ça. De votre côté, réfléchissez, je reviens.

Le professeur Fu était un homme pressé, comme le voulait sa fonction. Il parlait anglais, ce qui aida la communication avec Aldo.

— Monsieur Servolovitch, je suis à votre service.

— Audrey Meyer est en proie à une souffrance traumatique préoccupante, annonça Aldo au professeur.

— C'est sa sœur qui en a bavé cette nuit, répondit Fu. Audrey, elle, a plutôt été épargnée.

— Mon point de vue, professeur, est que ce qui s'est passé cette nuit l'a déréglée.

— Allons la voir.

Audrey se contorsionnait toujours en sanglotant.

— Vous entendez ?... Elle implore la Mère au sens psychanalytique, l'être qui vous a mis au monde : sexe et amour étant ici liés. La blessure des enfants non voulus provient de cette absence cruelle de la Mère.

— En effet, nous avons nous aussi noté des éléments troublants, répondit le professeur Fu soudain très concentré.

— Il faudrait que je parle au garçon.

Le grand maître en arts martiaux Che Pufeng obtempéra devant l'insistance du professeur Fu et laissa entrer dans la chambre du protégé cet Américain au sourire malicieux. Aldo découvrit Mykio allongé par terre, les pieds sous le barreau du lit et le buste légèrement relevé. Un vieux Chinois assis en tailleur à côté de lui s'exprimait dans un débit très rapide. Mykio riait, sans relâcher ses abdos.

— Bonjour monsieur, dit le vieux Chinois en se relevant brusquement. Je m'appelle Xun.

— M. Servolovitch veut parler à Mykio, annonça le professeur Fu.

— Ah, bonjour, comment vont les Meyer ? demanda Mykio qui avait croisé ce petit homme élégant pendant la nuit.

Il lui avait posé des questions sur Audrey. Il voulait rassurer les parents Meyer.

— Ils se remettent.

— Vous êtes bien psychothérapeute ?

— Oui, bien sûr.

— C'est curieux... Je l'avais deviné.

— Ah bon ?

— Psy ou prêtre. À votre façon de regarder les gens.

— J'ai besoin de votre aide pour Audrey. Elle est très fragile. Il y a en elle un malaise qui n'est pas lié à vous mais que vous avez réveillé et qui peut l'abîmer.

— De quoi s'agit-il ? interrogea Mykio soudain alarmé.

— Votre relation de cette nuit a fracturé des portes dans son inconscient. Ce qui se trouve derrière est de nature traumatique, et ça la fait paniquer. Je dois l'aider à y voir clair.

— Elle souffre comment ?

— Les pires douleurs sont celles dont on ignore les causes, répondit Aldo en scrutant Mykio. Audrey en est là. Avez-vous fait l'amour ?

— Oui.

— Je suis toujours très direct dans mes questions, Mykio : est-ce que ça s'est bien passé ?

— Vous savez sûrement qu'on nous a drogués.

— Oui, je suis au courant.

Mykio eut subitement un peu froid. La fatigue. Peut-être l'évaporation d'un reliquat d'amphétamines. Le psy le regarda en plissant les yeux et en le dévisageant comme s'il espérait un aveu suspendu aux lèvres de son patient.

— Désolé, dit Mykio, je ne vois pas ce que vous attendez.

— C'est d'Audrey dont il est question.

— Dans ce cas poursuivons cet entretien avec elle.

— Elle n'est pas en état, Mykio.

Cet Aldo ressemblait à une sorte de Pema, en plus rusé.

— Vous étiez drogué et elle était consentante, insista Aldo.

Drogué, oui. Et Jihong trompée. Audrey abusée. Mykio sentit croître en lui la fureur. Une fois de plus, il s'était laissé manipuler. Mais là, il avait engagé une personne bien humaine et vulnérable... oui vulnérable. Il n'osa plus regarder dans les yeux de ce psy, qui lui renvoyait sa vérité à la figure : insouciance, lâcheté. Il était sorti de l'appartement sans Sandra et Audrey, et toute la nuit, il était resté obsédé par ses envies au lieu de se contrôler.

— Tu as tort de culpabiliser, crut-il entendre en proie à toutes sortes de pensées désastreuses.

De son côté, Aldo était impressionné par l'effondrement soudain de ce grand garçon si plein d'élan quelques secondes auparavant. Il s'était dégonflé d'un coup. Pourtant, il ne l'avait pas travaillé. Enfin, pas vraiment. Il décida de le sonder.

— Tu culpabilises non seulement à cause d'Audrey, mais aussi à cause d'autre chose que tu mets en parallèle.

Mykio ne sourcilla pas. Aldo ne voulut pas renoncer. Il adopta le ton de la plaisanterie :

— Visiblement cette accumulation de culpabilités te plonge dans un état effroyable.

Mykio remua la tête, il émit un son. Sans doute du tibétain ou du chinois.

— Je peux vous poser une question, une seule ? demanda-t-il.

— Bien sûr.

— Juste avant le 100 libre et le 100 dos, j'ai appris que mes parents avaient été tués par les Chinois. Et malgré ça, j'ai réussi à nager comme jamais auparavant. Pourquoi ?

Aldo s'assit sur le lit. Mykio lui expliqua la photo. Aldo lui demanda ses réactions à ce moment-là. Avait-il été en proie à la colère ou à la tristesse ?

— Les deux. Peut-être davantage la colère, répondit Mykio en réfléchissant.

— Et depuis ces deux finales comment ça va ?

— Justement, depuis, je me sens bien. Ma colère s'est évanouie. Je n'ai pas eu à m'y consacrer.

— T'y consacrer?

— Je veux dire que la colère n'était plus dans mon cœur. Je n'avais donc pas à m'occuper d'elle pour l'apaiser.

— Tu aimais tes parents?

— Oh oui...

Mykio exprima cet amour en quelques évocations. Il désirait retourner dans son pays, fouler sa terre, y emmener Jihong, serrer dans ses bras sa famille perdue depuis si longtemps. Il sentit des larmes monter mais parvint à les refouler.

— Tu aimais beaucoup tes parents, Mykio, dit Aldo. La photo ne t'a pas appris leur mort. Tu savais qu'ils étaient morts mais je pense que tu refoulais cette idée. Depuis ton enfance, tes souvenirs ont été façonnés par ce refoulement. La photo t'a montré ce que ton inconscient savait déjà. Ta mémoire s'est alors délivrée...

— C'est un peu comme Audrey?

— Justement, mais Audrey n'en est pas là. Il y a bien eu le déverrouillage de quelque chose, mais pour elle c'est une porte ouverte sur la nuit.

— Je veux l'aider.

— Nous allons y travailler ensemble. Moi, je sais ce que j'ai à faire. Je pense avoir touché le point névralgique. Elle va découvrir la cause de sa souffrance. Toi, tu vas être franc avec elle. Surtout ne joue pas.

Mykio manifesta par deux hochements de la tête un oui très décidé.

— Revenons-en une seconde à toi, reprit Aldo qui n'en avait pas tout à fait fini. Nous disions que ta mémoire s'est épanouie sur un champ de souvenirs plus vaste et plus riche jusque-là occultés. Plus féconds. C'est la différence avec Audrey qui est dans les ténèbres. Au lieu de sombrer dans la mélancolie, tu as la sensation d'être en paix avec ton passé. En fait, tu as réglé un conflit.

— Je dirais plutôt que je me suis concentré pour régler le problème de ma dispersion.

— Dispersion... concentration... c'est intéressant...

— Mon esprit a atteint l'harmonie avec mon âme.

— Pas entièrement car tu culpabilises toujours.

— Ah ?...

— Tu ne devrais pas.

— Pourquoi ?...

— Parce que tu te punis depuis ton enfance.

— Pardon ?

— Ton refus de nager pour ton pays était à mon avis une auto-punition. Pas un sacrifice.

— Je ne suis pas d'accord...

— Tes maths étaient aussi un masque. En refusant d'admettre la disparition de ton père, tu continuais à lui obéir.

— Mais j'aime les maths et j'y arrive.

— Tant mieux pour toi... mais ce n'est pas notre sujet. Si tu en as vraiment envie, fais des maths.

— Ah bon...

— Ma question est simple : es-tu maintenant heureux de nager pour la Chine ?

— Heureux, non... répondit Mykio par réflexe.

Puis il se tut. Aldo le laissa mijoter un peu.

— Alors ?... demanda-t-il après un temps. Comment te sens-tu quand tu représentes la Chine, Mykio ?

— Mon problème, c'est que ça va bien, avoua Mykio plus rapidement qu'Aldo ne l'avait prévu.

— Explique un peu ça...

Aldo attendit encore un peu, mais visiblement Mykio souffrait d'un blocage.

— Tu te sens responsable de participer à toutes ces finales olympiques au lieu de porter le deuil de tes parents ?

Mykio ne bougea pas. Pas un sourcillement.

— Tu culpabilises en te disant que tu devrais fouler du pied le drapeau chinois ?

— Je l'avoue, ça, c'est vrai.

— Mais alors, je ne comprends pas, comment peux-tu gagner toutes ces courses en souffrant autant ?... J'ai un peu d'expérience et je peux te dire que ces sensations là sont des freins qui te cassent les jambes.

— Moi je dirais qu'elles me plâtrent l'abdomen.

Aldo adressa à Mykio un regard curieux.

— L'âme se situe au bas de l'abdomen... ici... Elle a sa propre nature. Dans mon cas, elle ne devait pas être très satisfaite des décisions de mon esprit qui, lui aussi, a son existence... C'est pourquoi, comme vous le dites autrement, je m'accuse de nager. Mon âme et mon esprit sont en conflit. Mais c'est mon esprit qui décide. Alors je nage et je m'en veux. Mon âme vit mal ce que mon esprit décide.

— Et tu te reproches d'avoir surmonté ta culpabilité... Dis-toi qu'elle est maintenant derrière toi comme une vieille tempête qui va mourir dans l'océan.

— Je me retourne et je ne cesse de contempler cette tempête.

— Peut-être. Mais rien ne peut t'arrêter quand tu es sur orbite. S'il le fallait, tu franchirais les montagnes. Ils peuvent te battre à mort, tu gagneras quand même. C'est tout l'écart entre les autres et toi.

Aldo s'était levé.

— N'oublie pas ce qu'on a dit sur Audrey. Elle t'aime. Prends la décision que tu veux, mais ne tergiverse pas. Va dans un sens ou l'autre. Je ne veux pas qu'elle navigue à vue. Pas en ce moment.

Il passait la porte lorsqu'il entendit Mykio l'interpeller. Il se retourna. Le jeune homme le fixait intensément.

— Ne vous faites pas de souci pour Audrey. Je ferai ce que je dois.

— Ils ont bien eu un rapport sexuel cette nuit, confia Aldo dans le couloir au jeune professeur Fu.

— Nous venons de réexaminer le taux d'œstrogènes et de stéroïdes androgènes naturels d'Audrey. Ils sont normaux, elle n'est pas enceinte. Vous êtes tenu au secret professionnel ?

— Comme vous.

— Il y a un point particulier dans cette famille Meyer. Les deux filles ne sont pas jumelles.

— Ce sont des vraies jumelles, professeur.

— Nos recherches montrent un écart d'environ un an entre elles. Sandra est la plus âgée. J'ai engagé une analyse génétique sur Audrey, ce qui a mis le père dans tous ses états. Il a amené sa fille à refuser de coopérer. Le refus du père faisait apparaître une sorte de crainte. Son refus était borné, presque violent.

— Où voulez-vous en venir ? demanda Aldo.

— À une manipulation illicite sur embryons, annonça le professeur Lei, qui s'était approché en écoutant la conversation. Ces deux filles ne sont pas nées de la même grossesse. Or, elles se ressemblent comme deux êtres génétiquement semblables. La nature ne fait pas ça.

— Elles proviennent du même embryon scindé, précisa le professeur Fu.

— Nous allons pratiquer nos examens génétiques, même si les parents s'y opposent, annonça Lei. Nous allons aussi examiner la mère pour voir si c'est elle la source embryonnaire. Nous alerterons ensuite le CIO et nos autorités judiciaires.

— Vous ne pouvez pas examiner les Meyer sans leurs consentements, professeurs. Ce serait un scandale pire encore. Vos allégations ne seraient pas crédibles.

— Soyez certain qu'elles le seront. Nous produirons des preuves scientifiques irréfutables.

Aldo se frotta les yeux comme s'il n'y croyait pas, puis il toisa les deux professeurs qui le regardaient avec toute la sévérité voulue.

— Que voulez-vous au juste ? demanda-t-il.

— C'est très simple, pratiquer nos analyses sur les Meyer sans qu'ils aillent crier au scandale, répondit Lei. Ce qui nous intéresse c'est l'établissement d'une cartographie hormonale d'Audrey comparée avec celle de Sandra qui n'a pas été soumise au même traitement la nuit dernière. Il faut démontrer que l'inflammation des glandes sécrétrices d'hormones chez Audrey est purement exogène et très récente, l'identifier, la dater et trouver des points communs avec celle localisée chez Mykio. On espère ainsi démontrer l'innocence du Tibétain.

Aldo réfléchit un moment puis il toisa à nouveau les deux médecins de son air le plus sérieux.

— De mon côté, c'est Audrey qui m'intéresse, professeurs. Elle seule... Ce que vous évoquez peut m'aider. Elle a pu avoir l'intuition à travers sa relation sexuelle avec Mykio, de n'être pas le fruit d'une relation sexuelle entre ses parents. Son cerveau lui aurait adressé des signaux. Ce matin, l'attitude de ses parents les aurait mis en mouvement. Le stress de la compétition, l'omniprésence de ces parents cannibales, les émois avec Mykio, sont alors la cause de son état. Elle ne comprend rien à ce qui lui arrive, mais elle ressent tout. Elle est perdue. Nous devons lui sortir la tête de cet étau. Je suis d'accord avec vous, il faut que ses parents tombent le masque. Son père est buté, arc-bouté sur son ego. Je vais quand même essayer de lui parler.

— C'est dans leur intérêt, car de notre côté nous n'allons pas céder aux humeurs de la famille Meyer.

Aldo décida d'y aller sans ménagement.

— Les Chinois soupçonnent une manipulation génétique concernant Audrey et Sandra et ils vont le faire savoir au CIO, car cela sert leur intérêt.

— Nos filles sont saines, nous refusons qu'elles servent de cobayes !

— On est en Chine, Dieter. En venant aux Jeux, vous vous êtes engagés à accepter tous les tests utiles à la détection des moyens prohibés.

— Aldo !... On travaille Audrey et Sandra depuis vingt ans !

— Je ne parle pas du pied que vous prenez à « travailler » vos filles depuis, et avant même leur naissance, mais je parle des êtres humains Audrey et Sandra.

— Pourriez-vous parler à mon mari sans être blessant, intima Cora Meyer.

— Venez tous les deux.

Aldo les amena dans la chambre d'Audrey, qui était

en boule, recroquevillée. Cora s'approcha du lit puis elle recula. Le corps d'Audrey s'était brusquement détendu et elle fixait sa mère d'un air hébété.

— Dieter, nous pouvons parler à Aldo, chuchota Cora, nous avons ça sur le cœur depuis si longtemps.

— Tais-toi, malheureuse, elle nous entend...

Audrey se remit en boule et pleura, la tête enfouie dans son oreiller. Aldo tira Cora par la manche à l'extérieur de la chambre.

— Allez-y, Cora, confiez-vous, vous ne pouvez plus reculer...

Dieter les rejoignit dans le couloir. Il laissa parler sa femme qui raconta leur rencontre en 1972 aux Jeux de Munich, leur amour, une longue torture morale à cause du rideau de fer. Leur relation, médiatisée par la presse occidentale, avait rendu Dieter suspect pour les autorités d'Allemagne de l'Est. Ils se retrouvèrent aux Jeux de 1976 à Montréal. Cora fit une fausse couche et retrouva Dieter trois ans plus tard à des championnats d'Europe de natation. Dieter, très surveillé, était coach. Ils firent l'amour mais sans résultats. Ils ne se revirent qu'en 1989 après la chute du mur de Berlin. Cora avait quarante-trois ans et les médecins lui déconseillèrent une grossesse.

Elle se mit à pleurer. Dieter la prit dans ses bras.

— Après sa seconde fausse couche, dit-il, nous avons fait prélever sur Cora des ovules dans un institut spécialisé d'Amsterdam où avaient lieu les Championnats d'Europe. Cora avait tout organisé depuis les États-Unis. En 1989, je retrouvais enfin Cora pour ne plus la quitter et nous avons décidé d'avoir un enfant de cette manière. La science avait progressé. Il s'est avéré que nous pouvions en avoir deux. C'est ce que nous avons fait.

Aldo retourna près d'Audrey et commença à lui parler de sa conception, de sa naissance, enfin de ses parents et de sa vie avec eux. Audrey sortit progressivement de sa torpeur et l'écouta.

— Dites-moi, Aldo, où est Mykio?

25

Élans

JO + 7

— Tu es là, Mykio ? murmura Audrey les yeux clos.
— Oui...

Il la regardait dormir depuis vingt minutes. Présence tolérée par le professeur Lei et par Che Pufeng qui s'était posté devant la porte d'entrée. Le bon valet Xun était reparti auprès de Wang.

— Qu'avons-nous fait !..., murmura Audrey.
— Peux-tu ouvrir les yeux ?... Regarde-moi, bien en face... Tu me vois ?... Voilà, c'est bien, alors écoute-moi... Si, si, souris...

Il enlaça le cou d'Audrey.

— Nous nous sommes aimés, dit-il incapable de dire autre chose.

Elle posa sa tête sur son bras gauche.

— C'était si étrange, dit-elle. C'est bizarre...

Une plainte teintée d'envies. Mykio inspira profondément. Tous ses sens lui commandaient ce que Jihong et la raison lui interdisaient. Il voulait l'embrasser, la soulever, pousser un cri de joie et pleurer dans ses bras en même temps qu'elle sangloterait dans les siens.

— Oui, c'était bizarre, finit-il par dire en se contrôlant.

— Moi, je parle au présent, Mykio.

Pourquoi clore une fenêtre entrebâillée sur le bonheur ? Jihong ?... Mykio lisait en Audrey cette capacité à tout lâcher pour partir avec lui dans un tourbillon. Jihong était acharnée, méthodique, exceptionnelle. Il pouvait la meurtrir plus sûrement qu'Audrey.

— Cette nuit nous avons étés drogués, dit-il guidé par la raison. Toi, tu as été choquée. Je voudrais qu'on en parle...

— Je t'aime.

— Tu sais, j'ai rencontré ce psy de ton équipe, Aldo... Je pense qu'il est un *tülkou*, la réincarnation d'un de nos grands lamas... Un *tülkou* n'a pas de nationalité...

Il ne savait plus quoi dire.

— Je m'en fous, je t'aime, persista-t-elle, lui prenant la main.

— Tu sais, certaines drogues agissent sur le cerveau.

— Je ne suis plus sous leur emprise... et je t'aime.

— Moi j'ai éprouvé des choses troublantes aussi.

— Tu es venu me dire que tout s'est envolé et que tu n'éprouves plus rien ?

— Oh... si... Audrey...

Mykio calma son esprit. Une chaleur apaisante monta en lui.

— ... Audrey... Dans mon pays, il y avait deux montagnes, le pic de la Foudre et la montagne de l'Ourse. Ces deux belles et puissantes montagnes étaient bonnes. Leur énergie maintenait l'harmonie dans la vallée. Mais il y en avait une troisième, hideuse. On l'appelait la Démone. Elle ne parvenait pas à perturber les flux d'énergie favorables dégagés par ses deux grandes sœurs, sauf certains jours de grandes turbulences dans le ciel. On appelle chez moi ces phénomènes le *Chi* des montagnes. Celui qui vient du soleil, irradie, réchauffe, rend joyeux, est le *Chi* du soleil. Si tu t'assois la nuit devant un lac en laissant voguer tes pensées, tu éprouves la paix, un bonheur poétique qui miroite sur l'eau comme le verre, tu souris à la lune. Le lac est en harmonie avec elle. C'est le *Chi* du lac... Moi... depuis cette nuit, j'ai le *Chi* d'Audrey.

— C'est vrai? demanda-t-elle les yeux brûlants.

Dans un coin, il devina le regard d'Aldo qui se troublait.

— Audrey... On dit au Tibet que l'amour ouvre le chemin du bonheur. Depuis cette nuit, j'avance avec toi sur cette route lumineuse!

— Oh Mykio...

Il la serra dans ses deux grands bras. Elle effleura le visage basané du bout des doigts.

— Tes cils sont si longs, dit-elle. J'ai l'impression que ton visage vient de se révéler. J'y lis tant de douceur.

Dans les tribunes de presse du site olympique, la nouvelle était sur toutes les bouches: plusieurs grandes fédérations étaient décidées à quitter les Jeux si le Chinois du Tibet Dara nageait dans la soirée. Ce n'était encore qu'une rumeur, mais une rumeur unanime. On savait aussi que le désaccord s'était installé au sein du Comité, au cœur du noyau dur de l'olympisme. C'était la dislocation.

Audrey était assise en lotus sur le lit. La chemise de nuit froissée ne dissimulait plus grand-chose. En face, Mykio était dans la même posture. Il eut une longue inspiration.

— Tu es vivante... Ne pense qu'à ça pendant quelques secondes, Audrey.

— ... Je suis vivante...

Elle regarda Mykio qui expirait maintenant lentement.

— Je suis vivante et alors?...

— Expire... Bien... Profond... Es-tu heureuse d'expirer?

— Si tu veux, j'expire... et je suis heureuse d'expirer si ça te fait plaisir...

Elle étouffa un rire.

— Tu n'es pas prête, décréta Mykio.

— Prête à quoi?

— À chasser les pensées néfastes. Oublie un peu tes parents. Concentre ton esprit sur des images simples. Les sensations de l'instant présent doivent régner.

— Tu veux que je me dise: je vois ma jambe, je ne pense qu'à elle, j'inspire en me disant que je suis vivante... je bouge cette jambe en ne pensant qu'à ça...

Son pied alla caresser celui de Mykio.

— J'aime ce contact, dit-elle... Il est bon...

— C'est ce qui est important, Audrey... Souris, un vrai sourire. Si, si. Fais-le du fond de toi. Remercie-les... Ta douleur était une illusion. Tu as des parents, tout va bien....

La poitrine d'Audrey se gonfla.

— Si j'inspire longuement, je sais que c'est une longue inspiration...

Elle s'affaissa et sourit.

— Ce qui est touchant en toi, Mykio, c'est ta pureté.

— Là encore, tu amènes une idée.

— C'est mal de penser?

— Toi et moi, sommes en préparation et il faut faire très attention.

— Tu parles de la préparation pour la compétition?

— Oui.

Elle frissonna.

— Pourquoi parles-tu de ça?

Puis, comme il ne répondait pas et restait immobile en respirant fortement, d'une manière profonde, allant jusqu'au bout de chaque souffle, elle murmura:

— Je préférais quand tu parlais du *Chi* du lac, Mykio.

— Le *Chi* du lac balaye nos âmes. C'est notre romance. Nous sommes l'un et l'autre dans l'attente d'une épreuve qui requiert toutes nos forces. Nous devons mobiliser toutes nos ressources, sinon nous sommes perdus. Ce qui peut se passer entre nous est très important. Je suis sérieux, Audrey...

— Moi aussi, Mykio. Je te regarde droit dans les yeux et je te dis que pour moi, la course appartient au passé.

Il arrêta de respirer, puis sans reprendre son souffle murmura un « pourquoi ? ».

— Aldo dirait que je veux couper le fil avec mes parents ou bien assainir ma relation avec eux.

— Tu dois accomplir ce que tu es vraiment au lieu d'être gouvernée par des idées, aussi pertinentes soient-elles, répondit-il en ayant l'impression d'entendre parler Pema Zhu.

Il arrivait à celui-ci de toucher le point central.

— Ce que je suis vraiment, c'est un être génétiquement hybride qui contrevient aux règles du sport. Sachant cela, si je poursuis, je triche.

— C'est un cas de conscience, approuva Mykio soudain replongé dans ses propres doutes.

— Et puis la seule vraie concurrente, capable de me battre comme je suis, est absente. Pour moi, ces Jeux sont tronqués, dit Audrey.

Mykio ne dit rien. Son stress augmenta.

— Au point que je vais rendre mes médailles, précisa Audrey.

— Alors tu brises ta sœur.

— Tout le dilemme est là.

Leurs orteils se touchaient toujours mais ils étaient froids.

Audrey rompit le silence.

— Qu'est-ce qui t'est arrivé avant ton 100 libre ?

Mykio lui raconta l'histoire du *nangrüpa*.

— Avec tout ça tu réussis à nager pour la Chine ?

— Sinon, j'aurais vécu avec une rancœur éternelle... J'espère que A-pa et Ma-la ne sont pas morts en proie à la haine.

— Pourquoi, c'est bien naturel de détester son bourreau, dit-elle dans un frisson.

— Mourir dans un état d'esprit vertueux favorise une bonne renaissance.

— Tu y crois ?

— Oui bien sûr. La renaissance est dans l'univers, comme toi et moi. Ama-la m'a dit un jour que j'étais le fruit d'une bonne migration et que je devais orienter ma vie en ce sens favorable. Je me suis rappelé ses paroles. J'ai alors exercé mon talent plutôt que d'exprimer ma colère. J'y ai puisé une sérénité et une énergie redoublée. Je pense que celle-ci ne peut entraîner que le Bien.

— Moi j'aurais éprouvé une telle fureur que j'aurais quitté le stade et Pékin !

— Pour aller où ? demanda Mykio. J'ai préféré occulter toutes ces tendances négatives. Dans mon inconscient, je savais qu'ils avaient péri... En définitive cette photo m'a permis de l'admettre et depuis, je vois les choses autrement.

— Tu es un océan de sagesse, dit Audrey. Moi je suis une instinctive. Un animal.

Mykio aima l'image de l'animal.

— Ton assise est bonne, dit-il. Cambre les fesses pour t'enfoncer sur le matelas.

— Mes fesses sont enfoncées.

— Tu es bien ?

— Oui.

— Bien assis, nous pratiquons ensemble la rencontre assise. Nous nous touchons. C'est ramener son corps à son esprit et son esprit à son corps.

— Je suis bien assise.

— Sous cette robe, je devine. J'aime ce que je devine. Pourtant ce n'est qu'une pensée...

— J'aime cette pensée, répondit Audrey en abandonnant la position du lotus et en se blottissant contre lui.

La chaleur re-circula entre eux. Une voix derrière la porte annonça que l'hélicoptère les attendait pour Olympic Green.

— Qu'est-ce que tu vas faire, Audrey ?

— Je l'ignore.

Mykio à cet instant fut parcouru par un émoi profond. Il était tellement proche d'Audrey qu'il en était tout bouleversé.

— Ils ont fait l'amour la nuit dernière, expliqua le professeur Lei sur la ligne protégée de Wang. D'où une certaine similitude dans la signature virale retrouvée chez l'un et l'autre.

— Ce serait donc elle qui l'a infecté? demanda Wang Lanqing sur le ton de l'affirmation.

— Les traces de produits prohibés par le CIO dans la cartographie virale de l'Américaine révèlent une faible maturité. En revanche, l'inflammation chez Mykio est à pleine maturité. C'est le contraire qui s'est passé. Dara a infecté Meyer.

Wang raccrocha brutalement.

— C'est un désastre, confia-t-il à Xun.

— Tu retourneras la situation, Wang.

— Non, Xun, pas cette fois-ci.

26

L'hirondelle

JO + 7

L'ovation du public chinois qui accueillit l'apparition du nom de Mykio sur les tableaux Panasonic pour le 200 mètres 4 nages fut couverte par des huées dans les rangs des étrangers. Le public fortuné avait jusqu'ici affiché une retenue qui n'était plus d'actualité. Les premiers sifflements fusèrent dans les tribunes australiennes, relayées par les tribunes anglaises, puis un grondement sourd se propagea dans les tribunes américaines. Les supporters frappaient le dossier de leurs sièges de la paume de la main. Les Chinois répondaient avec des trompettes et hurlaient en cœur « DARA! DARA!... » On commença à entendre des pétards, en renfort de ce qui était devenu comme un cri de guerre. Pour la première fois, il y eut un mouvement du service d'ordre dans les allées. Le bourdonnement s'infiltrait jusque dans la chambre d'appel. Vêtu de son simple maillot de bain noir, les cheveux en broussaille, le regard rivé sur le sol, Mykio était absent. Cette course allait être un arrachement. Tout son corps le tirait vers ce plongeon, qui devait enfin le remettre à sa place dans son élément naturel. Il en avait un besoin physique peu maîtrisable. Tout en lui vivait pour cet instant de sortie d'eau où ses bras tireraient brutalement vers l'arrière pour ressortir et revenir plonger en avant dans ce déchaînement propre à la nage papillon.

— Nous sommes avec Denis Paterson, qui doit courir le 100 mètres papillon dans environ vingt minutes, annonça Tom Douglas de la tribune de presse.

— Dis-moi, Denis, d'abord merci de venir avec nous si peu de temps avant ta finale du 100 papillon. C'est rare et on apprécie.

— Je suis heureux de venir regarder nager les copains à votre antenne.

— On vient d'apprendre le forfait d'Audrey Meyer. Qu'en penses-tu ?

— C'est une championne coriace mais je ne la voyais pas continuer après ce qu'elle vécu cette nuit.

— Le communiqué annonce qu'elle arrête la compétition.

— Je ne l'imagine pas mettre fin à sa carrière. Mais enfin, bon, elle a subi un sacré choc. Le déroulement de ces Jeux est très particulier.

— Que penses-tu de ce qui se passe ici, en ce moment, dans les tribunes ?

— C'est impressionnant, je dirais même effrayant. On a vu ça au foot, jamais en natation.

— Il paraît que, depuis midi, des centaines de milliers de Chinois et aussi pas mal d'étrangers défilent pour soutenir Mykio. Il s'est constitué en quelques jours un fan club planétaire. Que penses-tu de lui, Denis ? demanda Michael Rooses.

— J'espère... Je veux dire : j'espère que son 200/4 nages va l'épuiser, parce que je nage contre lui le 100 papillon.

— On a vu, Denis, que vous sembliez copains tous les deux. Que dis-tu de sa positivité ?

— C'est très simple, Tom, c'est de la foutaise. Mykio a un « turbo » phénoménal et il n'a pas besoin de cochonneries pour toucher le mur avant les autres.

Traumatisé par la visite du jeune inspecteur Yang qui couchait avec sa fille, le directeur du bureau national des statistiques, l'éminent Yao, plaidait sa cause auprès du procureur général de Pékin.

— Ma petite Suekin n'a pas vingt ans, expliquait le directeur des statistiques. Cet officier de police qu'elle fréquente en a trente-deux. Elle a vu en lui un pilier de l'autorité et cru que tout ce qu'il faisait était permis. De plus, Suekin entraîne son petit frère.

— Il faut expliquer la situation comme tu viens de la présenter, Yao. Même pendant les pires périodes, le Parti a tout tenté pour dialoguer avec les jeunes. Il ne punit pas les adolescents. Suekin n'a guère à craindre. Elle a été manipulée par un représentant de l'ordre. Les camarades le comprendront.

— Ce policier est l'objet d'une enquête menée par la camarade commissaire du Parti Tong.

Le stylo du procureur général tomba.

— Elle est plus haut que moi, soupira-t-il.

Il réfléchit un moment, puis annonça au directeur des statistiques qu'il allait parler au vieux procureur Chen.

— Éliminer Mykio Dara, c'est condamner ces Olympiades ! J'ai donné ma parole à l'État chinois que nous attendions les conclusions du professeur Lei. Je n'ai jamais failli à ma parole. En conséquence, je me prononce contre l'élimination.

— Wang Lanqing ne vous rappellera pas, Franco, insista le vice-président français. Il sait que son athlète est grillé. En ce moment, il cherche une sortie.

— Il faut laisser toutes ses chances à ce garçon tant que les tests B ne valident pas son dopage, répliqua Della Serra. La Chine, qui est la défendante, doit donner sa position.

— Nous attendons depuis seize heures ! protesta le Danois.

— Prenez votre décision, Franco, intima Hehnrick.

Le Sénégalais Amédée Diaalo posa sa main sur le bras de Della Serra en signe d'affection et de solidarité.

— À chacun de prendre ses responsabilités. Je veux un vote de la commission pour cette décision, dit Della Serra d'une voix funèbre.

— C'est l'hystérie dehors. Il faut calmer le jeu.

— Vous ne parviendrez à rien en humiliant la Chine. Vous allez créer le pire, riposta Della Serra dans un dernier sursaut tandis que les mains se levaient pour voter l'élimination du Tibétain.

Le vacarme redoubla sous les voûtes métalliques de l'Aquatic Center. Les huit finalistes marchaient l'un derrière l'autre vers les plots de départ.

— Regardez notre héros, commentait Denis Paterson au micro de World Sports TV, il est fin, lissé, l'eau est sa copine, il lui fait l'amour. Il est vraiment magnifique à voir. Pourquoi irait-il se faire enfler la glotte, le menton, les pectoraux, les arcades sourcilières, pousser les poils ? Cette histoire de dopage ne tient pas la route avec un mec pareil.

— Alors... Mykio Dara est à la ligne 4...

Mykio avançait devant un Hongrois qui n'avait pas d'aigle gravé sur l'épaule, mais une hache. Tout allait bien, sauf les sifflements qui faisaient mal aux oreilles. Il allait bifurquer vers l'aire de plongeon lorsqu'il sentit un regard derrière lui. Il se retourna, intrigué, et aperçut Jihong. Il ne fut capable que de renvoyer un signe maladroit de la main. Très discrètement, elle remua son pouce en signe de victoire. Mykio à cet instant entrevit le loup tueur et le sourire de sa mère, puis, au souvenir de cette terrible sensation au même endroit à la même heure cinq jours plus tôt, il inspira et souffla. Il le savait, Ama-la était dans le stade, elle l'accompagnait. Il sentit une autre force revenir en lui, toute-puissante. Il allait nager pour elle.

La longue discussion avec Audrey bourdonnait dans

son cerveau. Malgré leur baiser brûlant, il avait vu Audrey
s'éloigner et lui la laisser partir. Était-elle perdue ? Cette
crainte lui troua le cœur mais éveilla en lui le *yam*,
l'amour originel féminin, que n'avait pas reçu Audrey.
Le gong électronique provoqua sa détente foudroyante
et un cri des profondeurs de tout son être vers celle qui,
dans ce stade, l'escortait : AMA-LAAA ! ! !

L'eau couvrit ce rugissement terrible qui se poursuivit en faisant des bulles. Le papillon le catapulta avec de
terribles assauts un mètre cinquante devant ses concurrents. Le dos augmenta la distance qui se stabilisa avec
la brasse. Le crawl paracheva une course solitaire qui
plongea le stade dans un silence de plomb. Même Tom
Douglas s'était arrêté de commenter pour répéter sur la
fin des « unbelievable ».

— Les meilleures hormones du monde ne réussi-
raient pas ça, lâcha Rooses involontairement.

Denis Paterson fit un effort pour se lever.

— Ça s'annonce difficile, dit-il.

La piscine restait silencieuse. Les haut-parleurs
scandèrent que Mykio Dara venait de battre de trois
secondes quatre dixièmes et deux centièmes, le record
du monde au 200 4/nages.

Le prodige sortit lestement du bassin. Avant de disparaître dans le hall, son regard s'éleva vers le haut du stade
où il la vit haut perchée, sur une traverse du plafond.
L'hirondelle était loin, mais il savait que c'était Ama-la.

Le vice-Premier ministre Liang Chaohua, toujours
informé de tout, avait des informations récentes de
l'Unité 301 qu'il livra au Bureau politique.

— Camarades, la nouvelle est désastreuse. Le professeur Lei et son équipe ne sont pas parvenus à démontrer que le dopage décelé chez Mykio Dara a été inoculé
pendant la séquestration de la nuit dernière.

— Vous voulez dire que ce petit salaud a menti ?
s'indigna le procureur Chen.

— Il a trompé son monde depuis le début, confirma Liang Chaohua. À commencer par le président Wang.

— Ceci met en cause aussi l'encadrement, dit Chen. Je ne parle pas seulement des directeurs de notre sélection, mais des personnes dans l'entourage présidentiel qui ont focalisé l'intérêt sur ce Tibétain.

— Peux-tu éviter les sous-entendus, camarade Chen? invectiva le maire de Shanghai.

— Si tu y tiens, camarade Rong... Ce n'est pas le Tibétain, ni même ses entraîneurs, qui ont appelé le camarade Wang pour lui dire «Je peux représenter la Chine». Quelqu'un de haut placé a attiré l'attention sur lui. Qui est-ce?

— Il y a plus urgent à trancher, Chen, s'interposa Liu Daren, le président de l'Assemblée du Peuple. La Commission exécutive du CIO va l'exclure. Ils vont lui retirer ses médailles.

— Avons-nous un moyen de pression?

— Il y a eu tout un processus de décisions calamiteuses ces dix derniers jours...

— Il y a plus immédiat, coupa Liu Daren aux aguets, la garde rapprochée de Wang se devait de resserrer les rangs. L'élimination de l'athlète unique et la fin des Jeux vont créer une pagaille monstre. Ce dont nous devons parler maintenant, c'est de la protection de l'État...

— Désolé, camarade Liu, mais je n'avais pas terminé, interrompit le procureur Chen.

— Nous pensons, camarade Chen, s'interposa le maire de Shanghai, que le camarade Liu Daren pose la question fondamentale à cette heure : la protection de l'État. Celle des responsabilités viendra en temps et en heure.

— Je constate que les camarades de Shanghai sont encore à l'œuvre pour couvrir une politique calamiteuse! lança le procureur Chen.

La porte centrale s'ouvrit brusquement sur deux gardes qui encadraient Wang Lanqing, suivi du maréchal Peng.

— Bonjour, camarades! Êtes-vous arrivés aujour-
d'hui à Huairentang par la porte Xinhua? demanda
Wang.

— Nous sommes arrivés par le portail ouest et avons
emprunté les allées latérales ouest jusqu'à Huairentang.

— Ceci veut dire que notre capitale est déjà en proie
au désordre. Le gouvernement chinois doit adopter une
attitude responsable en prenant les mesures adéquates
pour mettre fin à cette anarchie. Aucune autre considéra-
tion n'est de mise ce matin. Le camarade Liang va nous
exposer la situation.

— Il y a une petite semaine nous avions des manifestants furieux puis les jours suivants, nous avons eu plusieurs centaines de millions de supporters qui n'avaient
qu'un nom à la bouche: Mykio Dara, dans une ambiance
de fête. On est allé jusqu'à voir des officiers de l'armée du
peuple porter des tee-shirts à son effigie par-dessus leurs
uniformes. Il a éclipsé Jackie Chan au box office! Il fas-
cine également les dandys et les bourgeois. Les paysans
et les provinces s'identifient à lui. Son élimination peut
susciter un chaos indescriptible. Dès 10 heures ce matin,
une centaine d'étudiants de l'Académie centrale d'Art
dramatique ont disposé sur la place Tiananmen des bal-
lons gonflés d'hélium arborant ce message: «Mykio Dara,
Le Héros du Peuple». Ceux d'entre vous qui sont arrivés
ici tôt ont dû les voir à l'entrée de Zhongnanhai et sur les
arbres le long de Dangshang'an Jie. À midi, plus de cinq
mille étudiants et lycéens ont rejoint leurs camarades de
Qinghua devant Zhongnanhai, suivis par plus de dix
mille citadins. Enseignants, chercheurs, employés d'État,
travailleurs arrivent par groupes et sont organisés en unités. Ils apportent de la nourriture et des couvertures. On
voit également du personnel militaire qui a troqué la
veste pour le polo à l'effigie du Tibétain. Les plus nombreux sont les cadets de l'Académie de police qui ont
déserté l'école et se regroupent sur Anli Lu. Fait nouveau,
il y a des ruraux et principalement des fermiers des vil-
lages de la périphérie de Pékin. On m'indique également

que des trains, dans les gares d'autres villes, commencent à être pris d'assaut.

— Ces foules sont motivées par une exigence, indiqua le chef des Jeunesses communistes. Pour l'instant, elles en appellent au pouvoir pour qu'il fasse pression contre le CIO. Lorsque nous admettrons que Mykio Dara a triché, les masses se retourneront contre les dirigeants.

— C'est pourquoi il faut empêcher la vague de se former, répliqua Liu Daren.

— Je suis de cet avis, annonça le doyen Zhenlin.

— Merci pour tes déclarations, dit Mykio, ému, à Denis Paterson.

Mykio ressentait des émotions diverses, oscillant entre réconfort et tristesse. Ama-la avait eu une migration heureuse, mais guère favorable. Elle méritait une renaissance humaine, dans un corps solide et très vertueux. Mykio pressentait l'influence de perturbations à la fin de la vie d'Ama-la. Une contamination tardive de son karma. Et il tremblait pour Pa-la. Où était-il ?

— Ils nous les brisent avec leurs suspicions, répondit Denis.

— On arrive à égalité ? demanda Mykio.

Il voulait tout à coup partager cette épreuve avec Denis. Une compétition n'est pas forcément un conflit. Mykio aspirait maintenant à l'harmonie, même dans le combat.

— T'es sérieux ?

— Je démarrerai aux 40 mètres, comme au 100 libre. Surtout donne tout et ne t'occupe que d'une chose, me battre. Ce sera pire qu'au 100 libre.

Les mêmes voix annoncèrent, en français puis en anglais, les huit concurrents en détaillant Mykio et son palmarès qui le plaçait, avec sept médailles d'or aux épreuves individuelles, au rang de plus grand médaillé d'or de l'histoire de l'olympisme ex-aequo avec l'Américain Ray Ewry en athlétisme aux Jeux de 1900.

— On s'arrache jusqu'aux 40 mètres, souffla Mykio

à Denis, on explose à partir des 40 mètres et on essaye d'arriver vivants. Tu vas voir, on va faire 50,85 secondes.

Il monta sur le plot, chercha sur la poutrelle la petite hirondelle. Elle était bien là. Jihong aussi, dans la tribune « invités familles ».

Denis aurait vendu son âme pour avoir déjà fini. Mykio aurait vendu la sienne pour trouver Pa-la. Les torses se ployèrent en même temps que les jambes.

— Il est rare que les nageurs se parlent au moment de monter sur le plot, nota Michael Rooses.

— As-tu une idée de ce qu'ont pu se dire les deux monstres de la natation mondiale, Tom ?

— Je donnerais cher pour le savoir, Michael. Ce ne devait pas être méchant... J'ai l'impression que ces deux garçons s'entendent bien.

Les huit plongeons furent réussis. Pendant les trois premières ondulations sous l'eau, le corps et le cerveau devaient opérer une fusion-absorption de centaines de pensées et de sensations en une seule : tout donner.

Alors qu'aux 15 mètres Mykio entamait un papillon à respiration trois temps, Denis engageait un papillon plus agressif à respiration deux temps. Ils étaient au même niveau, légèrement distancés par l'Australien Tremp à la 3. Le Hollandais Horjick les rattrapait. Les cinq autres nageurs formaient une ligne de second front trente centimètres derrière. Aux 35 mètres, l'ordre était inchangé. Denis sentit une boule monter dans sa gorge. Mykio ne pensait à rien. Tremp sentait qu'il était en tête et avait bien l'intention de maintenir sa vitesse pour le rester. Denis commanda à son corps de passer en puissance maximum. À sa gauche, le corps de Mykio était monté d'un cran à la surface de l'eau, ce qui donnait l'impression de bras démesurés, tournant au ralenti. Sous l'eau ses bras fournissaient un travail de titan, offrant au corps entier des appuis et une vélocité qui expliquaient sa pénétration minimale dans l'eau et le moulinet apparemment lent de ses bras. Il vira en même temps que Denis Paterson à mi-course. Tremp, qui maintenait sa vitesse, était lâché.

— Un combat de géants, une fin de course historique ! hurla Tom Douglas. Ils ont viré ensemble en 23,98,
soit une demi-seconde en dessous du record du monde !

Après le virage, Mykio se força à faire une longue
coulée de cinq ondulations et se relâcha quelques
dixièmes de secondes. Denis lui arracha quelques centimètres. Mykio appuya sa dernière ondulation et sortit de
l'eau pour enchaîner.

Le papillon de Denis était atypique. Son corps, très à
plat, roulait peu, ses bras sortaient prématurément pour
embrasser l'eau loin devant et ses jambes restaient
presque immobiles. La première impression était celle
d'un brasseur s'essayant au papillon, à cette nuance près
que Denis n'était pas un brasseur et que personne n'avait
nagé, jusqu'à ce jour, aussi vite que lui en papillon sur
cette distance. Il sentait la terrible douleur de tétanisation des muscles gagner le haut des cuisses, les hanches,
les biceps et les épaules. À ses côtés, Mykio éprouvait les
mêmes douloureuses sensations.

Guzman avait laissé tomber son chrono, tandis que
Wei se demandait pourquoi il n'avait jamais réussi à
s'entendre avec Mykio. Pema Zhu sentait les larmes lui
monter aux yeux. Il n'y pouvait rien.

La piscine, vue de haut, était barrée comme par les
deux côtés d'un triangle isocèle. Mykio, qui nageait à
gauche de Denis, avait trois centimètres d'avance. Aux
80 mètres, Denis était en tête et Mykio suivait, dans ce
qui était devenu un début d'agonie. La tétanisation musculaire semblait maintenant provenir des os. Ses cuisses
étaient comme broyées. Soumis à ce supplice qui tortu-
rait ses bras de la même manière, ses gestes étaient
devenus des convulsions. Mais les dizaines de milliers
d'heures de nage de Denis et de Mykio leur permettaient
de maintenir la flottaison et une gestuelle parfaite malgré ce qu'ils enduraient. Mykio se mordit la lèvre jusqu'au sang, en même temps qu'il allongeait son corps et
fournissait un effort démesuré pour augmenter un peu
plus ses appuis sur les derniers mètres, qui devaient être
une envolée. Les coudes des deux nageurs sortirent de

l'eau en même temps pour revenir devant eux et les mains attaquèrent l'eau loin devant eux au même centième de seconde. La fin d'un papillon trop vite mené était un lent chavirage suivi d'un coulage brutal. Denis et Mykio avaient pris ce risque. Derrière eux, Tremp, talonné par Horjick, semblait revenir. Denis, qui sentait la victoire, voyait le mur reculer. Mykio, qui anticipait la victoire, voyait le mur arriver. Sur le dernier mouvement, il garda la tête oblique ne voyant plus qu'un point précis, les doigts de Denis qui, dans l'ultime et dernière coulée, se rapprochaient de la croix noire Swatch du bassin. Par intuition, guidé par il ne savait quoi, mais parfaitement lucide, il frappa volontairement la plaque avec les paumes, perdant 4 centimètres sur Denis qui la toucha avec les doigts.

Mykio ferma les yeux pour ne pas regarder le vaste panneau Panasonic. Son pari était très risqué. Il tourna d'abord la tête vers Denis, qui se remettait et fixait le tableau incrédule. Mykio observa ensuite Denis remuer sa tête dans tous les sens qui semblait vouloir dire «J'y crois pas». Le dos à l'écran, la tête contre le bord de la piscine, Mykio jouissait de cet instant d'incertitude. Il admirait son hirondelle.

L'air ébahi de Denis, l'explosion dans les tribunes des Chinois, des Américains et de l'ensemble du public, encouragèrent Mykio à se retourner pour contempler ce résultat.

Selon son habitude, il prit le temps de se sécher, remit son survêtement et ses chaussures, puis se dirigea vers la sortie où l'attendait la télévision populaire.

— Vous avez battu le record du monde, Mykio, en 50,85 secondes. Vous êtes ex aequo avec Denis Paterson. Était-ce intentionnel? cria Hong, la reporter, pour se faire entendre.

Hong et son milliard d'auditeurs ne parvinrent pas à entendre ce que répondait Mykio. Plusieurs milliers de spectateurs s'étaient mis à frapper leur siège avec la paume de la main. Un roulement plus assourdissant qu'une armée de tambours provenait des Chinois qui occupaient les tribunes centrales. Il leur était aussi venu à l'idée de gonfler deux gigantesque mascottes de plusieurs mètres cubes, un Yak et un Yeti qui se dandinaient devant les Anglo-Américains plus haut placés dans les tribunes et qui sifflaient faute de pouvoir voir la scène.

— Toucher le mur au même centième de seconde demanderait des années d'entraînement! hurla Mykio.

La reporter ne le regardait plus. Mykio perçut un calme ambiant, trop soudain, comme un flottement. Elle tenait son micro mollement. Mykio remarqua qu'elle avait blêmi. Denis à sa droite fixait aussi le panneau Panasonic. Les journalistes autour de Mykio avaient interrompu leurs interviews. Les nageurs avaient cessé de leur répondre. Tous les regards étaient braqués sur l'affichage.

Le Yak enflé à l'hélium augmenta de volume et explosa. Le Yeti subit le même sort. Mykio se tourna lentement vers l'écran, qui lui sembla bien plus terrible que d'habitude. Son nom était remplacé par des traits. L'hirondelle volait entre les poutrelles, affolée par ce qui devenait un début d'émeute.

— C'est arrivé! cria Tom Douglas dans son micro. Mykio Dara est disqualifié!

— Non, Tom, si tel était le cas, son nom s'afficherait en bas du tableau sans son temps de course ni sa place. L'effacement de son nom veut dire qu'ils l'ont exclu. Mykio Dara est exclu de la course!

— Vous avez raison, Michael. Nous recevons une dépêche! Oui, c'est effroyable! Mykio Dara est chassé des Jeux! La décision est tombée à l'instant. Un communiqué de la Commission exécutive du CIO annonce l'exclusion de Mykio Dara. Ce communiqué annonce sa positivité aux tests et son refus de participer à l'examen contradictoire des tests B. Ce que nous venons d'apprendre donne la chair de poule. La Chine n'a plus d'athlète! Le CIO a lâché le prodige chinois!...

— Il se passe quelque chose, Tom.

— Oui, Michael, il y a un incident dans les tribunes. C'est... C'est incroyable... Nous sommes au septième jour des Olympiades en direct de l'Aquatic Center qui semble pris de folie...

Mykio aperçut une meute de spectateurs se précipiter dans sa direction.

Ils vont m'achever, se dit-il.

Le commandant des forces spéciales Che Pufeng se plaquait déjà contre lui.

— Repli!

27

Émeutes

JO + 7

— Voyez donc ce qui se passe en ce moment à l'Aquatic Center, camarades, dit le procureur Chen, ces agitateurs ont à leur disposition une tribune de journalistes étrangers qui diffuse sur toutes les télévisions de la planète.

— CNN vient de passer un accord avec la chaîne World Sports TV qui occupe un box à l'Aquatic Center, annonça Liang Chaohua, et elle diffuse les désordres en continu. Ils appellent ça «Tourmente sur Olympic Green».

Les caméras de l'Aquatic Center filmaient ce qui ressemblait à un éboulis humain sur le versant d'une colline. Des gars solides grimpaient déjà l'escalier de la tribune de presse jusqu'à la bulle de verre de la régie. Le groupe le plus nombreux envahissait la plage. Des unités prenaient possession des escaliers de sortie et des portes d'accès. Les meneurs et leur escorte montèrent jusqu'aux boxes des télévisions américaines.

— Qui êtes-vous? Prenez le micro... Visez cette direction. Mon nom est Tom Douglas de World Sports TV. Allez-y, présentez-vous, vous êtes en direct.

— Je m'appelle Yan, suis médecin et citoyen du monde. Je représente la coordination de soutien à l'athlète chinois du Tibet Mykio Dara. Nous prenons possession de la piscine pour défendre Mykio! Les étrangers qui pensent différemment sont priés de sortir. Il ne leur sera fait aucun mal. Ceux qui soutiennent Mykio peuvent rester. Nous exigeons que les responsables du CIO viennent ici pour une discussion publique!

— Mon nom est Suekin. Je suis membre des Jeunesses communistes et de la coordination de soutien à Mykio Dara. Nous exigeons aussi que les responsables du sport du gouvernement chinois nous donnent des explications.

— Je m'appelle, moi, Chang Li, je suis originaire de Lhassa, l'ami d'enfance de Mykio. Nous voulons que Zhongnanhai garantisse qu'il ne sert pas de bouc émissaire. Nous réclamons des engagements publics sur ce point. Comme le disait la camarade Yao Suekin, le pouvoir doit rendre compte de la situation. Nous voulons la vérité sur le dopage de Mykio. Il nous faut des explications!

— Leur Chinois du Tibet est dopé, annonça le secrétaire d'État aux Affaires étrangères à Paul Niles qui avait fait irruption dans le PC de crise de la Maison Blanche.

— Ça vous fait rigoler? demanda Niles qui voyait le directeur de la CIA arborer un franc sourire devant l'écran de télé diffusant CNN.

— Pardon... c'est le fait qu'ils s'en aperçoivent si tard.

— On avait des infos là-dessus?

— Non, non... excusez-moi, Paul. Mais c'est vrai que ça commence à être le bordel et ça c'est pas bon. D'après ce que je sais le Comité olympique est au bord de l'implosion. Della Serra a de sérieux problèmes. Les Jeux de Pékin sont en plein chaos.

— Est-ce que ça nous concerne directement?

— Non. Mais les Chinois vont très mal le prendre.

— Le Bureau politique est en réunion, précisa le secrétaire d'État. On devrait y voir plus clair dans un moment.

— Ce mouvement de spectateurs n'a rien de spontané, annonça Liang Chaohua. Nous identifions les meneurs, le principal d'entre eux est un jeune médecin, Yan Runnan, figure montante des Jeunesses communistes.

— Depuis une semaine, la propagande officielle n'a cessé de proclamer Mykio Dara : héros national. Difficile de reprocher à nos militants de le soutenir, camarades ! répliqua le chef des Jeunesses communistes plus blafard que jamais.

— Ne te sens pas en cause, camarade Hu, répondit Liang Chaohua. Il y a aussi cette Suekin, étudiante de première année à Qinghua, qui est la fille du camarade directeur du bureau des statistiques. Cette gamine est soupçonnée d'appartenir à un mouvement illégal, appelé Organisation non gouvernementale de Recherche en sciences sociales et économiques de Pékin. Mes services ont saisi des tracts et une revue de cette organisation dont le noyau dur sévit à la faculté de droit. Ils se décrivent comme un mouvement de masse non politique. Des cellules ont été créées dans la plupart des universités et collèges de Pékin, Shanghai, Nankai et Tianjin. Elles essaiment un peu partout. Adhérer à ces cellules est à la mode. Le contraire est rétrograde.

— Tu veux dire, camarade Liang, qu'elles sont manipulées par des opposants ?

— Elles récupèrent le phénomène Mykio Dara pour en faire une arme politique. Elles attirent tous les meilleurs cadres des Jeunesses communistes qui ne se doutent pas qu'ils sont manipulés.

Théodore Bernie apparut sur les écrans de World Sports TV aux côtés de Norman Truly à Atlanta.

— J'ai réfléchi, dit le gros homme. On dit ici que Mykio Dara n'avait pas besoin de se doper. C'est ce point qui « m'interpelle ». Avant ces Jeux, Mykio était un nageur professionnel, sans perspective de compétitions réglementées par les règles antidopage. Il aurait pu dans ces conditions absorber des substances illicites comme le font beaucoup de sportifs amateurs. Peut-être a-t-il testé des produits, peut-être a-t-il servi de cobaye. Nous l'ignorons... Je veux dire par là que nous ne connaissons pas le Mykio d'avant Pékin 2008. Moi, avant de dire qu'il est comme ci ou comme ça, j'aimerais savoir qui était Mykio Dara. Les autorités chinoises nous l'ont sorti d'un chapeau. Aujourd'hui, il est magique, il brille, on l'aime, mais qu'était-il hier ? Où est le vrai Mykio Dara ? Que faisait-il avant que le président Wang ne nous le présente...

— Je peux vous répondre ! Mon nom est Pema Zhu. Je le connais depuis l'enfance...

Suekin avait regagné sa place dans la tribune pour laisser parler les autres. Elle avait posé sa main sur celle de son jeune frère Qin et se laissait bercer par le récit de ce commissaire politique du nom de Pema Zhu qui avait le courage de s'exprimer au micro. Elle imaginait un village dans la nuit, le chant des coqs déchirant l'atmosphère glaciale et donnant le signal du réveil. Elle imaginait le garçon avaler la purée de riz et arracher de ses dents blanches les tranches fumées de viande de yak avec ses camarades mal réveillés. Le commissaire décrivait la vallée inconnue cernée de falaises escarpées, de roches de toutes les couleurs portant des noms singuliers : le « Nid des vautours », le « Seigneur de la vallée du tigre ». Le lac avec ses trois grottes était, disait le camarade Pema Zhu, un lieu chargé d'histoire, où avait vécu dans l'ancien temps un yogi venu du Kham qui était parvenu, fort de la puissance de sa foi, à chasser les démons. Depuis, ceux-ci s'étaient transformés en protecteurs du lieu, divinités de longue vie du Tibet. Pema Zhu expliqua que c'était une légende, mais que ces superstitions donnaient une image fidèle du lac où Mykio avait forgé ses forces. L'Aquatic Center était silencieux. La voix grave de Pema Zhu contait l'odyssée de Mykio, et elle retentissait bien au-delà d'Olympic Green.

Le commandant des Forces spéciales Che Pufeng ne supportait pas qu'on empiétât sur son périmètre. Il resta collé contre Mykio. Ces miliciens collaient au garçon comme s'ils avaient un droit légitime de le toucher, si bien que Che fut contraint de porter un méchant coup à celui qui paraissait croire qu'on traînait Mykio au trou. L'écusson de Zhongnanhai, sur le blouson entrouvert de Che, calma ses acolytes.

Il fit rentrer Mykio dans la première Audi et fit signe au capitaine de la sécurité qui était censé mener cette opération convenablement de s'asseoir près du chauffeur. Il consulta son bipeur. La mission de protection du « sujet » n'était pas terminée.

— Où l'avez-vous enfermé ? demanda Wang Lanqing à Liang Chaohua.

L'écran télé était toujours allumé à Huairentang. Un second service de thé et de gâteaux avait été servi.

— Il est en lieu sûr au ministère de la Sécurité. La situation ne cesse d'évoluer. Pour le moment, ils exigent qu'on le ramène à l'Aquatic Center. Ce Pema Zhu est en train d'en faire un héros de légende.

— On ne muselle pas une légende, déclara Liu Daren.

On conduisit Mykio dans un bâtiment en brique gris-bleu identique à tous ceux du Liang Hutong. Un drapeau rouge étincelant tombait devant les baies vitrées sales qui encadraient l'entrée principale. À l'intérieur, un hall d'accueil pour des séminaires : un pupitre central et, à gauche, un grand tableau avec des noms de salles de conférences. Un coin buvette était fermé par une grille qui semblait close depuis longtemps. Les gardes envoyés dans ce lieu désaffecté attendaient les instructions. Le plus âgé d'entre eux, un major, savait qu'on leur amenait un prisonnier puisque c'était son métier de s'occuper d'eux. À son arrivée, il toisa Mykio, étudia les détails de sa physionomie. Il brûle de me faire tabasser, se dit Mykio. Le gars a une longue pratique... Le major fit taire les chuchotements de la garde saisie par l'excitation. Ces jeunes gens ont autant envie de me demander des autographes que de me travailler au corps... Le major escorta Mykio au deuxième étage jusque dans une pièce qui ressemblait à une salle de classe.

— Voici tes nouveaux quartiers, Mykio Dara. La garde restera dehors. Si tu as besoin de quoi que ce soit, fais-le lui savoir.

— Je reste avec lui, major, annonça Che Pufeng nerveux en rempochant son bipeur.

Le récit de Pema Zhu avait plongé le stade dans une torpeur mélancolique que rompit le docteur Yan. Il était temps de réveiller l'assistance.

— Ils doivent ramener Mykio parmi nous! S'ils le retiennent, c'est qu'ils ont des choses à cacher!

— Ceux qui ont décidé de l'empêcher de s'expliquer doivent venir ici donner leurs raisons, cria une voix.

— Les personnes qui l'ont sorti sont des miliciens de la Sécurité intérieure! Nous nous adressons au président Wang. Nous lui demandons de libérer Mykio! lança une autre.

— Vous entendez! rugit le procureur Chen. Pour qui se prennent-ils? Il faut envoyer là-bas deux divisions pour nettoyer le secteur et fermer Olympic Green.

— Tu n'avais pas besoin de l'amener au ministère

de la Sécurité, Liang. On y emmène les criminels ou les ennemis de l'État. Tu nous places dans une situation très embarrassante.

— Envisages-tu de leur obéir, Liu ? demanda le procureur Chen au président de l'assemblée du Peuple.

— Nous avons un point commun avec les manifestants. Comme eux, nous déplorons le dopage du Tibétain. Au lieu de nous mettre la foule à dos, allons la raisonner. Prenons-la dans le sens du poil, suggéra le maire de Shanghai.

— Je suis assez d'accord avec Rong, son idée doit être étudiée, appuya Liu Daren. Le camarade Wang sera le mieux placé pour exprimer la déception des Chinois et leur colère. Le peuple le suivra.

— Non, le peuple va le devancer et nous ne contrôlerons rien du tout !

— Êtes-vous aveugles, camarades ? Ne remarquez-vous pas que ce mouvement spontané est une ogive dont la tête se tourne vers nous ! s'écria alors le vieux Zhenlin.

— La pression populaire née la semaine dernière à laquelle nous avons dû faire face après l'élimination de notre sélection olympique se transforme en un mouvement passionnel de masse, canalisé par des roublards. La tourmente devient un ouragan. On ne lutte pas contre un ouragan, camarades. Soufflons dans le sens du vent et tâchons de neutraliser les chefs de file, répliqua le maire de Shanghai.

— Je ne suis pas sûr qu'ils nous en laissent l'occasion, écoutez !

En bas de l'écran de CNN-World Sports TV on pouvait lire que Mykio Dara était, selon des sources non confirmées, emprisonné au ministère de la Sécurité de l'État. Le docteur Yan invectivait le pouvoir.

— L'attitude de nos dirigeants devient suspecte, disait-il à l'antenne. Le peuple a le droit de savoir ce qui se passe. Partout, où que vous soyez, il faut faire pression sur les autorités pour que les dirigeants cloîtrés à Zhongnanhai s'expliquent ! Convergez vers Olympic

Green! Nous devons obtenir la libération de Mykio, exiger des explications et, le cas échéant, attendre les excuses de nos dirigeants!

— Dans tous les cas, ils devront s'excuser! cria Suekin, qui venait de saisir le micro. Par leur incompétence, ils ont sabordé ces Jeux! Nos Jeux! La Chine est devenue la risée de la planète à cause des crétins qui nous gouvernent! Exigeons leur démission!

— Papa va avoir des problèmes, Suekin, glissa Qin à sa grande sœur.

— Ne pense pas comme ça, répondit cette dernière, après avoir rendu le micro à Yan. Demain, il n'y aura plus de milice pour venir l'arrêter.

— On parlait d'ouragan. Il est là, déclara Liang Chaohua d'un ton calme. La foule est si nombreuse sur Anli Lu qu'elle peut enfoncer les grilles d'Olympic Green. Contrairement à la semaine dernière, il semblerait qu'elle ait l'intention d'envahir le site. En fait, le mouvement populaire de ce soir est beaucoup plus politique. La foule veut en découdre. Elle a fait son deuil des Jeux. Elle dit qu'Olympic Green lui appartient. Parmi les attaques contre les dirigeants, la plus fréquente est «Nous refusons un idiot comme président». Désolé, camarade président Wang, mais ceci devait être rapporté... La rumeur circule que Mykio serait mort après avoir été tabassé dans les caves du ministère de la Sécurité. Une perforation de l'estomac. Les rues autour du ministère de la Sécurité, de Tiananmen et Zhongnanhai, sont noires de monde. On y recense toutes les catégories sociales. Trente-deux manifestants interpellés disposaient d'armes lourdes. On a identifié dans une colonne qui marchait au sud d'Anli Lu neuf voitures immatriculées dans des ambassades étrangères, et dans lesquelles se trouvaient des officiels étrangers et des journalistes qui discutaient avec les manifestants.

— De mon côté les nouvelles sont inquiétantes, annonça le vice-Premier ministre chargé de l'information. Avec le secrétaire du Secrétariat général, j'ai dû sermonner les dirigeants de l'agence *Xinhua News*, du *Quotidien du Peuple* et du *Guangming Daily*. Ils ne tiennent plus leurs journalistes. Il y a de la pagaille dans les esprits.

— Nous pourrions faire intervenir le Tibétain sur les antennes pour calmer la foule, hasarda le maire de Shanghai jamais à court d'idées.

— Ils diront que nous l'avons drogué, répliqua le vieux Zhenlin.

Tassé dans son fauteuil, Wang semblait somnoler. Il savait où ses vieux camarades allaient en venir. Il était inutile de résister. La seule chose qu'il pouvait faire était de saisir une rame et de pagayer dans le sens du courant.

— Nous sommes tous d'accord, camarades, annonça-t-il à brûle-pourpoint. La décision à prendre aujourd'hui est l'instauration de la loi martiale. De mon côté, j'y suis favorable.

— Merci d'avoir prononcé ce mot, camarade président Wang! glapit le doyen Zhenlin qui se mit à applaudir.

Vibrant d'émotion, Pema Zhu était retourné dans les tribunes en proie à la plus grande cohue. Il y fut accosté par deux hommes.

— Tu nous suis chez la camarade Tong, glissa l'un d'eux.

— Que voulez-vous?

— Il y va de la vie de Mykio. Viens, camarade! Pema obtempéra.

Della Serra n'eut pas le cœur d'aller expliquer à l'antenne une décision trop hâtive. Les collègues de la Commission avaient insisté pour qu'Hehnrick défende leur position. Il était le seul capable de faire bonne figure sur ce qui ressemblait à un champ de ruines. Peter avait récité ses gammes de porte-parole par intérim et était satisfait. Le CIO n'était pas responsable de l'élimination de Mykio. Il déplorait cet incident. Il demandait à la Chine de faire en sorte que ses engagements olympiques fussent respectés. Peter parvint dans cette cohue à sauvegarder tant bien que mal la dignité olympique. Il était pourtant difficile dans cette ambiance survoltée de garder la tête froide. D'autant que depuis vingt-quatre heures, il avait reçu un certain nombre de signes d'alerte. La vie économique s'était arrêtée à Pékin. Les réunions programmées avec les autorités chinoises avaient été ajournées. Hehnrick et ses collaborateurs étaient allés au ministère et avaient trouvé portes closes. Il avait tenté de joindre Jiang Yi, sans succès.

A 21 h 30, Pema Zhu arrivait dans le bâtiment central du Liang Hutong à l'étage occupé par le haut commissaire Tong. Il fut introduit dans l'une des salles de réunion. Il y avait autour de la table un officier de rang supérieur de la Sécurité intérieure et un fonctionnaire bien habillé, donc d'un échelon élevé. Tong présidait la réunion. Elle se tenait très droite à l'extrémité de la table. Elle fit signe à Pema Zhu de s'asseoir à l'autre bout.

— Camarades, dit-elle, la situation est très grave. Le Bureau politique est en session depuis plusieurs heures. Il s'avère que Mykio Dara est vraiment dopé. C'est non seulement ce que dit le CIO, mais ce que confirment nos scientifiques...

— C'est impossible, lâcha Pema Zhu.

Elle le regarda droit dans les yeux.

— Nos laboratoires ont poussé leurs analyses très loin, ce qui a pris du temps. Jusque-là nous étions confiants. Camarade Pema, vous vous êtes exprimé avec amour, confiance et humanisme à l'Aquatic Center. Nous avons tous été émus ici. La réalité en est d'autant plus amère. Selon les analyses ce dopage est ancien. Tout le monde s'est fourvoyé dans cette affaire. Voici les rapports de notre Académie de médecine...

Pema reconnut le sceau de l'Académie de médecine du Peuple, aussi réel que l'effigie de Mao sur un billet de 10 yuans.

— Il s'est joué de vous comme de nous.

— Je n'y crois pas...

— Le connaissez-vous vraiment ?

— Permettez...

Il fouilla le dossier médical, inventoria les feuillets, les colonnes, les annotations en bas de page, les renvois. Les conclusions annonçaient «positif». En dessous figurait le sceau de la plus haute autorité médicale.

— Je ne peux pas le croire, bredouilla Pema qui voyait défiler quinze années de sa vie.

La colère montait en lui.

— La jeunesse a commencé à s'en prendre au Parti du peuple, exposa Tong. Elle aime les champions et c'est un réflexe que l'on peut comprendre... Il est maintenant indispensable de rétablir la vérité. Vous êtes commissaire du peuple, camarade Pema. Le Parti en appelle à vous !

Elle frappa son maigre poing sur la table et son regard se braqua sur Pema Zhu.

— C'est là que vous allez intervenir, camarade Pema. Vous connaissez Dara depuis l'enfance. Vous allez expliquer qui il est : un misérable drogué. Un mythomane ! N'hésitez pas sur les termes. Soyez convaincant, la population doit vous écouter, la fièvre doit retomber. Nous comptons tous sur vous.

— Ce que vous me demandez est difficile, tenta de résister Pema.

— Voyons les choses sous un autre angle. Notre travail ici consiste à défendre ce que des centaines de millions d'individus construisent jour après jour. Je parle de la Patrie. L'élimination de notre sélection aux Jeux était une attaque frontale manigancée de l'intérieur du pays par un groupuscule baptisé «Mouvement des Cimes» et bénéficiant d'une complicité active des États-Unis. La prise d'otages a été manigancée par les mêmes forces hostiles. Il faut être aveugle pour ignorer que Mykio fait partie de leurs plans. À quel niveau? Lui seul le sait! Mais c'est lui la pièce maîtresse. Regardez comme il est populaire alors qu'il a fauté.

Pendant que Tong parlait, Pema se remémorait les propos de Wei: *Regarde, tu es notre commissaire politique et tu es devenu sa nounou. Il nous manipule...* Wei avait-il vu juste? Avait-il été lucide?...

— Je ne vous ai pas présenté le camarade directeur politique des antennes d'État. Il va diriger l'enregistrement de votre déposition, diffusée sur les antennes ce soir.

— En faisant ça, je le tue plus sûrement que d'une balle dans la nuque...

Le regard de Pema était embué d'hésitations.

— Vous êtes un patriote, camarade Pema. Cessez de renier votre passé...

Elle fit glisser devant lui une vieille photo.

— Vous vous rappelez?... Vous aviez relevé votre casquette à cet instant-là. Sans les kilos qui se sont accumulés depuis, c'est bien vous n'est-ce pas?

Pema prit sa tête dans ses mains. Sa respiration se fit saccadée.

— Vous croyez que Mykio ignore la vérité? Vous vous trompez. Il fraye avec toutes sortes d'individus louches du Tibet et d'ailleurs qui ont toutes sortes de dossiers. Ne vous faites aucune illusion, il vous hait autant qu'il hait le Parti. Il sait que votre mère était une *übong*, la classe pauvre, indigente du Tibet, les chouchous des camarades révolutionnaires, ceux qui ont aidé à briser les bourgeois. Les collabos, les pourris de l'intérieur, comme vous dites au Tibet... C'est comme ça que Dara vous voit.

— Non...

— Et vous l'aimez toujours?

— On ne chasse pas quinze ans d'histoire d'un revers de main.

— Si, camarade! Si cette histoire est antipatriotique, on l'évacue!

La mort dans l'âme, le maire de Pékin lut le projet de communiqué du gouvernement municipal :

L'instauration de la loi martiale impose la fin immédiate de toutes les manifestations qui se déroulent à Pékin. Ceci concerne les Jeux olympiques sur le district nord de la ville. Les personnes étrangères qui participent à ces manifestations doivent quitter le territoire chinois. Les ressortissants chinois doivent rentrer chez eux. Sous la loi martiale, les officiers de sécurité, les officiers de police et les soldats de l'armée du peuple sont autorisés à utiliser tous les moyens nécessaires et, si besoin est, leurs armes pour faire appliquer la loi martiale.

— Maintenant il faut se préoccuper de savoir qui va diriger le pays, avança Hu, le chef des Jeunesses communistes en évitant de regarder Wang et en allumant sa quarante-septième cigarette de la journée.

— Que veux-tu dire ? demanda le maréchal Peng.

— Le camarade Hu exprimait tout à l'heure une opinion, répondit le procureur Chen à la place de Hu. Il n'est pas de Shanghai comme toi, Liu, ou comme toi, Rong, ou comme toi, camarade Ding. Il n'a pas de liens d'amitié aussi ténus avec le camarade Wang. Pouvez-vous lui laisser la parole ?

— Tout dépend de ce qu'il a à dire, répliqua le maire de Shanghai, qui subodorait une réaction hostile.

— Il a à dire que l'équipage qui a échoué son bateau n'est pas celui qui procède au renflouage ! lança le vieux Zhenlin avec toute son autorité de doyen.

Les murs recouverts de moquette terne, les néons et les chaises d'écoliers, l'immobilité de Che Pufeng qui ne bougeait que pour regarder son bipeur et le rempocher en soupirant, invitaient Mykio à sonder son karma. Il n'y trouvait pas grand réconfort. Le nœud Jihong/Audrey était impossible à défaire. Dès qu'il tirait un bout, l'autre se resserrait. Il était entièrement happé par Audrey. Mais Jihong avait une telle dignité. Il savait qu'elle ne montrerait rien. Il lui dirait simplement son choix et elle partirait sans un mot, seule, triste. Faire mal à Jihong lui était insupportable. Il revint alors vers l'examen de sa situation qui n'était pas brillante. Au point où il en était, allait-il seulement revoir un jour Jihong ou Audrey?

— Tiens, Mykio, voilà ton repas!

Mykio remercia Che Pufeng qui avait posé une barquette de nouilles avec des lamelles de porc sur la table devant lui. Che prit une chaise, qu'il plaça de manière à voir en même temps Mykio et la porte. Il posa son arme sur la table, à soixante-dix centimètres de sa main droite.

— Vous êtes devenu mon maton, commandant Che? demanda Mykio.

— On peut voir les choses comme ça, répondit Che, avec une morne indifférence.

Mykio trouva que les nouilles étaient froides et qu'elles n'avaient aucun croquant. Il vit Che Pufeng ressortir de la poche de son blouson le petit appareil noir de la taille d'une boîte d'allumettes.

— C'est quoi? demanda Mykio.

— Un bipeur.

— À quoi ça sert?

— Mange tes nouilles.

— Vous étiez plus aimable.

Le commandant regarda son bipeur, appuya sur un bouton, puis rangea son appareil en soupirant.

Hehnrick avait les sens en éveil, les nerfs à vif. Norman Hertz était invisible depuis vingt-quatre heures. Il n'était pas apparu à l'usine. Il avait appris par le secrétariat de BFL que c'était la police, et non les services de contrôle habituels, qui avaient visité l'usine de Shougang la veille. Jiang Yi était toujours injoignable. Hehnrick avait assez d'imagination pour balayer toutes les hypothèses. Il voulait bien faire joujou avec les Chinois à condition qu'ils ne se jouent pas de lui. Il devait déjà assumer Friedman et sa duperie. Il n'avait nullement l'intention de se laisser manipuler par Li Feng. Il avait une arme. Il allait l'utiliser. Il décrocha son téléphone pour contacter le directeur du laboratoire de recherches avancées de Pittsburgh, le fleuron de BFL. Il demanda qu'on lui communique sur son e-mail les formules chimiques afférentes aux trois types de molécules constituant l'*Hypoglophyse retard*.

28

Dangers

Wang entendait la respiration de Peng, à sa droite, qui faisait un effort pour garder son calme. Il notait surtout que les paroles du camarade Zhenlin n'avaient pas éveillé la fureur de ses amis. Or, il eût été normal que ses amis intervinssent. Au lieu de cela, ils se taisaient.

— La question de la composition du Bureau politique est du ressort du Comité central, dit-il, comme pour répondre au silence.

Le souffle de Peng, plus fort, était le seul bruit que percevait Wang. Ils assimilent la terrible situation dans laquelle nous allons nous trouver d'ici peu, pensa-t-il. Elle ne plaît à personne. La confirmation du dopage tout à l'heure a été suivie de quelques réactions légitimistes de Liu, Rong et Peng, mais ils ont rapidement été saisis par la nausée. Ils sont maintenant dans le coma. Par-dessus tout, Peng m'inquiète. Il va me faire un incident cardiaque... Tout miser sur un Tibétain... L'attaque frontale de Zhenlin n'est pas anodine. Il a l'expérience : il ne mord que les cadavres. Hu ne se serait pas lancé seul... Mon bon Peng semble apaisé, je n'entends plus son souffle.

— Peng, comment juges-tu la situation ? demanda Wang à son ami.

Le maréchal dressa la tête, il toussa et se raidit.

— Mon vieux Wang, tu sais que, pour un soldat, le devoir prime, gloussa le maréchal dans une quinte de toux. En qualité de premier militaire de l'État, je m'engage à faire appliquer la loi martiale dans toute sa rigueur. Les districts militaires de Pékin, Shenyang et Jinan apporteront le principal de leurs vingt-deux divisons, soit au total, cent quatre-vingt mille hommes, ce qui inclut la police en armes. Dans la mesure où la contagion risque de gagner les provinces, les comités permanents des antennes provinciales du Parti feront un rapport quotidien sur l'opportunité d'étendre cette loi martiale à leur région. Le général Yang émettra un ordre de mobilisation politique à nos principaux districts militaires pour qu'ils soient préparés à tout moment à obéir aux instructions de la direction du Parti et de la Commission militaire centrale...

Wang Lanqing trouva la voix de Peng bien assurée.

— Je repose ma question ! Qui va exercer le commandement suprême des forces armées, camarade maréchal Peng ? demanda le vieux Zhenlin.

Vingt regards pivotèrent vers Wang, puis ils se recalèrent sur le maréchal Peng qui sentit son asthme revenir.

— À plusieurs reprises, répondit ce dernier après s'être raclé la gorge, de nombreux camarades m'ont fait part de leur préoccupation sur le ramollissement du pouvoir central. Nombre de dirigeants de gouvernements locaux s'en alarment...

— Ai-je bien entendu ?

Wang sentit un vide.

Peng fut pris d'une quinte de toux effroyable.

— Pourquoi ne m'en as-tu pas parlé ? demanda Wang dès que le maréchal cessa de tousser.

— Tu étais fort, Wang, mais ce ne semble plus être le cas. Je ne peux pas confondre mon amitié avec l'exercice de mes responsabilités.

— Le camarade maréchal Peng veut dire que l'évolution de la situation sociale et politique dans le pays crée une réalité politique nouvelle, camarade président Wang, glissa le vice-président de la République.

— Toi aussi, camarade Ding?

Ding hocha la tête, le visage fuyant de biais. Le doyen Zhenlin, rôdé depuis longtemps à toutes les situations, profita de ce silence embarrassé pour aller plus loin.

— Les plus âgés d'entre nous ont grandi dans une forêt de fusils et sous une pluie de balles, dit-il d'une voix amère. Nous connaissons le manque, la peur et la vie mieux que quiconque. C'est pourquoi nous avons été choisis parmi les anciens pour veiller sur le Parti. Aujourd'hui, les populations urbaines ont de la nourriture et des habits décents, comme tout le monde peut le constater. Elles trouvent ça naturel. Si elles se comportent en enfants gâtés, comme la semaine dernière, et si le pouvoir répond avec la même désinvolture, les moins favorisés mettront peu de temps à entrer à leur tour en rébellion. Camarade Wang, tu es allé au bout d'une logique politique inaugurée par le camarade Deng Xiaoping en son temps. Cette mésaventure olympique est le point limite de cette politique. Nous devons maintenant retrouver nos marques.

Wang nota que ses derniers amis se taisaient. Il était toutefois impossible que Liu Daren et Rong Shuxian l'aient trahi. Ils étaient terrassés comme lui. Il ne pouvait en être autrement.

Mykio observait avec frustration le commandant Che, qui était d'une immobilité de cire. Il aurait voulu lui expliquer qu'il ne s'était pas dopé. Mais il se dit que c'était aussi vain que de tenter de convaincre un proche qu'on a attrapé le Sida aux toilettes ou chez le dentiste. Il ne connaissait rien à la biologie et pouvait échafauder des centaines d'hypothèses. Il préféra tuer le temps en songeant à Jihong et replongea dans la mélancolie. Il fit à peine attention à la télévision, juchée dans un coin en hauteur, qui s'était allumée. La solide figure de Gen-la à l'écran le ramena à la réalité.

— Je me suis exprimé devant le public de l'Aquatic Center cet après-midi, annonçait Pema. Je suis la personne la plus proche de Mykio depuis ces dernières années. Je l'ai aimé comme mon fils. Je m'adresse maintenant à la jeunesse de ce pays et plus largement à toute la population. Ma conscience me force à dire ce que je sais. Il serait amoral de laisser le peuple dans l'ignorance. Ce que j'ai appris m'a ouvert les yeux et terrifié. Il s'avère, la science vient de le démontrer, que Mykio est dopé. Selon les chercheurs ce traitement ancien modifie le métabolisme, améliore la souplesse ligamenteuse, fortifie les muscles. En fait, le Mykio que nous avons pu admirer n'est pas à proprement parler un humain comme vous et moi. Avant ces Jeux, il était en marge de la compétition. L'encadrement se souciait peu de ce garçon atypique qui vivait certes au centre préolympique, mais dans la marginalité. Il boudait la compétition. Il faisait à peu près ce qu'il voulait. Il avait accès aux centres de thérapie et à toutes sortes de pharmacies. Il pouvait s'amuser avec son corps. Ce fut sans doute ce qu'il fit innocemment. Ensuite, il s'est trouvé entraîné dans cette aventure. Il n'a pas su dire non à tant d'espoirs portés sur lui. À mon avis il n'était même pas conscient de sa toxicomanie. Le seul responsable, c'est moi. Je n'ai rien vu, rien compris. Je demande pardon.

Mykio fut assailli par tous les troubles négatifs imaginables. Les acides produits par cette mauvaise adrénaline envahirent son organisme, bien pires que ceux de la chambre d'appel et du podium. Il sentit ses cellules absorber cette énergie avariée et s'alourdir de matières pesantes. Il réfréna un vomissement. Ce fut à peine s'il vit rentrer le haut commissaire, la vieille Tong. Indifférente à ses paupières gonflées et à sa mine terreuse, elle prit une chaise et s'assit en face de lui.

Le commandant Xu qui l'accompagnait resta debout derrière elle.

— Tu as entendu la confession de Pema Zhu? demanda-t-elle.

Il fit oui de la tête tout en se tenant le ventre.

— Il a professé une vérité, Mykio. Tu es drogué. Et ça ne date pas d'hier. Reconnais les faits.

Mykio nia par un autre mouvement de tête.

— Toutes les analyses de la nuit dernière révèlent que tu t'y adonnes depuis des lustres.

Il protesta d'un geste brusque.

— Pema Zhu l'a reconnu.

Comme il ne répondait pas – en fait, il voyait la vieille Tong flotter comme double exemplaire devant ses yeux, elle ajouta :

— À Lhassa on l'appelait le Boucher.

La voix de Tong était devenue tranchante. Elle tenait deux photos qu'elle lui brandit au visage.

— Regarde bien, sur celle-ci, il est en train de loger une balle dans le crâne de ton papa... et sur celle-là, dans le crâne de ta mère...

La vue de Mykio, au bord de la tétanie, se brouilla. Les doigts maigres et légèrement tremblotants de Tong avaient placé la seconde photo devant ses yeux. L'image tanguait mais Pema Zhu était là, l'arme bien en main, à l'œuvre. La tête était relevée, si bien que la casquette ne dissimulait plus son visage. Sa mère était en équilibre, cassée en deux, la tête projetée en avant.

— Je croyais que t'étais au courant. Il est d'usage d'envoyer aux familles la balle et son prix. À ta majorité tu aurais dû recevoir ces deux articles avec la facturation. Pema a dû s'en débrouiller...

Elle l'observait derrière ses grosses lunettes qui rendaient énormes les yeux poissonneux.

— Pema Zhu s'occupait aussi des interrogatoires. Il aimait faire des expériences. Il a activement participé aux programmes de dopage de nos athlètes à la fin des années 1990. Le métabolisme humain l'a toujours intéressé. À vrai dire, je crois qu'il est un peu malade. Nous pensons qu'il a pu t'abuser...

Mykio régurgita d'un seul coup ses nouilles, n'épargnant pas le tailleur de Tong qui le regarda avec affliction.

— À notre avis tu ne t'es pas drogué, mais tu l'as été malgré toi. Rappelle-toi bien, t'a-t-il fait passer des examens ?... t'a-t-il administré des médications ?... Il s'intéressait à la biologie humaine, n'est-ce pas ?... Réponds... Tu dois t'exprimer publiquement. Le peuple comprendra... Il faut le lui expliquer.

Mykio racla sa gorge pour évacuer les glaires. Il n'avait plus qu'une idée en tête, saisir cette vieille carcasse par le cou et l'étrangler.

— Depuis longtemps je t'observe, Wang, continuait Zhenlin qui ne parvenait plus à se taire. Tu fais partie du groupe des quatre aînés et nous t'avions élu. Aujourd'hui tu es faible. En ce moment, par exemple, tu veux protéger ta fille qui a introduit le ver dans la pomme, n'est-ce pas ?

— Que veux-tu dire ?

— Il parle du Tibétain, intervint Chen. C'est ta fille, Shan, qui t'a enfoncé ce Tibétain dans le crâne.

— Je fais embarquer le premier qui met en cause la camarade Wang Shan ! tonna le maréchal Peng. Nous avons conclu un accord, camarade Li, tu mènes les débats, mais tu n'embêtes pas les Wang. J'avais ta parole, fais-la respecter.

Tous les regards convergèrent vers celui qui s'était tu jusqu'ici.

— Il est clair pour nous tous ici qu'un changement notable à la tête de l'État devra être entériné par le Congrès du Peuple, dit Li Feng. Le Bureau politique va convoquer une réunion du Comité central, qui appellera les représentants du Peuple à un congrès extraordinaire. Il vous sera demandé, camarade président Wang, d'annoncer que vous avez décidé de prendre une retraite anticipée. Vous garderez votre liberté et les avantages des anciens chefs de l'État.

— Camarade Li, le Bureau doit également s'engager à ce que le camarade Wang Lanqing ne soit pas inquiété, insista Peng.

— Le Bureau va stipuler que la camarade Shan ainsi que les personnes de l'entourage du camarade Wang puissent vivre paisiblement, sans inquiétudes, promit Li Feng. C'est vous, camarade Wang, qui devez prendre la décision de vous retirer de la vie politique. Vous déciderez de convoquer le Congrès du Peuple pour pourvoir à la désignation de votre successeur.

— Je vois que dans la trahison, tu restes mon ami, glissa Wang à Peng.

— Je te protège, Wang. Tu le sais.

— Pourquoi ne m'as-tu pas prévenu ?

— Je te protège contre toi, Wang. Tu n'aurais fait qu'aggraver la situation.

— C'est ce qu'on dit après coup, mon ami.

— Tu as raison. Je t'ai trahi. Mais que pouvait-il se passer d'autre, après le désastre de ton Tibétain ?

— Rien.

Ils écoutèrent Li Feng exposer son programme. Le vice-président de la République, le jeune et prometteur Ding, serait nommé à la tête du gouvernement. Li Feng assurerait la présidence par intérim avant le vote du Congrès. Wang nota que ses amis de Shanghai avaient été ménagés. Pour le moment, la position de Liu Daren n'était pas remise en cause.

— Regarde-moi tous ces salauds, Peng, murmura Wang, ils prennent des airs de circonstance. Je parle des jeunes dont on a fait la carrière. Ces dandys n'ont jamais touché un fusil. La peur d'être refroidis ne les a jamais effleurés. Regarde avec quelle froideur ils organisent cette formidable boucherie qui ensanglantera la ville. Quand je pense que c'est toi, mon bon Peng, qui commanderas les troupes... Enfin, tu l'auras voulu.

— Je suis de près le camarade Li, depuis des années. Après toi, il est le plus apte à exercer les plus hautes fonctions étatiques.

— Sans doute, mais de quelle manière ? Tu vois, Peng, la Chine glisse lentement vers la réforme. Vous n'y pouvez rien. Vouloir retenir le courant est aussi vain que ratisser l'eau. Seulement, ce ne sera pas de l'eau, mais du sang.

Commandé par il ne savait quelles pulsions, Mykio laissa se déchaîner sa violence. Soudain dominé par le monde extérieur, il devint le point de convergence de toutes les énergies négatives. Il fallut tout l'art de Che Pufeng pour sauver Tong de la strangulation. Le commandant Xu, incapable de neutraliser Mykio assez vite, s'était alors défoulé sur le forcené. Ce fut encore la maîtrise du commandant Che qui sauva le malheureux de la sauvagerie de Xu.

Tong endolorie quitta la salle en jurant à haute voix que le Tibétain finirait dans un trou, que la balle et son coût seraient pour Cheng Jihong.

Le directeur Lin découvrait la joyeuse cohue de l'appartement de Mykio.

— On embarque tout!

— Tout ce qui est consommable, précisa l'inspecteur Yang aux agents.

— On commencera l'analyse par ce qu'il y a dans la salle de bains et dans la salle médicale de l'unité CNO. Je veux aussi des prélèvements de l'eau de chaque robinet... Alors, vous saviez que Dara se droguait?

— Non... non... Pas à ma connaissance.

— Il ne prenait pas de médicaments?

— Si, parfois, mais il était traité par l'acuponcture et par le docteur Zhi qui pratique notre médecine traditionnelle.

Wei soupira un bon coup.

— Je vous assure que Mykio ne se dopait pas, répéta-t-il avec fermeté.

— Vous connaissez bien Pema Zhu?

— Oui, bien sûr.

— Vous l'avez entendu?

— C'est incompréhensible, Pema a toujours été du côté de Mykio.

— Vraiment?

— Vous savez, Pema est un proche de longue date. Je vous jure qu'il aimait ce gamin... Même moi, je me suis mis à l'aimer... Je ne comprends pas que Pema ait pu le débiner comme ça...

— Écoutez, camarade, dit Lin en lui posant sa main sur l'épaule. Je vois que vous n'êtes pas dans votre assiette... Je vous charge de convoquer en bas, dans votre unité CNO, médecins, obstétriciens, ostéopathes, masseurs, diététiciens.... Je vous interrogerai après.

Lin regarda Wei sortir. À n'en pas douter un homme intègre. Ici, on ne trouvait pas la racaille habituelle, ces individus avec qui on peut négocier des informations. Il n'avait rencontré à Olympic Green depuis le début de cette affaire que des gens triés sur le volet. Des serviteurs sans taches. Les carrières avaient été passées au crible. Tout ici était propre. Lin savait aussi qu'il y avait des caméras omniprésentes et que leur visionnage serait inutile. L'interrogatoire de l'encadrement de Mykio ne donnerait rien non plus. Lin connaissait par avance les réponses que lui feraient ces gens vertueux mais traumatisés, qui ne se souciaient que de l'intérêt suprême de la Partie. Pourtant depuis une semaine, un cuisinier exemplaire travaillant ici avait été assassiné, quatre cent quarante-trois jeunes gens constituant l'élite de la nation avaient été surpris imbibés de drogues. Et maintenant le nouveau héros du peuple s'avérait être un grand consommateur de stupéfiants depuis l'enfance. Il y a de la vermine dans toute cette affaire, mais où se terre-t-elle? se demandait Lin en songeant à Pema Zhu qu'il allait devoir interroger.

Il se tourna vers Yang.

— T'as eu des nouvelles de Tong?

— Non, directeur Lin.

— C'est bon signe, mais tu dois te calmer pendant

un moment. Essaie d'avoir une vie équilibrée pour un policier du Peuple.

— Je vous assure que j'ai compris beaucoup de choses, camarade directeur.

— En effet...

Lin dévisagea l'inspecteur en fixant avec insistance sa boucle d'oreille.

— C'est bien, Yang, mais tu ne ressembles pas à quelqu'un qui a compris.

— Le fiasco de Pékin va provoquer un traumatisme populaire à l'échelle de l'extraordinaire passion populaire vécue ces derniers jours, prédisait Li Feng devenu charismatique devant ses pairs. Camarades, sur ce champ de ruines, il va falloir édifier, réveiller l'élan patriotique. Susciter un vaste mouvement. Le 18e Congrès sera un événement majeur, mais qui s'inscrit dans la normalité institutionnelle. Il faut à son ordre du jour une question de première importance qui dépasse les enjeux politiques habituels, qui justifie que le Parti prenne les mesures adéquates pour la sécurité de l'État, à commencer par le musellement le plus énergique de toutes les oppositions. Dès lors, le communisme retrouvera sa gloire après le chaos provoqué par l'Olympisme et ce Tibétain...

Li Feng laissa les derniers mots s'incruster, surtout le mot « chaos ». L'assistance autour de lui, muette, attendait. Il savoura cet instant tant attendu où tout dépendait enfin de lui.

Il fit distribuer un dossier intitulé *Implication des États-Unis d'Amérique dans la contamination des athlètes chinois.*

Les grandes nouvelles se suffisant à elles-mêmes, il ne fit aucun effet d'annonce.

— Ce qui figure sous vos yeux s'apparente à une déclaration de guerre, dit-il simplement.

29

Questions

JO + 7

Hehnrick entendit le bip discret de son ordinateur portable, signal que les formules de Pittsburgh étaient bien arrivées dans sa boîte aux lettres. Trente secondes plus tard, un assistant du secrétariat du CIO lui apportait un tirage papier qu'il plia en quatre et rangea dans la poche intérieure de son costume.

Autour de lui, les membres de la Commission exécutive du CIO étaient trop absorbés pour prêter attention aux deux turbines de l'hélicoptère Z-13 HAMC trois mètres au-dessus de leurs têtes, sur le bitume du toit. Malgré la nuit, le vent était brûlant. L'hélicoptère tournoya trois fois avant de se poser, ce qui laissa le temps au commandant Xu d'appeler son collègue en bas, lequel lui assura que la périphérie de l'immeuble du CIO était sous contrôle. Les passagers furent accueillis par un steward chinois au sourire étudié. On recevait ici toutes sortes de sommités.

— Pouvez-vous nous conduire auprès de M. Hehnrick? cria le directeur Lin, qui luttait contre le souffle et les tourbillons provoqués par les pales.

— Bonsoir, monsieur. Que lui voulez-vous?

— C'est une affaire de police, camarade, n'y faites pas obstruction, répondit Xu.

— Monsieur Hehnrick, chuchota Anne-France.

Chuchoter n'était pas dans ses habitudes.

— Que se passe-t-il? demanda Hehnrick, à qui cela n'avait pas échappé.

Il avait une bataille à jouer. Il était sur le qui-vive. Tous ses sens étaient en alerte.

— Il y a dans le couloir des personnes qui veulent vous voir.

— Je n'attends personne. Pas en ce moment.

Anne-France lui fit passer un mot manuscrit: C'est la police.

— Merci de nous recevoir, monsieur Hehnrick. Je suis le directeur Lin de la police criminelle de Pékin, voici mon adjoint, l'officier Yang et le commandant Xu de la Sécurité intérieure.

— Vous pouvez nous laisser, Anne-France. Dites à la commission que j'arrive dans quelques minutes. Que puis-je pour vous, directeur Lin?

— Nous menons une enquête sur la diffusion de produits illicites, monsieur Hehnrick. Avez-vous connaissance des activités de Norman Hertz? demanda Lin.

— Il s'agit d'un collaborateur de haut niveau. Il a toute notre confiance.

— Il mène des activités illégales dans votre usine de Shougang. Nous y avons saisi des produits prohibés.

— C'est strictement impossible. Tout ce que nous stockons et fabriquons est légal.

— Voici la déposition de Hertz. Elle est très précise.

— Qu'est-ce que c'est que ça?...

— Lisez. C'est une traduction, vous verrez, il a avoué pas mal de choses.

Hehnrick ajusta ses lunettes.

— Il vous met directement en cause, indiqua Lin. Regardez... C'est noté ici.

— Il avoue avoir fourni la substance qui a dopé notre sélection, insista Xu tandis que Yang mettait un magnétophone en marche.

— Vous devriez joindre le conseiller Jiang Yi qui m'a été présenté par le Premier ministre Li Feng.

— Jiang Yi ?... C'est noté, lâcha Lin.

— Je me pose une question : qui vous a envoyés ici ?

— C'est notre travail d'investigation qui nous a conduits ici, répondit le directeur Lin.

— Vous éludez...

— Vous pensez bien que nous vous surveillons depuis que vous avez posé le pied en Chine, annonça le commandant Xu. BFL est incriminée dans le dopage des quatre cent quarante-trois athlètes chinois, ce qui est très grave. Vous êtes dénoncé par votre directeur en Chine. Vous avez des contacts avec la CIA.

Hehnrick éprouva la désagréable sensation d'être pris au piège dans un système sur lequel ni les explications, ni sa forte personnalité, n'avaient prise. Tout ce qu'il pourrait dire glisserait sur les trois policiers préoccupés par leurs seules questions.

— Si je ne retourne pas dans la salle de réunion, le Comité va appeler mon ambassade...

— Les personnes du CIO n'ont pas le statut diplomatique.

— Vous nous suivez ! ordonna le commandant Xu.

Mykio avait gigoté, puis était resté prostré en murmurant des sons lugubres. Le commandant Che n'était pas formé à ce type de surveillance. Les personnalités qu'il était censé protéger se déplaçaient dans le cadre d'une organisation bien structurée. Il suffisait de filer le train en marche. Ici il était bien seul. Le sommeil de Mykio ramenait un peu de sérénité dans cette salle. Che y fut sensible. Il roula son blouson et le plaça sous la tête du malheureux. Du revers de sa manche, il lui enleva quelques saletés du visage, puis reprit la position, le revolver sur la table, à soixante-cinq centimètres de sa main droite.

Le président Niles avait regagné le Bureau Ovale. Le secrétaire d'État aux Affaires étrangères qui avait interrompu les activités matinales de Niles, l'y attendait.

— Le Bureau politique est en réunion depuis des heures. Mais la question n'est pas là. Les forces de Sécurité chinoises ont pénétré au siège du CIO à Pékin et ont emmené par la force Hehnrick. Il est le seul Américain à la Commission exécutive du CIO.

— Bon sang!...

— L'ambassadeur Birdsall a appelé le vice-président chinois qui lui a fait savoir qu'il le contacterait au plus vite. Depuis, rien. Le Bureau politique est en réunion à Zhongnanhai. Enfin, c'est ce qu'ils prétendent. Impossible de joindre un haut dirigeant.

— Leur ambassadeur a été convoqué?

— Une tête de cire que je viens d'avoir le plaisir de contempler pendant une demi-heure.

— Si je comprends bien, vous voulez que je téléphone à Wang Lanqing?... Pour lui dire quoi? S'ils ont arrêté notre compatriote en plein CIO, c'est qu'ils ont trouvé une sale histoire à nous raconter.

— Déjà, si vous avez Wang au téléphone, ce sera un début. Le problème, c'est que Pékin en ce moment, c'est le monde du silence, sauf dans les rues. Plus rien ne passe depuis dix heures. Cela n'est jamais arrivé. Même pas en 1989.

— Revenons à cet homme. Vous lui serrez ici la main à votre arrivée à l'aéroport. Hertz dit qu'il s'appelle Qi. Il dit aussi que vous l'avez rencontré au moins deux fois.

— Je rencontre beaucoup de monde.

— Si vous l'avez rencontré deux fois, vous devez vous en souvenir.

Hehnrick était assis sur une chaise en bois devant une petite table, le directeur installé derrière un bureau, trois mètres devant lui. Le commandant Xu était assis dans un fauteuil, dos à l'Américain, au fond de la salle. Yang officiait entre Hehnrick et Lin.

— L'homme à côté de vous sur cette photo est Ruan. On le retrouve ici avec vous.

Hehnrick reconnut le chauffeur qui avait un kaposi caché derrière ses lunettes. Il nota aussi que deux magnétophones tournaient. Il n'en avait remarqué qu'un à son arrivée.

— Oui, vous êtes enregistré et filmé. On procède toujours ainsi.

— C'est votre gouvernement qui m'a présenté ces deux personnes. Plus précisément, c'est le conseiller Jiang Yi.

— Faites un effort pour comprendre notre embarras. Qi était le chef du commando terroriste sur Olympic Green. Ruan était son lieutenant.

— Je ne comprends rien à toutes vos histoires! J'ai du travail et des responsabilités. Puis-je partir?

— Vous n'avez pas assimilé le problème, intervint Lin, nous enquêtons sur le dopage de notre sélection et sur la prise d'otages d'Olympic Green. Visiblement ces deux affaires sont liées.

— Tenez, voici un autre cliché plus récent...

Une nouvelle photo passa devant les yeux d'Hehnrick. Qi allongé, mal rasé, en jean et chemisette, le regard éteint, entouré par cinq hommes de la police commando.

— Vous reconnaissez Qi?

— La photo date de cette nuit. On le sort ici de chez les Meyer... et là, quelques jours avant, il est avec vous. Vous discutez tranquillement. De quoi parlez-vous?

— J'exige une confrontation avec Jiang Yi.

— Vous pouvez demander un avocat et l'assistance de votre ambassade, monsieur Hehnrick.

— Ça va mieux ? demanda Che à Mykio.

— Elle est morte ?

— Oh non.

— Je croyais l'avoir tuée. J'ignorais être capable de ça...

Mykio regardait ses mains.

— Être capable, c'est y arriver, murmura Che.

— Vous avez raison... Merci pour le blouson.

— C'est pas un problème.

— Gardes ! Faites venir ces messieurs.

Hehnrick vit entrer dix Chinois dont la particularité commune était qu'ils avaient tous largement dépassé la soixantaine.

— Reconnaissez-vous quelqu'un ? demanda Lin tandis que l'huissier malmenait son clavier, que la caméra tournait et que les micros enregistraient.

— Non, ces personnes ne me disent rien.

— Vous en êtes sûr ?

— Oui...

— Camarade Jiang Yi, vous pouvez sortir du rang, je vous prie.

Un homme bien vêtu s'avança. Il était mince, de taille moyenne. Ses fines lunettes mettaient en valeur un visage éclairé par un sourire épanoui. Il était clair que M. Jiang Yi n'était pas n'importe qui.

— Ce type n'est pas Jiang Yi ! s'insurgea Hehnrick.

— Pouvez-vous avoir l'obligeance de montrer vos papiers au prévenu, s'il vous plaît, camarade Jiang.

Le ton de Lin était respectueux.

— Il y a un autre Jiang Yi, riposta Hehnrick.

— Il n'y a pas d'autres Jiang Yi.

— J'ai rencontré Li Feng qui m'a mis en contact avec un dénommé Jiang Yi. Il y en a forcément un autre.

— J'étudie certains dossiers pour le camarade Li, avec qui j'ai collaboré pendant vingt ans à la mairie de Chongking, expliqua Jiang Yi d'une voix posée.

J'accompagne des industriels qui souhaitent s'implanter en Chine et particulièrement à Chongking. J'active un peu la bureaucratie et j'accélère les procédures. Le secrétariat du camarade Li m'avait prévenu de votre appel, mais vous ne m'avez pas contacté.

— Le Jiang Yi que j'ai rencontré occupait des fonctions plus larges, expliqua Hehnrick. D'ailleurs, il a organisé un groupe de travail du Bureau des Médicaments avec nos directions du développement et de la recherche.

— Ce groupe que vous mentionnez est effectivement en relation avec le ministère de la Santé publique et le Bureau national de la Coopération industrielle, précisa le directeur Lin en consultant ses notes. Nous avons interrogé les camarades qui traitent avec vos équipes. Elles nous ont donné les noms de vos directeurs actuellement à Pékin et aussi celui de votre directeur continental pour l'Asie...

— BFL n'a plus de directeur continental pour l'Asie.

— Et pourquoi?

— Il a démissionné.

— Intéressant... pour quelle raison? demanda Lin en esquissant un faible sourire.

— Le manque de résultat sur la pénétration du marché chinois. C'est pourquoi j'ai rencontré Li Feng la semaine dernière et Jiang Yi à plusieurs reprises.

— Nous venons d'interroger nos camarades des deux ministères. Ils ne connaissent pas votre Jiang Yi.

— C'est impossible, rétorqua Hehnrick.

— Vous avez pu être abusé par des gens peu scrupuleux, glissa le directeur Lin. Pékin est une cité en pleine expansion. On y trouve de tout. En ce moment, les hommes d'affaires pullulent. Vous avez peut-être été contacté par de sombres simulateurs. Ils ont pu vous proposer des choses malhonnêtes. C'est très fréquent. Ces gens-là n'hésitent pas à vous entraîner dans l'illégalité en vous persuadant qu'ils ont des relations haut placées. Ensuite, ils vous rançonnent. Vous auriez été bien inspiré de nous téléphoner. Nous aurions mis bon ordre à cela. Vous avez peut-être été léger. Admettez-le.

Hehnrick voyait trop bien l'impasse vers laquelle voulait le conduire ce policier. Un homme d'expérience. Admettre, c'était avouer les livraisons.

— Je n'ai rien commis d'illégal sur votre territoire, se contenta-t-il de dire.

— Ce n'est pas notre opinion, monsieur Hehnrick. Voulez-vous que l'on appelle votre ambassade qui vous fournira un conseil?

— Oui... Faites.

On frappa.

— Entrez! cria le commandant Che Pufeng.

Le major, toujours le même, escorté par un sous-officier grand et maigre, toisa Mykio.

— Nous venons assurer votre relève, camarade commandant, annonça le major.

Che Pufeng sortit lestement de sa poche son bipeur.

— Du calme, major, ce n'est que mon bipeur, dit-il. Il visa l'écran.

— Je suis toujours consigné auprès de ce garçon, annonça-t-il en rempochant l'objet.

— Nous obéissons à des ordres, répliqua le major. Nous sommes consignés dans cette salle avec vous.

— Installez-vous là-bas, ordonna le commandant en désignant une table à l'autre bout de la pièce.

Après avoir été mis à l'isolement pendant une heure dans une salle contiguë, Hehnrick retrouva le directeur Lin, l'inspecteur Yang, le commandant Xu, l'huissier de justice et deux Occidentaux à l'air grave.

— Bonjour, monsieur, dit le plus jeune des deux Américains. Je suis le second attaché d'ambassade. Vous connaissez maître Jefferson Crown. Nous pouvons discuter un moment avec Jefferson si vous le souhaitez.

— Nous devons faire le point avec vous, Peter, c'est votre intérêt, intervint Crown d'une voix autoritaire.

— Gardes, conduisez ces messieurs et le prévenu dans une pièce disponible où ils pourront travailler.

— Je n'ai pas encore eu accès à votre dossier, annonça l'attaché d'ambassade, mais nous craignons que les Chinois vous veuillent du mal. Nous ne savons pas ce qu'ils vous reprochent, mais l'ambassadeur Birdsall est inquiet.

— Pas autant que moi. Ces policiers sont agressifs. Ils inventent toute une série d'histoires à dormir debout.

— Vous devez savoir que le directeur Lin est une grosse pointure, indiqua Jefferson Crown. Il a été chargé par le Bureau politique de l'enquête sur le dopage de la sélection chinoise.

— De qui reçoit-il ses ordres ?

— Du directeur de la police de Pékin qui lui-même est sous l'autorité du gouvernement chinois et du gouvernement de la ville. L'enquête est également soumise au contrôle politique du Parti, précisa Crown.

— Qui exerce ce contrôle ?

— À ce niveau d'enquête, il se situe sans doute à Zhongnanhai ou pour le moins au ministère de la Sécurité, au plus haut niveau.

— Il faut être plus précis, Jefferson.

— Nous allons nous renseigner.

— Il y a aussi cet officier de la sécurité qui s'appelle Xu. Vous l'avez vu. C'est celui qui porte si bien l'uniforme. Quel est son rôle ?

— À mon avis, il est chargé de l'aspect politique de l'enquête. Nous allons également entamer des recherches sur lui et votre Jiang Yi.

— La situation ce soir est extrêmement tendue, annonça l'attaché. Nous craignons qu'ils ne vous utilisent pour faire pression sur les États-Unis. Si vous savez quelque chose de particulier, il faut nous le dire, monsieur.

Hehnrick toisa le diplomate et l'avocat.

— Je n'ai rien fait d'autre que mon métier : m'occuper des intérêts de BFL et du CIO. Je veux savoir qui nous attaque. Je serais capable de me défendre contre un homme, pas contre un système. Trouvez-moi un nom.

— Ils viennent de décréter l'état d'urgence. Les installations du CIO sont encerclées. Il y a des mouvements de troupes dans la banlieue de Pékin. Il ne s'agit pas seulement d'unités de sécurité, mais aussi d'unités militaires, principalement des troupes mécanisées.

— Et ailleurs ? demanda le président des États-Unis.

— Rien de spécial, mais le NSA révèle un accroissement très sensible des communications entre les PC militaires régionaux chinois.

— Pas de nouvelles d'Hehnrick ?

— Non, mais ils ont accepté que l'ambassade et un avocat lui rendent visite.

— Un avocat américain ?

— Oui, c'est possible maintenant, une résultante des accords OMC, si l'avocat est inscrit au barreau de Pékin.

— Cela peut vouloir dire qu'ils sont assez sûrs de leur histoire.

— Oui, c'est pas forcément bon signe, Paul.

— J'aime pas ça... Et je n'arrive pas à joindre Wang Lanqing.

Au fond de la salle, Mykio voyait une nouvelle situation s'imposer à lui. Pendant son enfance, il avait reçu des corrections de son père, des maîtres à l'école. Au Tibet, il était normal de rosser les gamins. Pour les Chinois, il était d'usage de battre le Tibétain. Mykio avait grandi dans ces univers où la violence est familière, mais il n'avait encore jamais vu la mort en face. Les trois hommes devant lui attendaient l'ordre du haut commandement. Il n'avait pas peur et se surprenait à attendre sereinement les cinq cycles de la dissolution avec leurs apparitions de vides inondés de lumière blanche, puis rouge, noire, puis enfin le vide clair.

Les trois premières étapes de sa vie avaient été la découverte, l'apprentissage, le travail. La dernière, le combat, la plus courte, mais la plus tumultueuse, venait de s'achever dans un tel brouhaha qu'il était normal que ce fût la fin. Il n'avait plus rien à faire ici. C'était si limpide qu'il en éprouva un bien-être fugitif.

30

Le damné

JO + 7

Toujours dans le Liang Hutong, le général commandant la place attendait le signal de l'exécution. Il avait demandé au camarade Liang un ordre écrit. Pour exécuter une haute personnalité, il fallait une instruction sur papier. Le camarade vice-Premier ministre Liang, chef rodé depuis des lustres, avait préparé ce qu'il fallait. Liang était rigoureux avec ses subordonnés et il s'appliquait à lui-même ce qu'il leur imposait. Mais il ne l'avait pas encore faxée car de son côté, il attendait le feu vert de Li Feng.

La mise à mort d'une haute personnalité était un honneur qui revenait à un officier méritant. Sur les recommandations de Tong, la mise à mort avait été confiée au commandant Xu qui guidait avec doigté l'enquête du directeur Lin. Xu méritait d'épingler Mykio Dara sur son tableau de chasse tout autant que les galons de colonel que le camarade Liang lui remettrait après l'exécution du Tibétain.

À deux blocs de là, la camarade commissaire du Parti Tong, étendue, oubliait ses douleurs au cou en son-

geant à ses victimes et plus particulièrement à l'inspecteur Yang. Elle éprouvait des scrupules. Le directeur Lin
était un vrai patriote. Un excellent policier. Le meilleur.
Et ce camarade était attaché à ce jeune imprudent.
Derrière le bon air de chien battu du vieux Lin, insen-
sible aux menaces et aux roustes de ses maîtres, elle
avait perçu une flamme paternelle. Une fragilité. Peut-
être le levier pour obtenir de Lin ce qu'elle voulait. Ce
fut en pensant à cela qu'elle lui téléphona.

— La gamine que fréquente l'inspecteur, une certaine Suekin, est une vraie cinglée, camarade directeur
Lin, commença-t-elle sur un ton alarmiste. En ce
moment, elle est en train de mettre le feu aux poudres
dans l'Aquatic Center. Nous avons ouvert les dossiers
des individus qu'elle fréquente. Parmi ceux-ci, il y a cet
inspecteur de second échelon Yang. Encore lui. Je suis
pressée de toutes parts par des camarades haut placés
au sujet de votre inspecteur.

— Je suis un vieux militant, j'en ai vu de toutes
sortes depuis des années et je sais détecter ceux qui
déraillent. Notez ceci, camarade Tong, je me porte garant
de l'inspecteur Yang. En ce moment, il est avec moi et
m'est indispensable.

— Camarade Lin, nous sommes confrontés ce soir
à une rébellion nationale. Ici, nous sommes amenés à
observer qui fait quoi. Nous préparons des dossiers. Ne
vous associez pas à Yang, qui a des liens étroits avec les
fauteurs de troubles les plus virulents.

— Encore une fois, camarade Tong, Yang est un
très bon élément et un patriote. S'attaquer à lui alors
qu'il y a tant à faire est un non-sens.

— Il faut être pragmatique, camarade Lin. Yang
s'est mis dans cette situation... Écoutez... Je veux bien
faire un effort, intercéder en votre faveur une dernière
fois, couvrir votre inspecteur Yang. Mais de votre côté,
soyez plus coopératif. L'enquête que vous conduisez
avec le commandant Xu doit aboutir ce soir. Ne coupez
plus les cheveux en quatre. Nous voulons cet Américain.
Il faut que Dara devienne un paria. Nous voulons que le

peuple retrouve ses esprits. Vous avez assez d'éléments pour clore les dossiers dans ce sens. C'est ce que vous demande le Parti. Montrez du patriotisme et, de mon côté, je ménagerai votre inspecteur.

— Merci, camarade haut commissaire Tong. Soyez rassurée. L'enquête est quasiment bouclée et sa conclusion politique aura tout lieu de vous satisfaire.

— C'est très bien ainsi. Le Parti vous en sera reconnaissant, camarade.

— Reprenons, dit Lin, quand tout le monde fut en place dans la salle des interrogatoires. Hehnrick ici présent évoque un mystérieux conseiller Jiang Yi. De quoi parliez-vous avec le conseiller?

— De santé publique, répondit Hehnrick.

— Seulement?

— Oui. Nous sommes des fabricants de médicaments qui parlons de médicaments.

— Mais encore?...

— Nous nous appliquons à obtenir des autorisations de mises sur le marché pour nos produits.

— Vous ne parliez de rien d'autre avec le faux Jiang Yi?

— Non...

— Qui vous a présenté le terroriste Qi?

— Mon client ignorait ses activités, interrompit Crown. Je tiens à ce que ceci soit noté.

— Tout est inscrit, enregistré et filmé. Vous aurez une copie de tout dès la sortie de cette réunion. Souhaitez-vous prendre connaissance des pièces à charge contre Hehnrick et Qi?

— Non, nous avons déjà perdu assez de temps, répondit Hehnrick.

— Si Peter, j'aimerais prendre connaissance de leurs documents. Cela m'est indispensable.

— Gardes, remmenez le prévenu et son avocat dans leur salle de travail, ordonna Lin.

La vie de Mykio était bien parvenue à son terme, mais il ne laissait derrière lui que ruines et fantômes. Cette vie ne lui avait pas fait franchir beaucoup de pas vers l'Éveil. Il était même certain d'avoir régressé malgré les bonnes dispositions annoncées par Ama-la. Il avait conduit son existence d'une manière erronée. Il y voyait clair maintenant. Il avait bien un corps, un esprit, mais l'âme était absente. Elle s'était envolée le jour où il avait appelé le bourreau de ses parents Gen-la. Il avait nagé, obéi, trahi. Il serait la honte d'Ama-la et de A-pa pendant ses renaissances jusqu'à la fin des temps. Prostré dans l'attente, il s'interdisait de réciter ses mantras préférés. Nulle autre profanation.

Il voyait le commandant Che, le major et le sergent, attendre les ordres. Il entendait dehors de nouveaux bruits de camions. Le périmètre s'était mis à gronder. Il avait entendu des coups de sifflets et il avait senti une terrible tension envahir progressivement ce lieu d'une austérité déprimante. La moquette sur les murs semblait ternir un peu plus au fil des minutes. Les trois officiers s'observaient. Mykio peu à peu se sentait glisser. La fin n'était pas un dénouement, mais le vide. Comme pour se convaincre qu'il était encore vivant, il regarda ses jambes, ses mains, les jointures de ses doigts, se toucha les cheveux, respira, retint sa respiration.

Jefferson Crown, maintenant seul avec son client, referma la chemise contenant une copie des pièces.

— Notre ambassadeur tient à être tenu informé heure par heure, Peter.

— Informez-le.

— Il faut étudier ce point. La première idée qui vient à l'esprit est, qu'à travers vous, ils visent les États-Unis. Il y a de l'agitation en ce moment du côté de Zhongnanhai. À priori, il est de notre devoir de faire un reporting à notre ambassade. Mais est-ce bien votre intérêt ?... S'ils cherchent à créer une crise, ne risquons-nous pas d'accélérer un processus voulu par les Chinois et figer la situation?... D'un autre côté...

— Jefferson, interrompit Hehnrick.

— Oui?...

— Appelez l'ambassadeur.

— Vous avez raison, Peter.

Crown passa à autre chose.

— Vous n'avez pas nié avoir rencontré le dénommé Qi.

— Je l'ai malheureusement rencontré. Vous avez vu les photos.

— Votre rencontre avec Qi et la déposition de Hertz sont les seules charges qu'ils semblent détenir contre vous. La déposition de Hertz peut être sujette à caution... Facile d'accuser le patron.

— Je crois surtout qu'ils l'ont mis dans un drôle d'état... le pauvre gars.

— Le problème c'est que s'il existe des enjeux politiques, la justice chinoise est prête à se satisfaire d'aveux bâclés et de preuves approximatives.

— Il faut savoir qui tire les ficelles.

— Selon vous, celui qui vous a mis dans les pattes du faux conseiller Jiang Yi serait le même qui a ordonné votre arrestation?

— Bien vu, Crown. Pour être clair, je veux m'assurer que ce salaud est bien Li Feng.

— Et dans ce cas que ferez-vous? demanda Crown.

— Vous verrez.

Le major avait des poignets épais et osseux, les ongles d'une propreté aléatoire. Le sergent qui l'accompagnait avait les épaules tombantes et les mains bien ouvertes, prêtes en toutes circonstances à frapper ou à palper. Il se massait les phalanges en regardant tantôt Mykio, avec envie, tantôt Che Pufeng, avec crainte, qui ne remuait pas d'un poil.

— Mettez-vous de dos! cria Che dans la direction

du major. Regardez la porte. Je veux vous avoir en plein champ... Voilà! C'est bien.

Il fit signe à Mykio de s'approcher.

— Les uns semblent tenir à toi. Les autres veulent ta peau...

— Ce sont les autres qui ont raison.

— Si je suis encore là, c'est que tu as des alliés.

— Ils ont dû vous oublier.

Il y eut un silence, puis Che glissa:

— J'ai noté que tu n'as pas eu peur quand ces deux nerfs de bœuf sont entrés.

— Qui?

— Des nerfs de bœuf. On les appelle comme ça dans l'armée. Il valait mieux que je sois avec toi, crois-moi.

Pour la première fois Che regardait Mykio avec intérêt.

— Si tu me vois bouger, dit-il, laisse-toi faire sans t'affaisser ni te raidir. Garde ta mobilité, mais ne prends aucune initiative.

— Ce ne sera pas difficile. Je n'en prends jamais. Je me laisse toujours guider.

— Nous en étions à *le prévenu déclare qu'il n'était question avec le conseiller que d'autorisations de mises sur le marché en Chine.*

— C'est cela, répondit Hehnrick.

— Voici d'autres dépositions... Il s'agit des sœurs Meyer et de Mykio Dara qui identifient Qi comme le chef du trio terroriste sur le Village olympique... Allez, lisez... Ils n'ont pas inventé Qi, eux!

Hehnrick et Crown parcoururent les dépositions, conscients qu'elles n'arrangeaient pas leurs affaires.

— Puis-je parler à mon client? demanda Crown.

— Je n'en ai pas fini, répondit le directeur Lin. Vous prétendez avoir été l'objet d'une imposture. Ces deux voyous ne vous ont parlé que du bien-être de la Chine?

— L'extension des AMM signifie des interventions auprès des dirigeants, des récompenses, etc. Les personnes qui mènent ce genre d'affaires ne sont pas toujours des enfants de chœur.

Bien répondu, nota Crown.

— Savez-vous que Qi est mort ?

— Vous venez de me le montrer sur une civière.

— Il est décédé dans l'appartement des Meyer. Vous n'avez jamais parlé avec le conseiller ou Qi de cette prise d'otages ?

— Bien sûr que non !

— Et à Ruan ?

— Qui est-ce, celui-là ?

— Le second terroriste qui a participé à la séquestration des deux Américaines...

Une autre photo passa.

Ah ! le jeune homme au kaposi, se rappela Hehnrick.

— C'est vous et Ruan au volant de la voiture... Ici encore, vous êtes en présence de Ruan et de Qi.

— Qu'en pensez-vous ? demanda Hehnrick à Crown.

— Évitez de leur parler, Peter. Il faut en dire le moins possible. Ces Chinois sont de vrais vicieux. La déposition des Meyer change pas mal de choses. Elles ont témoigné sans contrainte. Qi est donc bien un criminel de premier plan. C'est gênant... Cela conforte la tournure criminelle de leur enquête.

— Ils m'ont mis en relation avec ce voyou dans un but bien précis. Je ne l'ai rencontré qu'une fois.

— Hertz l'a vu plusieurs fois à votre demande. C'est ce qu'il prétend en tout cas... Mais on ne peut plus dire que toute cette affaire est une invention des Chinois car Qi est bien réel. Ils semblent avoir fabriqué contre vous un faisceau de preuves à charge et je crains qu'ils n'aient pas encore lâché le « gros morceau ». Ils vous ficellent. Ce qui m'inquiète, c'est le gros plomb qu'ils veulent attacher à vos pieds. Si ce plomb existe, dites-le-moi, que je puisse adopter avec vous la meilleure stratégie de défense.

— Je n'ai traité que des intérêts de BFL. J'ignorais que ces types opéraient contre Olympic Green.

— Peter, ce n'est pas Hertz qui traitait avec votre faux Jiang Yi. Hertz est entre leurs mains et vous charge.

— Il raconte ce que la police veut entendre. Dans sa situation, il n'est pas crédible.

— Pour les Chinois, il l'est et c'est suffisant ici.

Jefferson Crown réfléchit un moment.

— Dans la mesure où vous n'avez rien à faire avec tout ça, demandons une confrontation avec Hertz. Je tâcherai d'obtenir l'accord de la justice de Pékin pour qu'y assistent un ou plusieurs juges connus pour leur honnêteté. Un face-à-face avec Hertz, dans ces conditions, me semble la seule chose efficace à faire... Dans ce contexte, les choses peuvent bouger.

Crown guetta les réactions d'Hehnrick.

— Continuez, intima ce dernier.

— Pour préserver les positions de votre groupe dans le monde, vous êtes contraint de mener des actions dont le commun des mortels n'a pas idée...

— Allez droit au but.

— Mon opinion est que vous avez partie liée avec une ou plusieurs personnes très haut placées ici et que toute cette histoire est en train de très mal tourner... Si c'est bien cela, dites-le-moi, j'examinerai la question autrement.

Hehnrick toisa Crown.

— Organisez cette réunion avec Hertz.

— Nous sollicitons une confrontation avec Norman Hertz, annonça Crown.

— C'est envisageable, répondit Lin sans hésiter.

— Nous devons d'abord en référer à la hiérarchie, précisa le commandant Xu, toujours assis dans son fauteuil, dans le dos d'Hehnrick et de Crown.

Lin adressa au commandant un regard bien appuyé. N'importe quelle police du monde aurait accédé à cette requête, sauf Xu et ceux qui le commandaient. Il se leva brusquement pour aller parler à Xu qui montrait depuis un moment des signes de nervosité. Son cellulaire n'arrêtait pas de sonner. Sans doute Tong, se disait Lin.

— Cette confrontation devrait nous permettre de lever les doutes sur la déposition de Hertz, camarade Xu, glissa-t-il en mandarin.

— Il n'y a aucun doute sur sa déposition, camarade.

— Je parle des doutes du prévenu et de son avocat...

Xu se leva à son tour d'un bond en faisant signe à Lin de le suivre en dehors de la salle.

— Le prévenu n'a pas à nous influencer, dit-il une fois dans le couloir. Il est temps de clore cet interrogatoire.

— Laissez-moi faire mon travail, camarade commandant Xu. Croyez-moi, Hehnrick ment et va droit dans le mur.

— Il y est déjà car il a reconnu Qi. La déposition de Hertz n'a qu'un intérêt très secondaire. Le temps presse. On n'a plus le temps de faire joujou avec ces crapules capitalistes. Je croyais que la camarade Tong vous l'avait fait comprendre !

— Hehnrick va être inculpé, il passera la nuit au trou, mais terminons convenablement cette audition... Nous en avons au plus pour une demi-heure. Qu'est-ce qui vous presse tant ?

Lin voyait bien que Xu ne tenait plus en place.

— Vous savez, c'est une nuit très spéciale. Il se passe des événements de première importance. Les contre-révolutionnaires ont envahi le site olympique. Le Tibétain a été arrêté. Ils l'ont emmené ici, au vieux séminaire. Je viens de recevoir l'ordre de m'occuper de lui, je dois y aller.

— Ah !... Mais allez-y, commandant Xu ! Hehnrick sera sous les verrous cette nuit. Dites à Tong qu'elle peut être tranquille sur ce point.

— D'après mes sources, Wang Lanqing a quitté le Bureau politique sous bonne escorte avant la fin de la réunion.

— Comment interprétez-vous ça? demanda le président des États-Unis au directeur de la CIA qui trottait à ses côtés.

Ils rejoignaient le PC de crise.

— Wang rentre habituellement chez lui à pied. Le plus souvent il fait une balade avec le maréchal Peng dans les jardins. Là-bas comme ici tout est sécurisé, ils se baladent sans escortes.

— Vous êtes en train de me dire qu'ils l'ont arrêté?

— Ça en a tout l'air. En plus il quitte rarement une réunion du Bureau avant la fin. Or, ils sont réunis en ce moment même au complet, ce qui est exceptionnel.

Le président Niles rejoignit le PC de crise. Le vice-président et les figures habituelles étaient là.

— On a tout un tas d'informations qui partent dans tous les sens, dit Niles en s'asseyant. Je veux maintenant qu'on établisse un diagnostic qui tienne à peu près la route.

Après une heure de discussion, ils en arrivèrent à la conclusion que le pouvoir chinois était en train de basculer et que les nouveaux dirigeants, apparemment vindicatifs, semblaient décidés, pour des raisons de politique intérieure, à provoquer une crise internationale majeure.

— Je vais tenter d'accélérer les choses pour vous faire sortir de là, Peter, promit Crown.

— Ah, les avocats! Vous êtes tous pareils! Comprenez-moi, Crown, je ne veux pas dépendre du bon vouloir de ces Chinois.

— Nous ne sommes pas devant une juridiction américaine, Peter. Ici, la présomption d'innocence n'existe pas et on ne vous libère pas sous caution. Nous sommes entre leurs mains. Vous êtes au centre d'un bras de fer qui m'échappe et qui vous échappe aussi. Mon seul souci est de vous sortir de là.

— Qui avez-vous eu au téléphone?

— Le premier appel venait de Georges. Il est déjà

dans l'avion avec une équipe de collaborateurs et de spécialistes de la Chine. Ils ne veulent pas perdre de temps.
Nous proposons que Georges, votre avocat habituel,
dirige le travail entre nos deux cabinets...

— Je sais que vous organisez bien ce genre de
choses. Le second appel ?

— L'ambassade, puis le Secrétariat d'État ont
demandé à Zhongnanhai des informations sur les motifs
de votre arrestation. Zhongnanhai n'a pas répondu.
Le gouvernement de Pékin non plus. L'ambassadeur de
Chine a été convoqué à la Maison Blanche sur l'initiative
du président, qui prend à cœur ce qui vous arrive.
C'est le secrétaire d'État aux Affaires étrangères qui l'a
reçu. Ici, il y a une grosse agitation. Della Serra a
annoncé la fin des Jeux. Les dirigeants se sont enfermés
à Zhongnanhai, où ils sont réunis depuis une dizaine
d'heures. On sent des frémissements partout dans la
ville. À l'ambassade et à Washington, ils suivent tout ça
de très près. À Zhongnanhai, rien ne filtre mais les
médias publics citent Li Feng avec une fréquence inha-
bituelle.

Lin retrouva dans le bureau des interrogatoires le
grand homme maigre à la barbe coupée court, soignée,
au regard conquérant. À ses côtés, son avocat avait la
présence d'un taureau de combat. La partie n'avait que
trop duré. Il fallait conclure. Il devait se concentrer sur
cette dernière manche, tâcher d'oublier un instant Yang
qui risquait les pires ennuis parce qu'il s'était laissé
séduire par une fille d'un milieu différent, d'oublier aussi
le harcèlement politique auquel le soumettaient Tong, Xu
et leurs semblables et qui l'empêchait de travailler convenablement.

Lin dévisagea l'Américain. Pas de doute, le gars était
impliqué, mais il n'était pas seul. Il voyait les grandes
manœuvres de cet androgyne, Xu, qui montrait avec
ses grandes mains manucurées la direction à suivre.
Hehnrick avait rencontré Jiang Yi, mais ce n'était pas

celui de Li Feng. Il avait bien vu Li Feng et ce Jiang Yi, toujours à la demande de Li Feng. Cela faisait trop de Jiang Yi... et, décidément, trop de Li Feng.

Il fit à peine attention à Hehnrick qui demandait maintenant un entretien avec Li Feng. Rien que ça. Son cellulaire s'était mis à sonner. C'était agaçant.

— Son Excellence Li ne parle pas aux prévenus, répondit-il en tentant de se maîtriser, sans répondre à l'appel.

Tong pouvait patienter deux minutes.

— A-t-il validé mon arrestation? L'a-t-il ordonnée? Répondez, c'est important.

— Nous ne sommes pas venus vous chercher par hasard, répliqua Lin.

— Directeur Lin, je travaille avec votre justice depuis vingt-deux ans et je sais discerner une accusation fondée. Mon client a peut-être eu une ou deux fréquentations malheureuses, mais involontaires. Il avait l'intime conviction de traiter avec votre gouvernement...

— Permettez...

Le cellulaire s'était remis à vibrer.

— Vous allez me dire que votre client n'est en rien impliqué! dit-il brusquement, laissant son cellulaire vibrer dans sa poche. Mais nous avons ses aveux: il connaissait Qi et Ruan! Nous avons les aveux de Hertz! La mort de Qi chez les Meyer! Les dépositions des Meyer! Que vous faut-il de plus?... Cette audition est terminée pour aujourd'hui. Huissier, notez que je demande l'inculpation de Peter Hehnrick pour association de malfaiteurs, tentatives de corruption, empoisonnement de personnes, fabrication de produits illicites et complicité dans des actes de terrorisme. La Sécurité intérieure ajoutera ses propres griefs sur l'atteinte à la Sûreté de l'État. Si vous avez des pièces tangibles ou d'autres arguments que de l'intimidation, faites-les-moi passer. Huissier, transmettez à la camarade Tong!

— Vous voulez une pièce tangible?...

Hehnrick porta sa main vers la poche intérieure

de son veston en s'étonnant de ne pas avoir plus peur que ça.

— Justement... en voici une...

Ce qu'il était en train de faire pouvait aggraver son cas, lui valoir une balle dans la nuque. Tout allait dépendre des capacités d'écoute de ce policier qu'il toisa d'un air impérial, ignorant Crown qui lui adressait des coups d'œil chargés d'interrogations.

— J'ai un Joker, annonça Hehnrick.

Lin était un peu surpris. D'habitude, à ce moment-là, les prévenus s'effondraient de la façon la plus lamentable.

Hehnrick n'éprouvait plus qu'une froide détermination. On ne manipulait pas un homme impunément. Maintenant, il voulait se battre. Ceux qui cherchaient la bagarre allaient le trouver.

— J'ai le moyen de sauver les Jeux olympiques, dit-il. Est-ce que ça vous intéresse ?

Les grosses paupières de Lin s'abaissèrent davantage, ses pupilles sombres s'élargirent.

— Vous êtes assez malin, monsieur Hehnrick, pour analyser votre situation et abattre une bonne carte si vous l'avez en main.

— La voici.

Il sortit de la poche intérieure de son veston les deux feuillets de l'e-mail de Pittsburgh.

Pendant cette nuit chaude, le professeur Lei était l'une des rares personnes qui parvenaient à dormir à Pékin. Ce qu'il apprit au téléphone le remit debout. Quelques secondes après, les feuillets sortaient de son fax. Il mit deux minutes pour analyser les formules du laboratoire P3 de Pittsburgh. Il rappela le directeur Lin.

— Il s'avère que les Américains ont une longueur d'avance sur nous, annonça-t-il avec la voix calme du praticien qui parle à un client. Ils ont identifié une variante à progression rapide de la souche incriminée.

Les formules qu'ils ont transmises sont bien la définition de la substance trouvée chez l'Américaine Meyer et d'une manière paradoxale chez Dara. C'est la clé que nous cherchions. La fille a bien infecté le garçon et non l'inverse... Nous en avions l'intuition.

— Ce qui veut dire?

— Mykio a été infecté cette nuit par cette molécule. Les formules que j'ai devant les yeux collent parfaitement avec son cas.

— Merci, professeur.

Lin cria un ordre à Yang, puis sortit s'installer dans la pièce voisine recevoir le prévenu Pema Zhu qui attendait son interrogatoire au dépôt du rez-de-chaussée. Celui-ci arriva après trois minutes escorté par Yang et un agent.

— Camarade Pema, les charges contre Mykio Dara ne reposent plus que sur vos accusations publiques. Le temps presse. Indiquez-moi avec précision quand vous l'avez vu se doper, la nature du dopage et sa fréquence.

— Mais voyons, je n'ai pas participé à son dopage.

— Entendons-nous bien. Il n'est pas question de vous, mais de lui. Vous l'accusez et vous devez être précis : quand, comment, quelle fréquence?

— Je n'ai jamais dit l'avoir vu se doper.

— Mais vous le chargez.

— Mais non! Ce sont les analyses scientifiques qui parlent.

— Si je comprends bien, c'est sur la foi de ces analyses que vous avez déclaré publiquement qu'il se dopait?

— Bien sûr...

— Et si l'on vous disait que ces analyses sont erronées, maintiendriez-vous vos accusations.

— Si tel était le cas?... Non.

— Vous êtes sûr de ça?

— Oui, bien sûr!... Vous voulez dire...

Les tempes de Lin commençaient à bourdonner. Il sentit des palpitations. Il fit un effort pour se calmer et lorsqu'il pensa y être parvenu, il appela Tong.

— C'est très bien, directeur Lin, répondit celle-ci avec un empressement très professionnel. J'ai justement en ligne le commandant Xu. Il me dit que votre prévenu, je parle d'Hehnrick, est une vraie crapule. Croyez-vous ce qu'il raconte ?

— Le professeur Lei le confirme.

Il y eut un silence, manifestement un échange avec Xu.

— Les formules produites par Hehnrick ne sont-elles pas justement l'aveu que nous voulions lui soutirer ? demanda-t-elle après plusieurs secondes.

— Il dit coopérer pour aider le CIO et notre pays.

— Gardez-le sous les verrous. Si ce que vous dites est vrai, vous serez décoré par la plus haute autorité de l'État. Êtes-vous dans votre bureau ?... Laissez-moi le temps de me préparer, je vous rejoins...

Lin raccrocha.

La solide tête du commissaire sportif devant lui était livide, les mains de cet homme s'étaient mises à trembler, la canne remuait en frappant le sol. Lin crut l'entendre lancer des incantations contre Tong.

Hehnrick entièrement concentré sur Crown ignora Lin, Yang et Pema Zhu qui entraient dans la pièce.

— À mon avis, il vient d'appeler sa hiérarchie, répondit Crown à son client.

— Qui sont ses supérieurs ?

— Le directeur de la police de Pékin ou bien le ministère de la Sécurité intérieure si c'est politique.

— Et tout ça, c'est chapeauté par Li Feng ? demanda-t-il à Crown.

— Là vous m'en demandez trop, Peter.

Hehnrick se tourna vers Lin.

— Directeur Lin ! Méfiez-vous de tout ce qui remonte à Li Feng !

— Vous allez trop loin, Peter !

— Foutez-moi la paix, Crown. On joue serré.

Lin commençait à avoir le tournis. Il interpella l'inspecteur Yang.

— Ton avis ?

— L'innocence de Mykio ne lave pas pour autant le prévenu. Si vous voulez mon avis...

Yang tira Lin par la manche, vers la porte. L'avocat américain devait comprendre le chinois. Lin appréciait Yang dans ces moments-là. Il savait allumer les lanternes, comme sa remarque sur l'histoire improbable du macchabée devant le portail de son assassin. Le cuisinier He avait été tué devant l'usine par quelqu'un qui voulait nuire à BFL et à Hehnrick. Lin en avait maintenant la certitude.

— Vas-y, Yang.

— Toute cette affaire est un vrai sac de nœuds. Hehnrick n'a pas inventé ses liens avec le faux conseiller Jiang Yi et son excellence Li Feng. Ce serait débile de sa part et totalement suicidaire d'incriminer le Premier ministre Li Feng. Hehnrick n'est pas mythomane. À mon avis, il y a une grosse part de vérité dans ses allégations.

— Ah... Tu viens de prononcer un mot important Yang.

— Oui, camarade directeur ?

Vérité. Lin avait entendu cela, il n'y avait pas si longtemps. Dans son dos, il perçut des sons. Pema Zhu semblait avoir perdu la tête et proférait des propos sans suite.

— ... Ils veulent enfoncer Mykio... J'y vois clair maintenant, Tong veut le démolir... C'est politique...

À son tour, Lin était envahi par une vague angoisse.

31

Destins

Liang Chaohua reçut la nouvelle dans sa Hongqi qui le ramenait à Huairentang au centre de Zhongnanhai. Il raccrocha en jurant et téléphona à Li Feng.

— Camarade Li, il y a un élément nouveau.

Li Feng vérifia qu'il était bien seul dans le petit salon de Huairentang.

— Vas-y, Liang.

— Vous savez que les laboratoires de BFL sont parmi les plus performants au monde en ce qui concerne la recherche en biologie humaine ?... Ils ont révélé les formules du dopage de Mykio Dara et de l'Américaine. Ces formules permettent d'identifier le virus. C'est aussi la preuve que le Tibétain a été dopé la nuit dernière pendant la prise d'otages.

— Qui a donné ces formules ? demanda Li Feng qui voyait se dessiner dans son esprit une complication.

Une grosse complication.

— Hehnrick, comme beaucoup d'hommes, aime se mettre en valeur, camarade Li.

— Dis-moi plutôt qu'il se défend. Et apparemment, il s'y prend bien.

— On peut voir les choses comme ça.

— Comment n'avons-nous pas prévu ça, Liang. Qui l'interroge ?

— Le directeur de la police criminelle de Pékin.

— Est-il fiable ?

— Il y a aussi l'avocat d'Hehnrick.

— Isole-les. Je t'ai demandé si le directeur est digne de confiance.

— Non. Il a discuté avec le professeur Lei.

— Fais-le boucler.

— C'est ce qu'on fait.

— Les camarades du Bureau politique ne doivent plus se préoccuper de ce genre de question. Il y a trop à faire avec l'instauration de la loi martiale. Ce Tibétain ne doit plus parasiter nos travaux. Pour éviter qu'il revienne sur le tapis, fais-lui tirer une balle dans la tête.

— J'ai pris toutes les dispositions dans ce sens, camarade Li. J'attendais ton ordre.

Li Feng repartit vers la salle de réunion. Il sentait ses jambes raidir et son cœur battre un peu plus vite. Mais il était tranquille. Wang était tombé. Les camarades de Shanghai, qui n'avaient soutenu le vieux fou que du bout des lèvres et sans conviction, se cramponnaient maintenant à leurs postes. Ils commençaient à implorer son pardon. Ils lui mangeaient dans la main.

Le directeur Lin reconnut la voix aigrelette du procureur Chen.

— J'écoute !

— Nous avons parlé de vérité dans l'ascenseur l'autre jour, dit-il après s'être présenté.

— Alors ? demanda sèchement le procureur Chen.

Lin annonça les formules de Pittsburgh, l'avis du professeur Lei, la persistance d'Hehnrick dans ses dépositions contre des simulateurs, et contre Li Feng.

— Qui avez-vous prévenu ? demanda Chen.

— La haut commissaire Tong qui est attachée à son excellence Liang Chaohua.

— Il y a combien de temps ?

— Dix minutes. J'ai essayé de vous joindre, mais vous étiez en réunion.

— Vous avez deux choses à faire. La première : faxez ces formules à mon secrétariat qui va me les faire parvenir. La seconde : faite assurer la sécurité du Tibétain.

Aussitôt raccroché, Chen jura puis il appela son secrétariat et ordonna qu'on le mette en rapport de toute urgence avec le professeur Lei.

Li Feng trouva l'ambiance relâchée dans la grande salle de Huairentang. Ses collègues semblaient avoir profité de son absence pour faire une pause. Liu Daren, prostré dans l'attente, griffonnait. Rong Shuxian, le maire de Shangai, fumait paisiblement un gros cigare. Li Feng nota l'absence des trois aînés, le procureur Chen, le maréchal Peng et le doyen Zhenlin.

— Où sont nos camarades Chen, Peng et Fu ? demanda-t-il.

— Partis prendre l'air dans le jardin, camarade Li.

Le commandant Xu dans son uniforme d'apparat se dirigea tout droit vers Che.

— Voici un ordre signé par le camarade Liang Chaohua, annonça-t-il. Vous êtes relevé, camarade commandant Che.

Ce dernier entendit au même instant deux petits bips stridents. Il fourra sa main dans sa poche et regarda le bipeur : les points avaient été remplacés par des barres. La mission de Che venait de s'achever. À trois mètres de là, Mykio voulut fermer les yeux, mais, en même temps, il ne voulait rien rater.

— Ça ira ? demanda Che d'une voix moins assurée dans la direction du garçon.

— S'il vous plaît, faites-le vous-même.

Che ferma les yeux une fraction de seconde.

— Désolé, Mykio, je ne peux pas.

Le commandant Xu les regardait de ses grands yeux. Il dégaina son arme. Mykio le vit s'approcher, avec, dessiné sur ses lèvres, ce sourire gourmand des psychopathes au cinéma. Le jeune homme se dit qu'il allait mourir d'une façon tout à fait ordinaire, un Tibétain exécuté par un Chinois. Il pensa aussi qu'il n'éprouvait plus rien. Il était pourtant à l'affût de toutes les choses qu'il pouvait voir. L'eau était absente. Il ferma les yeux pour l'imaginer, puis les rouvrit aussi vite. Il avait un besoin éperdu de regarder. Cette quête l'empêchait de réfléchir. C'était mieux ainsi. Le commandant Xu amena son arme devant son front, puis devant son œil droit, puis son œil gauche.

En sortant, le commandant Che avait calé tous ses sens sur ses trois camarades de l'Armée populaire. Le nerf de bœuf qui paradait avec son arme sous le nez du garçon était un officier supérieur comme lui qui obéissait aux ordres. Au passage, Che avait calculé les trois cartons. Un quart de seconde pour la grande tapette galonnée et un peu moins d'un huitième de seconde pour chacun des deux autres, car il serait alors en mouvement. En refermant la porte, il contempla une dernière fois le garçon qui avait fermé les yeux. Il ressentit une forte poussée d'adrénaline, puis se relâcha. Les ordres étaient les ordres. Il lâcha la poignée et se retrouva seul dans le couloir semblable à un couloir d'école.

Les trois aînés du Bureau, Chen, Peng et Zhenlin, avaient repris leur place. La porte centrale de Huairentang s'ouvrit sur l'imposante carrure de Liang Chaohua. Le gros homme marcha jusqu'à son fauteuil, s'assit et fit un signe de la tête à Li Feng.

— Bien, camarades, dit ce dernier, reprenons nos travaux dans le cadre de cette réunion. Il est tard. Tâchons d'aller vite. En premier lieu, le camarade Liang m'informe qu'il a établi une liste d'un millier de dissidents. Ordre vient d'être donné de les trouver et de les arrêter. Les principaux d'entre eux se trouvent actuellement à l'Aquatic Center. La troupe est en marche pour les arrêter. Cette offensive a déjà commencé par l'exécution de la figure emblématique de cette chienlit, le Tibétain Mykio Dara.

— Bon débarras, le liquider était la meilleure décision, admit le procureur Chen qui adressa un regard appuyé au maréchal Peng à l'autre bout de la table.

— C'était sage, répondit Liang Chaohua.

— Rien ne justifiait d'attendre, glissa Chen.

— Nous devions éliminer la cause de tous les maux qui secouent le pays. Croyez-moi, nous avons bien agi, appuya Liang.

— Et il fallait se hâter, camarade Liang, ajouta Chen. N'est-ce pas, camarade Li?

— Il était inutile de reporter ce qui était convenu, le camarade Liang a eu raison de régler ce problème qui est maintenant derrière nous, ce qui est mieux.

Chen se dressa sur son fauteuil en raidissant le buste. Il expira et inspira bruyamment.

— J'ai ici un rapport du professeur Lei de l'Académie de Médecine indiquant que Mykio Dara a été dopé hier soir pendant la nuit de séquestration par une molécule qui vient d'être identifiée. Les formules afférentes à cette molécule ont été produites par un laboratoire BFL de Pittsburgh aux États-Unis. Les conclusions du professeur Lei devraient, si j'ai bien compris, être validées par les autorités médicales du CIO et innocenter notre Tibétain.

Li Feng scruta Liang Chaohua. L'avait-il trahi? Liang observa Li en se demandant s'il lui avait tendu un piège, avec les camarades ici présents, pour se débarrasser de lui.

Il vit passer devant ses yeux les formules et le rapport du professeur Lei. Il fit un effort pour ne pas plisser les yeux. Il comptait sur Liang Chaohua.

— Notre police a remonté la trace du dopage de nos

athlètes, commença ce dernier imperturbable. Toutes les pistes conduisent vers le groupe pharmaceutique BFL, le chimiste qui défraie régulièrement la chronique. Dans les milieux autorisés, on sait qu'il travaille avec la CIA à la conception de produits prohibés par les accords internationaux. Les liens entre les deux entités sont anciens et solides. Le dossier sur l'implication des États-Unis, que je vous ai remis tout à l'heure, explique tout cela. Depuis la fin de la Seconde Guerre mondiale, le groupe Friedman qui a fusionné depuis avec le conglomérat suisse BioPharma, trempe dans de drôles d'affaires. Le scandale des années 70 sur la propagation de gaz expérimentaux dans un archipel du Pacifique, où la CIA a été citée par les sources les mieux autorisées, c'est eux. Les maladies bizarres pendant la guerre du Golfe, c'est encore eux. La contamination de nos athlètes, c'est BFL. J'ai ordonné l'arrestation d'Hehnrick en début de soirée. Nos policiers sont habiles. Ils ont réussi à le piéger. Ils l'ont conduit à avouer qu'il avait noué une relation avec le chef opérationnel du «Mouvement des Cimes». Acculé, il tente de marchander avec ces formules sorties d'un de ses laboratoires. Elles prouvent une nouvelle manipulation de BFL et de la CIA. Ils tentent de réhabiliter l'agitateur tibétain pour exciter plus encore la colère du peuple contre le Parti.

— Je te remercie, Dara. Grâce à toi, je suis promu colonel.

Xu avait pris sa position, sur le côté du condamné, à un mètre, le canon de l'arme à deux centimètres du crâne, devant l'oreille. Derrière, le major tenait Mykio en respect pour qu'il n'ait pas l'idée de perturber Xu dans ses ajustements. Le sergent était à genoux avec l'appareil photo.

Mykio aperçut Jihong qui lui souriait, et sa mère qui l'attendait, comme autrefois. Ces images bienfaisantes lui firent espérer une renaissance favorable. Jihong et sa mère... La clé entre Audrey et Jihong devait se trouver par là. Il vit à son tour Jihong se métamorphoser en hirondelle, prendre son envol et s'éloigner pour disparaître dans un ciel bleu... si bleu... Il perçut enfin la détonation.

— Je devais être informé de l'exécution de Mykio Dara, décréta le maréchal Peng.

— J'ai fait appliquer les directives du Comité permanent, répondit Liang Chaohua. Dans le cadre de la loi martiale, les meneurs doivent être anéantis. Nous avons commencé par le plus dangereux d'entre eux.

— Je devais être prévenu, camarade Liang, insista le maréchal.

— Nous en avons parlé, camarade maréchal Peng.

— Pas d'une façon aussi précise.

— C'est votre vision des choses. Pister et neutraliser les dissidents, les meneurs, les espions, c'est mon travail. Le vôtre consiste à secouer les armées quand on vous le demande.

— Il faut bien comprendre, ajouta Li Feng, que l'ennemi est multiforme, terroriste, étatique, industriel. Il frappe de manière apparemment incohérente, mais chacun de ses coups est mortel. Le travail de notre Sécurité intérieure nous permet de tout surveiller. Nous sommes confrontés cette fois-ci à une attaque globale. Les ennemis sont à l'intérieur et à l'extérieur. Nous devons y répondre de façon massive. Je propose que l'on félicite le camarade Liang Chaohua et que nous revenions à nos affaires. Maréchal Peng, poursuivons notre tour d'horizon sur la mise en place de la loi martiale.

Li Feng regarda ses collègues. Il y eut un mouvement de la main du côté de Liu Daren.

— Oui, camarade Liu?

— Cette analyse de l'éminent camarade professeur Lei réhabilite le Tibétain. Dans ce cas, la Chine ne perd plus ses médailles, les Jeux peuvent se poursuivre...

— Il reste que le Tibétain est mort! coupa le vieillard du Bureau politique, le doyen Zhenlin.

— Il sera réhabilité à titre posthume, surenchérit le maire de Shanghai. Comme l'a dit Liu, la Chine gardera ses médailles ! Elle n'aura pas laissé doper son athlète ! Elle sauvera l'honneur !

— Et le Peuple nous passera par les armes pour l'avoir liquidé, ton Tibétain, Rong ! lâcha Zhenlin.

— C'est pourquoi l'exécution du Tibétain est une lourde faute ! tonna Liu Daren qui en fit sursauter un certain nombre. Tout à l'heure, les camarades Li et Liang ont déclaré que l'ordre d'exécution avait été donné nonobstant la connaissance qu'ils avaient de ces formules et de l'opinion du professeur Lei. Ils n'ont pas pris au sérieux notre plus haute autorité médicale.

— Où veux-tu en venir, camarade Liu ? demanda le procureur Chen.

— Je voudrais que les camarades Li et Liang admettent qu'ils ont agi à la légère et présentent des excuses. S'ils refusent, le Bureau devra constater qu'ils ont voulu entraîner la Chine et le Parti vers la loi martiale en éliminant de manière occulte une autre solution alors possible.

— Pourquoi autant d'aigreur, camarade Liu ? demanda Li Feng. Nous faisons tous ici de notre mieux. Ton amertume te pousse à la rhétorique. Il faut aller de l'avant et ne pas nous chamailler. Le Bureau a pris cette nuit des décisions historiques. Notre devoir à tous est de les appliquer sans états d'âme. Ces Jeux sont derrière nous. Le rétablissement de l'ordre et la consolidation du communisme sont devant nous. Il faut maintenant reconstruire. Ne pensons plus qu'à cela. Il me semble que tous les camarades ici sont d'accord.

Un silence apaisé régna. Il se dégageait de Li Feng une force calme qui séduisait, tout autant qu'elle effrayait. Les remontrances de Liu Daren n'y pouvaient rien. Li Feng avait pris le pouvoir. Les vents avaient tourné.

Le héros du peuple devait crever d'une manière parfaitement conforme au manuel : d'abord une balle dans le vide pour vérifier le fonctionnement de l'arme. Puis, Xu se replaça devant Mykio, tandis que le sergent s'apprêtait à prendre la photo qui serait versée au dossier.

— À genoux.

S'il le fallait, tu traverserais les montagnes, se rappela Mykio qui faillit rire. Autrefois, il n'aurait jamais pu penser aux montagnes comme ça. Elles avaient des noms, pouvaient être masculines ou féminines.

— Baisse la tête.

Certaines étaient mauvaises, mais la plupart étaient bonnes, en paix avec l'univers et préservaient le bon équilibre dans la campagne. Aujourd'hui, il avait tout oublié. Il était aussi sec que ce commandant Xu qui jouait avec son arme devant ses yeux.

— As-tu un dernier mot à dire ?

Le métal sur sa tempe droite lui sembla doux. Xu avait du doigté.

Mykio ferma les yeux.

Tu savais tes parents morts. Aldo avait raison, *je...*

Je savais mes parents morts...

— Attendez... dit-il.

Sa main droite plongea dans la poche de son survêtement.

— Ce n'est que mon *Khada*, ajouta-t-il en sortant l'écharpe de soie d'Ama-la.

Oui, il savait. Il y voyait clair. Il avait chéri Gen-la le bourreau, saccagé le travail de toutes ses vies antérieures. Il avait trompé Jihong avec sa principale ennemie, Audrey. Il était le Tout Obscur.

Un Tout Obscur n'a pas de renaissance, même des plus primitives. Mykio fut traversé par cette évidence. Il renonca à mettre le *Khada* autour de son cou. Il le garda chiffonné dans son poing, sentit le canon de l'arme au sommet de son crâne. On exécutait ainsi. La balle devait traverser la tête de haut en bas.

— Alors, tu es prêt ?

— Oui...

Il entendit deux coups de feu et ouvrit les yeux. Dans l'encadrement de la porte, il vit Pema, aussi massif et menaçant qu'un char d'attaque, la grosse tête ovale, le buste bombé par une rage intérieure, Gen-la, était là, comme pour donner une nouvelle leçon de comportement, sauf qu'il avait une arme à la main qu'il venait d'utiliser.

La tête inondée de sang du commandant Xu bascula en arrière tandis que Pema s'affaissait. Sa canne roula dans le couloir.

Mykio vit apparaître l'imposante silhouette du commandant Che Pufeng, en position, l'arme au poing qui fit feu. Le major poussa un râle. Le sergent leva les bras en laissant tomber son appareil photo. Puis ce fut le silence.

Les trois aînés du Bureau politique tenaient un conciliabule dans un coin de la grande salle à la demande du maréchal Peng qui avait été sollicité plusieurs fois par son aide de camp. La loi martiale malmène le vieux maréchal, se dit Li Feng qui les observait. Il avait voulu se joindre à eux mais on lui avait répondu « nous parlons entre nous », ce qui était normal puisqu'il n'était pas un aîné. À l'extrémité de la table, Liang Chaohua lui indiqua d'un geste que de son côté, il n'y avait rien de nouveau. La séance reprit aussi vite.

— Le camarade maréchal Peng doit avoir du nouveau sur les préparatifs militaires, commença Li Feng.

Chen leva sa main décharnée.

— Exprime-toi, camarade Chen.

— Nous incarnons ici la plus haute instance du Parti et du pays. En qualité de président de la Commission centrale de discipline, je considère que le Bureau devait être saisi de cette analyse sur la contamination de Dara. Liang devait savoir que le laboratoire qui a fourni ces formules est accrédité par le CIO. Il devait au moins se poser la question, se renseigner et t'en parler. Après quoi, tu devais porter l'opinion du professeur Lei à la connaissance du Bureau, qui aurait alors décidé quoi faire. En agissant autrement, tu as court-circuité le Bureau.

— Chen n'a pas tort, Li. Si tu commences ce soir à te dire que tu peux te passer du Bureau, demain tu t'en passeras vraiment. Puis tu le trouveras inutile. Peu après, tu le trouveras encombrant. Tu vois où je veux en venir, Li?

Le vieux Zhenlin marqua une pause.

— Il faut sur ce point que vous vous ressaisissiez, camarades! Vous devez manifester votre mécontentement au camarade Li! lança-t-il ensuite à la volée.

— Le camarade Zhenlin veut dire que le Bureau exige des excuses, appuya Chen.

Li Feng vit quelques collègues approuver les invectives des trois aînés. Une adhésion timide. Un frémissement.

— Je peux rassurer chacun, dit-il avec un sourire apaisant. J'ai cru bien faire, mais nous sommes peut-être, Liang et moi, allés promptement en besogne, camarades. J'en conviens. Mais quand le feu gagne, il faut agir.

— Bon, voilà qui n'est pas vraiment faire amende honorable, mais ça ira, dit Chen. Tu regrettes donc la mort de Mykio Dara, camarade Li?

— Nous nous sommes exprimés sur ce point en début de séance.

— Camarade Li, si Mykio Dara était vivant, quelle voie proposerais-tu au Bureau? La restauration de l'ordre dans le calme, avec le Tibétain et Wang Lanqing, ou bien la loi martiale malgré tout?

— Cette question est un non-sens, Chen, puisqu'il est mort. Sois pragmatique.

— Attention, camarade Li. Ne m'insulte pas. Je suis ton aîné.

— Réponds, Li, insista Zhenlin.

— C'est un interrogatoire?

— Oui, bien sûr. Nous t'interrogeons depuis tout à l'heure, tu ne l'as pas remarqué?

Li Feng vit cinquante-deux yeux pointés sur lui. À cet instant-là, le visage aimant de Mo Cuo lui fit cruellement défaut.

— Aurais-tu choisi l'Olympisme ou la loi martiale?

— L'Olympisme bien sûr...

— Et malgré cela, tu fais exécuter le héros du Peuple?

— Il n'était plus le héros du Peuple à ce moment-là.

— Mais si! Tu le savais innocent de toutes les accusations de dopage et tu as pourtant ordonné son exécution.

— Ne vous fatiguez pas, camarade Chen. Je vois où vous voulez en venir... Si j'avais répondu que je choisissais la loi martiale, vous m'auriez dit que l'exécution de Mykio servait la loi martiale et donc ma politique.

— Tu es perspicace, camarade Li. Mais tu as bien répondu. L'instauration de cette loi, la crise, te hissaient au poste suprême. La solution de l'Olympisme, avec le Tibétain réhabilité, fait revenir devant la scène le camarade Wang. En choisissant cette solution, qui rétablit le calme dans la joie, sans que soit versée une goutte de sang du Peuple, tu sacrifies ta foudroyante promotion de cette nuit. Es-tu d'accord?

— Sauf que le Tibétain est mort! cria Li Feng dans un sursaut.

Il ferma les yeux une seconde pour tenter de retenir ses forces qui s'échappaient. Le sourire encourageant de Mo Cuo se brouillait.

Chen signa un papier à en-tête de la Commission centrale de discipline.

— Depuis que nous savons que Mykio est innocent, le Parti fait cause avec le Peuple, annonça-t-il le stylo toujours à la main. Quand le Peuple a raison, le Parti le reconnaît, c'est aussi simple que ça! La mise en cause du héros du Peuple, sa condamnation à mort, sont deux terribles méprises, Li. Le Peuple va être très en colère contre le Parti qui va devoir s'excuser, expliquer, désigner les coupables. Tous vont se déchaîner contre toi.

— Tu as voulu nous forcer la main! lança le vieux Zhenlin en crachant dans la direction de Li Feng qui rechercha quelques regards amicaux, n'en trouva pas et fut pris d'un tremblement.

Il appela désespérément Mo Cuo.

— Nous sommes tes aînés. Tu as voulu manœuvrer. Nous avons alors décidé d'appliquer la politique de la sagesse, conclut Chen en apposant une dernière signature sur le bordereau de la Commission centrale de discipline devant lui. Général, emmenez Li Feng et Liang Chaohua au dépôt de Zhongnanhai. Rappelez parmi nous le camarade président Wang.

— Vous étiez là ? demanda Mykio à Che.

— Non, c'est lui qui t'a sauvé, répondit le commandant en montrant Pema. Moi, j'ai achevé le travail.

Ils regardèrent écœurés les nerfs de bœuf qui baignaient dans leur sang. Mykio s'approcha de Pema. Il se pencha et sentit une faible haleine.

— Je voulais ton bien...

— Je le sais, répondit Mykio.

Pema grimaça un sourire et s'éteignit avec une ultime expression de paix sur le visage.

— Direction le laboratoire de tests du CIO sur Olympic Green. Un hélicoptère vient nous prendre, annonça le directeur Lin, le dernier à arriver, qui venait de recevoir des ordres.

— Mouvement ! lança Che.

— On a le temps de manger un morceau, commandant Che ? demanda Mykio soudain affamé.

— Non.

32

Le Vieux Moine

JO + 8

Les huit nageurs pour le 1 500 mètres nage libre s'apprêtaient à un long combat. Mykio observait le jeune Japonais Seichi, capable, selon les médias, de descendre en dessous des 14 minutes 30, soit une moyenne de 58 secondes pour chaque 100 mètres. Le jeune Japonais à l'air timide était aux côtés de son compatriote Iro Yagushi, la meilleure performance de l'année en 14 minutes 39. Le troisième danger pour Mykio restait l'Américain Tom Brown, qui détenait le record du monde en 14 minutes 31. Mykio avait un doute sur sa capacité à rester au meilleur de lui-même tout au long des trente longueurs de bassin. Ce n'était pas sa capacité de résistance qui l'inquiétait, mais l'éventualité d'une lassitude au 800 mètres. Dans un 1 500 mètres, il fallait nager vite tout le temps, partir en 54 secondes et arriver en 58,5 secondes. Le matin, en séries, il avait nagé en 14 minutes 52, ce qui le plaçait à la ligne 4. Le passage des 700 aux 1 200 mètres avait été éprouvant. Il avait observé Seichi nager dans la série suivante, en 14 minutes 55, sans aucun effort visible. Il avait même deviné un bien-être chez ce Japonais, qui avait avalé son 1 500 mètres aussi facilement qu'une barquette de sushi. La porte de la chambre d'appel s'ouvrit. Les filles avaient terminé leur 800 mètres, c'était au tour des garçons.

— Il va être intéressant de voir Mykio Dara sur une longue distance, annonça Tom Douglas.

— Nous avons eu un aperçu ce matin. Dara s'est avéré être un client sérieux. Il est à la 4, pris en sandwich entre Seichi et Tom Brown qui peut nous réserver une surprise, car Tom ne se révèle qu'au moment crucial. Nous verrons s'il fait le doublé avec Athènes.

— On l'a vu au 800 mètres féminin, le Japon a un très bon cru sur le fond. Je serais étonné qu'Iro Yagushi se laisse faire. Il en a dans les bras, on l'a vu au Japon. Vous étiez un nageur de vitesse, Tom, avez-vous nagé des 1 500 mètres en compétition?

— Aux Interclubs. Le problème du 1 500 mètres, pour un nageur peu habitué est le blues à mi-distance. Il faut l'avoir fait et refait pour avoir le moral.

— Les nageurs arrivent, Michael.

— Le premier attaché d'ambassade est venu avec l'ambassadeur. Il y a aussi le camarade procureur Jiao. Ils ont conclu un accord pour qu'on libère Hehnrick, annonça le directeur Lin à Yang.

— Qu'en pensez-vous, chef?

— Il nous manque quelque chose contre Hehnrick: le coup de massue.

— Il sait se faufiler entre les mines. Qu'en pense le vice-Premier ministre Liang Chaohua, chef?

— Je n'ai pas réussi à le joindre. Tong non plus d'ailleurs. Le ministre Deng m'a demandé d'obéir au procureur Jiao. Il semble qu'en haut lieu, ils soient tous tombés d'accord cette nuit.

Comme à l'accoutumée, les annonceurs firent les présentations. Mykio leva la tête. L'hirondelle n'était pas là.

Où es-tu? se dit-il en montant sur le plot.

— *Take in your marks!* ordonna la voix claquante.

Mykio regardait en l'air dans tous les sens.

«TUUT!»

Il aperçut au loin la tête du Saint Homme puis, sur la droite, trois rangs derrière les hautes personnalités, Jihong, et au-dessus d'elle, l'hirondelle. Il plongea deux secondes après les autres, emporté par l'allégresse.

— Mykio Dara est quand même très particulier, dit Tom Douglas. Il plonge quand ça lui chante.

— Il n'aura mis que 150 mètres pour rattraper Seichi, Iro et Tom.

— Il va peut-être le payer.

— Je ne suis plus sûr de rien avec ce phénomène, répondit Michael Rooses. Il a tourné en 53,34 secondes au premier 100 mètres.

— Voyons voir... virage du 200 mètres, les quatre nageurs sont dans une ligne parfaite, c'est... c'est Seichi Kashi qui vire en tête avec un temps de 1 minute 49,41 secondes, Dara en 1 minute 49,53 secondes, soit 56,26 secondes pour son second 100 mètres. Cela va très vite.

— Maintenant, Mykio devrait se caler sur Seichi Kashi et Tom.

Alors que Mykio commençait à endurer la longue épreuve, Wang demanda au Saint Homme:

— Savez-vous nager?

— Je barbote.

— Moi aussi.

— Vous devriez venir en Inde faire un peu de marche à pied avec moi. C'est bon, à notre âge.

— Nous irons marcher ensemble au Tibet, déclara Wang.

— C'est merveilleux de voir tous ces Chinois encourager notre Mykio !

Devant le portail Est du Liang Hutong, l'ambassadeur des États-Unis, accompagné par son premier attaché d'ambassade et le procureur général de Pékin, accueillirent Hehnrick et Jefferson Crown.

— Ah, bonsoir, Thomas ! Merci d'être venu ! lança un Hehnrick radieux, ressuscité, dans la direction de l'ambassadeur.

— Vous avez fait mouche, Peter, avec ces formules de votre laboratoire de Pittsburgh. Chapeau ! Vous sauvez ces Jeux. Vous serez l'homme de l'année. J'ai vu Wang Lanqing. Il est aux anges. Ils relâchent aussi Hertz.

— Ils y sont allés fort.

— Wang Lanqing a dû remettre un peu d'ordre cette nuit, confia l'ambassadeur à Hehnrick qui se tourna vers Lin.

— Je tiens à vous remercier, directeur Lin. Vous êtes allé droit à l'essentiel.

— Permettez-moi une dernière question, pourquoi avez-vous produit ces formules de Pittsburgh aussi tardivement ?

— Nos relations avaient mal commencé.

— Nous vous avons fait mariner pour que vous donniez votre jus. Vous connaissez les contes de fées ? Pour moi, vous étiez la sorcière qui a empoisonné la pomme.

— Pourtant ce n'est pas l'Amérique qui a servi la sauce soja à vos athlètes.

— Hi ! Hi !

Les yeux de Lin se plissèrent plus qu'à l'accoutumée.

— Comment savez-vous que les produits dopants étaient assimilés à de la sauce soja, docteur Hehnrick ?

— Voyons, cette contamination et sa composition étaient de notoriété publique.

— Oui, mais pas la sauce soja.

— Où voulez-vous en venir ? demanda Hehnrick.

— Seule la police savait que les produits dopants étaient contenus dans de la sauce soja, docteur Hehnrick. La police et vous.

— Qu'y a-t-il ? demanda l'ambassadeur.

— Oh, rien, Excellence, répondit Lin. Je n'ai qu'une parole, docteur Hehnrick, mais vous êtes bien la sorcière !... Hi ! Hi !

— Soyez tranquille, il va gagner, dit le Saint Homme à Wang Lanqing.

— Comment le savez-vous ?

— Il l'a dit.

— Quand ?

— À la télé, voyons. Vous y étiez.

Dans le bassin, le trio Mykio, Kashi, Brown, virait dans la même seconde aux 700 mètres.

— Il va m'être difficile de vous appeler Saint Homme. Vous appeler Grand Perturbateur ne vous plaira pas davantage. Comment faire ?

— Dites simplement le Vieux Moine.

— Je souris en imaginant les têtes des camarades qui nous voient causer tous les deux. Ho ! Ho !

Mykio avait commencé à se répéter : tu vas perdre. Il n'y pouvait rien. Les bras de Seichi étaient là et Seichi ne faiblirait pas. Il craignait même qu'il ait des ressources cachées. Encore 550 mètres. Trop long. Mykio se dit qu'il n'arriverait jamais à tenir les six cents derniers mètres au même rythme. Il avait envie de sortir de l'eau. Il ne voulait plus nager. Il vit le mur de passage des 1 000 mètres. Il fonça dedans, fit son virage culbute et repartit avec une décision.

— On remarque au passage de ce 1 000 mètres que le président Wang Lanqing et le Saint Homme parlent beaucoup. Nous vivons, en même temps qu'une course mythique, un événement politique historique... Mais regardez Mykio Dara! On n'a jamais vu ça, c'est hallucinant!

— Il a parcouru ce 50 mètres en enchaînant ses mouvements sans respirer, Tom...

— Ce n'est après tout qu'une apnée de 28 secondes.

— Oui, mais en plein effort. L'absence d'oxygène, l'excès de CO_2, en plein effort aérobie peut créer des dommages. Mykio traite peut-être en ce moment ce phénomène de lassitude à mi-course. On voit que sur le 50 mètres suivant, il respire tous les quatre puis trois temps. Notez qu'il ne faiblit pas. Il semble qu'il ait voulu créer une rupture de nature à le ressaisir pour la phase finale... Regardez, il garde ses distances avec Seichi au virage de ce 50 mètres et... Oui! Il est reparti sans respirer... et il reprend une respiration quatre, trois temps aux 40 mètres. À mon avis, il vient de chasser les onze cents mètres effectués et il est reparti maintenant dans un quatre cents mètres qui n'a rien à voir... Regardez comme il attaque l'eau, son rythme est monstrueux! C'est incroyable!

— Je reviens sur Mykio Dara. Cette longueur en apnée va faire date. Je pense qu'il s'est débarrassé du blues des 1 000 mètres. Il a fait travailler d'autres muscles, il a eu d'autres sensations, il a repris ensuite ses appuis. Cette rupture lui convient si bien qu'il pouvait se la permettre. Je suis bluffé, Tom. J'en ai la chair de poule.

Mykio entendait dans sa tête le «clac-clac, clac-clac» régulier des roues d'un chemin de fer sur le rail, bruit qui rythmait ses bras et ses jambes. Au virage, il vit le panneau 14 présenté par l'officiel de la ligne 4. Ce virage lui permit de constater que Seichi Kashi était derrière à environ deux mètres. Le bruit régulier du fer sur le fer retentissait dans son crâne, tandis que ses bras tournaient, tiraient et que ses jambes battaient. Au dernier cinquante mètres, le stade debout l'ovationnait. Il donna sa puissance maximum. La douleur l'irradiait. Il commença à hurler. Le mur d'arrivée commença à s'éloigner. Il ne restait plus que vingt mètres, Seichi était revenu à la hauteur de ses jambes.

— Je suis d'accord avec vous, ce gamin a un destin.

— Voyons, c'est vous qui l'avez dit! rit le Vieux Moine.

— C'est vrai, sourit Wang. À propos, quand retournez-vous à Lhassa?

— Eh bien... Après cette course. Cela fera cinquante-huit ans, répondit le Vieux Moine pensif.

— Ho! Ho!

Wang songeait tout à coup à la soirée qu'il allait passer avec le vieux Xun.

Mykio frappa la croix noire Swatch 2,44 secondes devant Seichi Kashi. Les drapeaux de tous les pays dansaient dans les tribunes. Le speaker annonça:

— Mykio Dara vient d'établir un nouveau record du monde sur 1 500 mètres nage libre en 14 minutes 28,37 secondes. Le Comité international olympique est heureux de consacrer ce soir le plus grand nageur de tous les temps. Le Tibétain Mykio Dara de la république populaire de Chine est le plus grand athlète olympique de l'histoire du sport, avec neuf médailles d'or olympiques!

— De surcroît dans des épreuves individuelles et en une seule olympiade. L'histoire du sport ne lui offre aucun concurrent, compléta Tom Douglas, qui voyait avec nostalgie se terminer cette semaine de natation olympique.

Le regard de Mykio s'arrêta sur Jihong, puis sur Audrey, puis encore sur Jihong, et sur Audrey. Il leur sourit à toutes les deux.

— Comment vas-tu, grande sœur? demanda-t-il à Jihong après être sorti de l'eau.

— Je veux bien être tout ce que tu veux, Mykio, mais pas ta sœur.

— Tu sais bien qu'au Tibet...

Il lui prit la main.

— Pas ici...

Au loin, Audrey lui adressa un signe, un petit geste. Mykio lui renvoya le même message avec sa main.

— Qu'est-ce que tu fais ? demanda Jihong.

— Je dis adieu.

— À qui ?

— C'est pas ton affaire, grande sœur.

Remerciements

En premier lieu, je tiens à remercier mon ami Stéphane Bardoux, qui a accompagné de nombreux athlètes aux championnats du monde et aux JO, pour les innombrables échanges que nous avons eus sur la science de l'entraînement des nageurs de haut niveau et les coulisses de la haute compétition.

Damien Chambon, spécialiste de la physiologie liée au sport de haut niveau et Frédéric Nordman sur l'épineuse question du dopage, m'ont apporté des idées et les conseils indispensables.

Pour la partie tibétaine, je suis profondément reconnaissant à mon ami Tenzin Kunchap, et mes amis tibétains qui vivent sur le plus haut plateau du monde et ne descendront probablement jamais en dessous de 2 000 mètres d'altitude.

Mes sources d'information sur la vie politique à Zhongnanhai ne seront pas citées pour des raisons évidentes, sauf l'étonnant rapport du pseudonyme Zhang Liang, *The Tiananmen Papers* parue chez BBS, Public Affairs, New York.

Merci enfin à Martin Holger, complice depuis la première ligne, à Iké et Jean Lecomte pour leur soutien au bon moment et bien évidemment à Isabelle, Ferdinand, Nina et ma mère pour leurs encouragements indéfectibles.

Photocomposition Interligne

Impression réalisée sur CAMERON
par BRODARD ET TAUPIN
La Flèche
en avril 2004

Imprimé en France
Dépôt légal : avril 2004
N° d'édition : 49881 – N° d'impression : 23907